U0122627

香港報人口述歷史

文農題

總目錄

序一

香港樹仁大學行政副校監　胡懷中博士

香港報業源遠流長，在歷史上有幾個第一：

1、香港第一份中文報刊《遐邇貫珍》（一八五三—一八五六），亦是中國最早的期刊。
2、香港第一份中文報紙《中外新報》（一八五八—一九一九）。
3、香港第一份全由華人操控的報紙《循環日報》（一八七四—一九四一）。
4、香港第一份革命黨報《中國日報》（一九零零—一九一三）。
5、香港第一份小報（小型報）《唯一趣報有所謂》（一九零五—一九零六）。
6、香港第一份晚報《香江晚報》（一九二一—一九二九）。

由這六個第一，揭開了香港報業的百年輝煌。基本上，香港報業便按照這模式發展；直到一九四九年後，報業更上層樓，更為蓬勃，在華文界獨領風騷，人才輩出；在特殊的地理環境、政治氣候下，香港報業百花齊放、百家爭鳴。

一九五零、六零年代以前，報界的領軍人物多為南來報人；這包括外省的，粵廣的；而且還是多屬文人出身的。在人才需求亟殷下，除了少數的新聞訓練機構外，大專院校的新聞系應運而生。一九七一年，樹仁書院創校，也開辦了新聞系；四十多年來培育了不少專才，在業界取得可觀的成績。有媒體，就有樹仁人。

直到今天的數碼年代，紙媒漸頹，載體漸變，但人才始終是佔第一位的；沒有人才，媒體便止滯不前。樹仁由新聞系轉到新聞傳播系，見證了這行業的發展。

香港報業的輝煌歷史，素來鮮有學者專家研究，尤其是現當代的一章，更少人問津。多年前，本校新傳系特別開辦了「香港新聞史」這課程，目的是讓學生知道香港在中國報業上的第一和重要地位；在紙媒或將謝幕之際，這課程饒有意義。

我們不要忘記自己的歷史。

同時，香港報業史是由人創造的。為了拒絕遺忘，新傳系的梁天偉教授、黃仲鳴博士特別開闢了「報人口述歷史」這課題，努力尋找這些大都已退休，或移民海外的報界風雲人物，記下他們的故事，為香港報業史作證。

因此，樹仁在香港新聞史上，也創造了兩個第一：

1、開創了全港大專院校的「香港新聞史」課程。

2、首度全面訪問、記錄了當代報界的風雲人物。

序二

香港恒生管理學院傳播學院　李少南教授

香港是近代中國報業的重要發源地之一。香港報業一直扮演着承先啟後、溝通中西及支援黨派活動的角色。一九九七年七月香港脫離英國統治回歸中國之後，香港報業更扮演多了一個中港溝通的角色，而以政見爭論為主的「黨派報業」模式，也逐漸取代了原來關注社會及經濟為主的「社經報業」模式。

雖然香港是一個國際大都會，也是中國報業發展及現代化的一個重要啟動者，但是它的報業史卻少有研究，特別是二次大戰後至今的一段時間，香港報業的發展並沒有得到學術界應有的重視。幸而天偉兄肩負了這個重任，花耗了多年的時間，以口述歷史的方法，拯救了一些即將湮滅的新聞史料。閱讀此書時，真的是愛不釋手，一看到底方可罷休。這書就像一部紀錄片，把報紙發展、報人、社會轉變及政治人物，多姿多彩地交插其間，將過去香港及中國社會的變化，一幕幕呈現眼前。閱畢每一章，都令人對往日的人和事更多了解。

此外，書中一些材料，對填補香港報業史上的一些空白，有重大貢獻。例如香港報業公會的成立背景、《星島日報》創辦海外版的緣起、廣州《南方日報》及《羊城晚報》與香港報人的因緣，還有，世界中文報業協會在香港成立的背景等等。事實上，天偉兄也是香港的資深報人，希望他也將自己近半世紀從事新聞業的所見所聞，記錄起來。這將會是在此書之外，對香港報業史的又一重大貢獻。此書不光是香港報業發展的一個重要記錄，更是研究香港社會變遷彌足珍貴的一手材料。期待天偉兄日後有更多這樣難得的佳作。

二零一七年春節

序三

梁天偉

二零零四年十月，美國北卡羅來納大學新聞傳播學院教授菲利普・邁耶（Prof Philip Meyer）在《正在消失的報紙：拯救信息時代的新聞業》（*The Vanishing Newspaper*：*Saving Newspaper in the Information Age*）一書中，採用數據分析，預測紙媒將於二零四三年四月消失。而環顧港人吸收資訊的方式和習慣，已由紙媒轉為網媒，看手機而不看報，已令紙媒銷量不斷下跌，紙媒消失的日子恐怕要提早十年來臨。屆時，香港的紙媒將會消失。

筆者有見及此，自加入香港樹仁大學，主持新聞與傳播學系後，即與系內老師開設「香港新聞史」科目，讓青年學子認識香港新聞事業發展史，了解港英政府的傳媒政策，以及中港社會的演變而一度衍生的香港報壇盛況；並同時與副教授黃仲鳴博士一起展開「香港報人口述歷史」計劃，邀請資深報人來校接受訪談錄影，講述他們在香港辦報的經過，以及香港社會的變遷，讓讀者洞悉不同年代的港中關係，和香港報行今昔。

無疑，香港報人口述歷史所呈現的社會現象，與書寫歷史記載的內容不大相同，因為報人口中的往事，往往是一些未經考究的史實，只憑記憶隨口道來。這些往事，有些是個人經歷，有些是道聽途說，有些甚或是推想出來的。其意義在於補充歷史事實，呈現歷史參與者的經歷和見解。因此，當整理訪談內容時，出現過不少問題，需要認真處理，翻查報章修訂補充，以防虛假陳述。

整個訪談計劃，一共訪問了二十八位資深報人，他們大多是退休人士，均能接受多次會面，可來校或到他們居所進行訪談錄影。並於事後跟進訪談內容，審閱、修輯影片和文字稿，之後才付梓出版。可惜，其中好幾位在訪談後去世，未能讓他們看見出版後的影片和書稿。

出版此書艱辛之處，在於約見年邁退休報人，以及後期製作工作（包括考證、剪輯和編寫等）。雖然筆者已有四十多年傳媒經驗，與本地報人稔熟，可是仍有好幾位以健康理由或其他政治原因婉拒訪問。至於後期製作方面，困難之處在於剪輯訪談內容，當中有涉及私人恩怨、別人隱私、張冠李戴、事實不符、時空交錯等問題，需要幾經考究、改編、剪輯、整理才得以付梓。於此，筆者特別感謝樹仁大學新傳網一眾同事，協助剪輯、製作錄影播出，天地圖書公司顏純鈎先生和孫立川先生協作編排、印刷、出版；香港樹仁大學副校監胡懷中博士及新聞與傳播學學者李少南教授分別替本書寫序，以及能仁學院單周堯教授為本書題字。另外，鳴謝大學教育資助委員會研究資助局資助「香港報人口述歷史」研究計劃，並出版文字版和影像版。

晨鳥

當代伯樂　以馬維生

許培樱（晨鳥）（一九二六—二零一四）廣州出生，一九五零年來港。逝於二零一四年。

筆名「晨鳥」。一九五八年加入《新生晚報》，編寫馬經版。同時於《先生日報》、《真報》、《成報》《天天日報》等多份報章兼職馬評人。一九六零年，轉投《馬路》。一九六四年創辦《天皇馬經》，兩年後再辦《天皇夜報》。一九六九年八月，偕《真報》社長陸海安組成「香港華文報業協會」。一九八四年辦《乾坤》周刊；一九八五年成立「香港評馬同業協進會」，出任會長。一九九二年創立《縱橫日報》。

訪問時間：二零一一年十月十四日

訪問地點：北角寶馬山樹仁大學新傳系錄影室

梁：許先生你在廣州讀書，廣州大學畢業。一九四七年畢業，一九五零年來到香港。可否請你說一說畢業後從事何業？

許：我在廣州讀書，適值抗日戰爭，廣州失陷了，逃去韶關；韶關失守後，流亡內地，經過很多地方。抗戰勝利以後，才回到廣州。

梁：一九四九年？

許：是一九四八年。讀書時成立了一個學生聯合會。我是第一屆廣州市學聯會主席。畢業後，曾經在國民政府辦事。政權易手後，國民黨官員撤走，我就走來香港。

梁：一九五零年來到香港？

許：是。來到香港後，甚麼頭緒也沒有，當走難一樣，來了再說吧。初期，生活困難，工作無着。經過一段艱苦日子，才找到工作，安定下來。

梁：戰後香港物資貧乏，甚麼也沒有，大家日子都很艱難。

許：不錯，最初還未寫馬經。覺得香港這個社會很多元化，跟以往大陸不同。在大陸只有讀書然後到政府做事，沒有太多選擇。香港有很多門路，有很多出路可以謀生。在大陸時，經過讀書和服務政府那種訓練，對謀生的知識與見解，已有多少經驗。當時，我在廣南實業公司當秘書，比較清閒一點。正因為清閒，所以才有機會去看賽馬。當我一進馬場，就覺得很奇怪，香港賽馬是很特別的，每兩個星期就跑一次，而且還有很多馬迷。

於是，我認為賽馬這工作是可以謀生的，這是一個很好的機會。當時報紙對馬經卻不太重視，因為當時的人看賽馬而去買報紙的很少，很多大報根本沒有馬經版面。只有比較小規模的報紙才有。

我最初寫馬經，是在《新生晚報》。

梁：你在甚麼時候入行？我記得當時的《新生晚報》，是戰後第一份創刊的華文報紙。你甚麼時候幫它寫馬經？

許：那是一個很偶然的機會。《新生晚報》在中午出版。我在廣南公司的工作較清閒，會陪老闆去看賽馬。久而久之，自己也對賽馬感興趣，熟識以後，也成了馬迷。

中環一家百貨公司二樓，時有茶敘，報人雲集。有次，有一個《新生晚報》的記者，跟後期辦《真報》的老闆陳秀蘭一起；我跟這記者都熟悉，剛好遇到了他們在場。他看到我在看馬經，我不是看普通馬經，是簡老八（簡而清）出的《TURF》，是一本說馬的書。

那他說：「你喜歡看賽馬？」

我笑說：「不只喜歡，更是馬迷呢！」

他問：「你有沒有興趣寫馬經？」

我答：「我怎懂寫馬經呢？」

他說：「有人教你寫。我們《新生晚報》的主編要到片場去寫劇本，不幹了。因此要找個人去替他主理馬經，我們請了 Henry Cheung，天津的名騎師代為主持，但他卻不會寫中文，要請一個人代筆，他口授讓你寫。」

於是我開始寫馬經，跟隨這位 Henry Cheung 去看馬了。他中文名叫張偉權，以前在天津，已是很出名的騎師。他每朝帶我看馬、看晨操。在跑馬地教我如何看，如何觀看馬的狀態。我寫馬、相馬正式的開山師傅就是他。他口述，我筆錄。就這樣開始了《新生晚報》的寫馬生涯。

梁：那是甚麼時候？

許：應該是一九五八年。

梁：當時的賽馬一年只有十九場左右，不像現時這樣頻密。

許：當時是兩星期跑一次，暑休亦很長，一年的賽事應該只有約二十八天。

香港賽馬會復甦了
春季大賽馬
下午一時半起開始角逐
黛茜卑路爭衆望

戰後首場賽馬的報道。那時晨鳥還未入寫馬界。（《新生晚報》一九四七年一月十三日，第二版。）

新生馬經
再談怎樣買生馬
轉譯美國兩大馬評述家的意見
殊途同歸奉勸切勿每場都投注

一九五零年代賽事日盛，報章更設專欄教授如何買馬。（《新生晚報》一九五七年十二月二日，第二版。）

梁：有沒有這樣多？

許：有二十八天。

梁：早期我印象中沒有星期三，只有週六。

許：是。寫馬評，沒有甚麼人肯入行，普通記者都不寫，結果我很快出名。

於是《先生日報》就請我過去。最初我在《星島日報》，也曾寫過散稿，稿費非常低，那是成名前的事。你估那時價錢多少？四元一千字，還要扣標點，寫到百多元已是很少見。那時普通一個記者月薪只有一百至二百多元；《先生日報》請我時，已經三百元。那是一九五九年。在《先生日報》，去看、去研究馬，得益不少。另一原因，就是那個時候寫馬經的人少，能有號召力的寫手就更少。所以很快就成名；其後《真報》慕名找我。他們都不認識我的……

梁：然後你又幫他們寫了？

許：對。他們到處查誰是「晨鳥」。

梁：為甚麼你改「晨鳥」作為你筆名？

許：到現在我也是「晨鳥」……這是我的一個朋友幫我改的，他說：「你每朝這麼早去看馬，早上鳥鳴，你不如就叫『晨鳥』，一鳴驚人吧！」剛才說到，《真報》不知誰是「晨鳥」。剛好我有一個舊同學在《真報》當記者，他說：「我認識『晨鳥』，他在廣南公司工作的……」然後他說：「我去找他！」然後他就來找我飲茶。於是，我在《先生日報》外，亦幫《真報》寫馬經了！

梁：甚麼時候才改稱為「馬經」這個名稱？那時叫作「馬簿」、「馬書」，應該是這樣的，何時改叫「馬經」呢？

許：以前正正式式的馬經是很少的，只有一份《老吉馬經》。

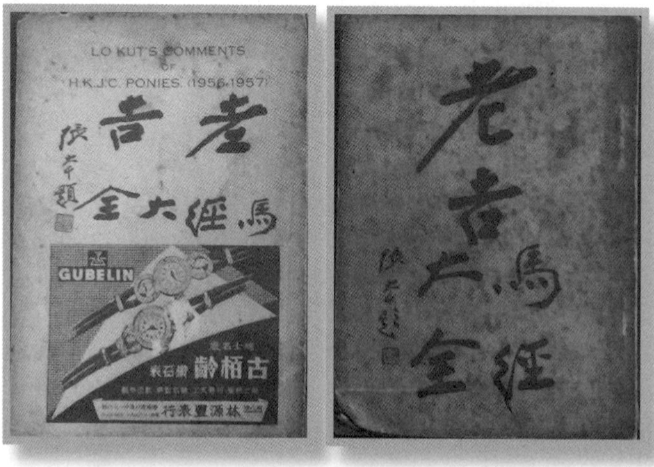

歷史悠久的《老吉馬經》。（香港賽馬博物館館藏）

梁：對呀，為甚麼叫「馬經」而不叫「馬書」、「馬簿」呢？

許：《老吉》不是馬簿，都叫作馬經，是單張紙。《老吉》就是正正式式的馬經界最老的前輩。其他大報根本都不需要馬經版，只有小報，如《新生》、《真報》、《先生日報》等等比較重視。後期賽馬場次愈跑愈多，熱熱鬧鬧，所以馬經才有號召力。一九五九年，《成報》何文法來找我寫馬經，他完全不認識我。但何文法亦記不起我在未成名時，曾找司徒智仁警司，寫信給何文法，介紹我去《成報》寫馬經，因為他們的太太很熟悉，但何文法沒理會，反正還未出名。何文法解釋：「我們馬經版位很少，都是報內的人寫。馬經部縮減剩一人，只寫一個闢欄而已，還未有擴大，所以無法請你。」

陸海安也忘記了，我沒成名時，也曾找過他。以前我在大陸時，因親戚關係，認識張發奎，當時的陸軍總司令。

我叫他給我名片去找陸海安。陸海安說，都是自己夥計寫，沒有請外人。他已經忘了我曾經找過他。

後來，何文法找我。他說：「現在馬經開始收得，有很多讀者，我由一個闢欄擴至單張紙。當時《成報》銷量是每天九萬多份，《星島晚報》十一萬份，我要過《星島》的頭！唯一就是靠新興事業，馬經版，因他們《星島》不注重，只有這才可以跟《星島》競爭，我要從一張單張紙再多加半張，即是一張半紙。」

梁：當時報紙賣多少錢一份？

許：一毫子。報館只收六個三仙（六點三仙）而已，一張紙都花去了幾仙，所以成本也很重。他多加半張紙就是希望過了《星島晚報》的頭。於是叫我負責十條字。當時體育已經走下坡而縮減體育版。結果一出以後，還沒有五個月，他跟我說：「已經過了《星島》的頭了，銷量已有十一萬多份，但我卻要虧本，一張半紙的成本多了很多，所以要縮減成本。」於是又改回一張紙，但馬經版卻不能縮。所以就縮減了十條字，卻無人察覺。他很聰明，他說：「內容跟作者都沒有變，只是題目寫小了。」結果銷量卻繼續上升到十多萬。自此，我有了辦馬經的念頭。

梁：你那時還在《真報》嗎？

許：我那時在《真報》兼職，同時替七、八家報社寫馬經，如《天天日報》。自己儲了一點本錢，覺得自己的名氣能提升《成報》幾萬份的銷量，那為甚麼自己不出一份報紙，出一份馬經謀生呢？剛剛《先生日報》的老闆出《馬路》，回饋讀者，卻不正式發售。當時正式發售的馬報只有千多份，無利可圖。當他看到我的成績不錯時，來找我合作，我就辭任《成報》，跟他辦《馬路》。

那果然好了，那時是一九六零年。由最初的二千份，也未有排位，甚麼也沒有，只有週二出版，為了週六賽馬日。到後來有了排位，就改為週四排位、騎師、甚麼也清楚了之後，就在當日下午出版。

《馬路》是最先出排位的。他說：「晨鳥，你辦這樣久，算不錯了，增加至八千多份。」然後到第二季時星期二也出了排位，他說：「現在週四下午才出，讀者只有一天半去看，時間不夠。」於是，他同意在週二跟週四都出版。」果然，銷量從八千多份起增至三萬多份，已經很了不起了。那到底是幫他做的，事實我甚麼也沒有份。以前從大陸來的時候，不會認識香港太多規矩，甚麼合約、合同也不會去簽，只是口中說了算，我找你來就來吧。他們已經分了錢給你，可以將你解僱甚麼的。這時候想一想，就有危機感了。那我想：「既然可以搞得起《馬路》，為甚麼不自己辦一份呢？」跟他辦了約兩年，我就和他說：「對不起了，在下一季，我想自己創立一份。」他說：「你搞起的，雖然不幹了，那我應該多少也分你一份才叫合情合理。」

我說：「多謝了，那時從大陸初來港，不會像現時一樣只講利，會講義氣的。我退出，甚麼也不要了，送給你。」

他說：「你有甚麼資料需要就問我拿。」

自此，我便出來辦報。

梁：那是甚麼時候？一九六四年？

許：是。

梁：好像你接受《明報》張圭陽訪問時說，因為你看馬看得相當準，所以你輸贏了錢，所以你去辦馬報。是不是這樣呢？但剛才你說得不是那樣，而是替人打工，然後才出來辦報紙？

許：對啊，我想為別人寫馬經始終也是打工，所以希望自己有一個事業。於是出來試一試，那時是一九六四年。啊！果然一出又成功了！

成功了以後，到了一九六六年，因為我不是志在餬口，而是創立我的事業。新聞事業，我很重視，認為是一個很高尚的職業。在當時來說，是為了前途，為了聲譽。到底不是只為了餬口如此簡單，而是想搞自己的事業，讓自己有一個成就。一九六六年，我辦

天皇夜報

今晨市勢

今早大市動盪

大旗手埋班

幾位騎師將執包袱

早市升得太急 午市晚市不保

天皇股經

晨鳥辦的《天皇夜報》，有經濟、馬圈等新聞。（香港報業公會藏）

了《天皇夜報》。

梁：你一早就已經辦了《天皇馬經》，然後才轉做《天皇夜報》？或是另外一份嗎？

許：對，是另外一份。《天皇馬經》是我自己私人的；而《天皇夜報》是因為要很大資本，要很多資金。所以當時的《天皇夜報》是股東生意，我找來很多個……

梁：哪幾個？

許：當時幾個很紅的騎師，唐宏洲是其中之一。《天皇夜報》初期不是太好，大概只有萬多份，要虧本的。

梁：要幾多才夠？

許：幸好當時有賽狗。狗經亦擔紙，像《大中報》、《新聞夜報》……在跑狗的日子，就會銷十多萬份。那時候《天皇狗經》尚未成形。不久，一九六七年暴動了。

那時，因為我對大陸的事情都很清楚。我曾在國民政府做事，又搞過學運，對大陸的人心、大陸的趨勢，我都很清楚。我來香港謀生不是如此簡單，更有一種抱負、一個希望。那時我想辦馬經沒有用了，那辦新聞報紙在社會上才有個地位。

我熟悉大陸事情，很多稿件，我自己寫又好，找朋友寫也好，也很受用，銷量遽升，由萬多份起到三萬多。

那時三萬多份就賺錢了。但自己到底對香港還是不太了解，還是不太懂怎樣去做生意，只懂寫稿、寫文章，也會寫社論，還寫得挺受讀者歡迎。

賺錢後擴充，但內容卻沒加強。結果暴動以後銷量又跌，徘徊在萬多份。賽馬日，還有兩萬多、三萬份；但那時只賣一毫子，兩三萬份也沒有用。

梁：那時候是應該賣兩毫吧？一九六七年？

許： 還沒有，到一九六九年時還是賣一毫。一九六九年《星島日報》胡仙與《新生晚報》Henry Cheung 在希爾頓酒店開香港報業公會的全體大會，參加的報紙有晚報、夜報、早報、午報都有，總共四十二份報紙。我就是七個委員之一，報紙才從一毫起到兩毫。

查良鏞的《明報》卻反對，他說：「我們不是做生意，而是為了文化，不能胡亂向讀者拿錢。」當時《明報》銷路很好。那時《成報》第一，《明報》第二。《東方》還沒開業。所以他反對加價。我們組織七人小組跟他談判。談足兩個月，他始終不首肯。《成報》跟他兩家不加價，那時候無人敢加價。結果拉倒，仍然賣一毫。

我們華文報業協會有一些比較小型的報，有十多家，就希望加價。加價不成，就不夠「維皮」！有七家認為：「你（其他報章）不加我加。」

但不是每天也加價，就只賽馬、賽狗兩天。那七家先加兩毫，每週兩日起價。結果不行。那七家報社之中，《天皇夜報》是其一，銷量一直下跌。即使像《新報》這樣「巴閉」，其時銷十多萬份，一加價至兩毫，也下跌了。所以一毫子再維持至七幾年，到股票興盛，物價上升的時候。報紙才由一毫加至兩毫；再由三毫、五毫……一直加了十二次到今天的七元。

每次加價我都是「搞手」，我對報販和報館的心理很清楚。其時岑才生《華僑日報》的地位尊崇，甚麼事情找他就行，但「搞手」卻是我！

《天皇夜報》直到一九七八年，就是加了價也沒用，銷路不升反跌。而《東方》冒起，搶了幾萬讀者。因為內容不夠充實，《天皇夜報》到一九七八年就結束了。我唯有專心經營馬經。

梁： 說回馬經，為甚麼你取名《天皇馬經》而不取名《天皇馬路》或《天皇馬簿》呢？本來應該是馬書才對，但香港人認為，「輸輸」聲不好聽，才改叫「馬經」。你為甚麼要用馬經這兩個字，而不用馬路呢？

許：當初改名時，正因為我知道讀者捧作者心理。馬經執筆的，要建立他自己的形象，爭取讀者。當時我們認為，辦一份馬經，自己一個人去寫，就不夠份量。

於是我請了三個全香港最出名的馬評人跟我一起寫。你猜是誰？

第一個是叔子，以前是辦《成報》的。文王是《工商日報》馬版的主編，當了已經很多年。叔子、文王、董平加上我就是四個。有讀者封我們為「四大天王」。

他們說：「寫馬的『四大天王』，就是他們。」所以就叫《天皇馬經》。

梁：內容如何呢？除了你所說的排位以外，晨操也要寫，這可否略說一二？開始時，馬報或馬經的內容是甚麼？

許：以往寫馬經的人，他喜歡的那幾隻馬，就會寫得比較好，好像有機會贏一樣；他不喜歡的就不寫。

梁：是不是有內幕貼士，所以才這樣寫呢？

許：我們只提供資料，馬匹晨操有沒有狀態、上次賽事表現如何……所以我們有一項突出之處，就是「匹匹評」。《天皇》這樣寫馬經，是全香港第一個。

梁：就是每隻馬本身的狀態和表現？

許：對了！就是每隻也評，就是這隻馬怎樣怎樣，優點在哪，所以可以下注；那隻馬又那樣那樣，缺點又在哪，所以不能要。

梁：你會不會評騎師呢？騎師的配搭表現都很重要。

許：對。騎師的功夫大家有目共睹。問題是最難看的就是馬……（**梁**：練馬師呢？練馬師也重要？）

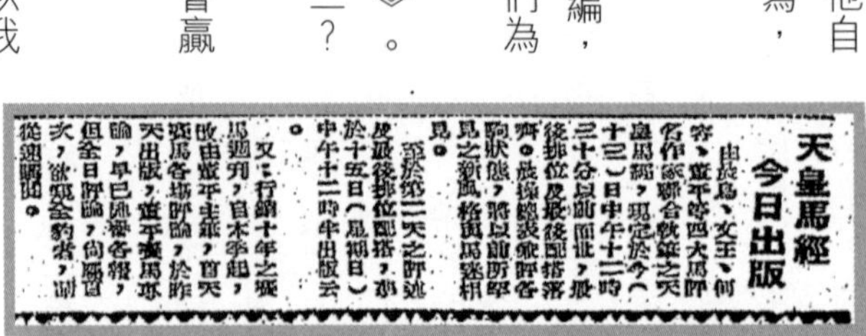

《天皇馬經》創刊時的廣告，介紹晨鳥、文王、何容、董平四位天王。（香港《工商日報》一九六一年十月十三日。）

練馬師也重要（**梁：**馬伕也是吧？）但好與不好，大家都知道。就是普通讀者也知道。就好像現今哪一個練馬師最出色？是韋達，其次是柏寶。讀者都知道了，他們沒需要我說。讀者最需要的，是知道馬的狀態和表現。是不是最近跑得很密，馬出得太密而未能可以保持到本身的狀態呢？比如上次跑第一名，這一次忽然可以輸了整條街。人們可能會說：「咦！拉馬？」或者可能上一次拚得太盡，再出就不能再保持到良好的狀態。所以，評馬人最緊要的是讓大家知道，馬匹跑完後狀態有沒有好了，還是下降了。這很重要。普通人寫馬就是忽略了這一點。所以「匹匹評」很重要。

梁：簡而清引入了另外一個因素，就是馬的血統。即是牠父輩在賽事中得頭獎的，牠就配種。這是不是由簡而清開始的？

許：那時能深入研究馬的人很少，因為香港根本沒有專門説馬的書。想去研究也研究不了。簡而清懂英文，外國有很多評論這樣的刊物，牠的血統、遺傳……在這一點上，他領先很多。他喜歡讀書，求知慾很強。但他辦過馬經不行，馬簿也不行，也沒辦報；他對馬知識卻十分豐富。

梁：你有沒有跟從他呢？

許：他為《天皇》寫稿，因他有名氣，也有號召力。其實，好像第一（馬評人）等，都有向他們邀稿；這好像《馬路》最初靠我一樣。

梁：我記得一九六零年代中期之後，很多報紙都增闢馬經版。那對你有沒有影響？

許：那時影響其實並不大，資訊比較少；馬經是專訊，是專業的報紙。馬迷要知道各種的資料，最快的就是看馬經。

我記得，不用説週六賽馬，週四出版就已經很多人買，週六賽完後，賽馬結果我再出版一次，都一樣能銷兩、三萬份。因為，資訊不發達、結果也不知道。但現在不同了，一開電視就知道，一開收音機又知道。這是馬經漸走下坡的原因之一，就是資訊太快了。

梁：在一九六零年代，我想你們是領先的。一九七零年代出了另一份馬報，那是羅治平的《專業馬訊》，是不是蓋過了你呢？

許：那時候，大家都在搶先出版。我有內幕消息，資料早齊備，出版佔優勢。《專業馬訊》之所以會成功，能夠搶先，也是用我這方法；此外，他們打字製作較快一點；《天皇》還是「執字」，慢一點，他們就搶先了。

梁：內容方面他們有沒有贏了你們呢？

許：內容，他們也不錯。能銷十多萬份……近幾年都被大報搶了，馬報都在走下坡。

梁：一九六零年代已有很多馬報，為甚麼你會贏過其他報紙呢？

許：就要講內容了。還有一點是，現今馬迷對馬的認識比三、四十年之前好得多。看你的報只看排位。但一九六零、七零年代的馬迷對馬沒多大認識，所以甚麼都按着馬經指示去賭，情形不同了。

梁：一九六零、七零年代有很多特色的小報。馬經算是小報一部分，如《真報》、《真欄》、《紅綠》、《先生》……那些報紙，在六零年代開始走下坡，到七零年代八零年代也沒有了。但你們卻繼續存在。為甚麼大家都是小報，馬經更只是單一項目，他們有很多特色，內容多元化，卻輸給馬報，那為甚麼呢？

許：那時候的讀者心理很奇怪，對普通報紙的馬經版，他認為你不夠專業。單張馬紙呢，它就是專家。以前《快報》社長鄺蔭泉，我幫他寫過稿，跟他很熟。他常說：「《天皇》那樣行，《快報》出一張馬經版你認為怎樣？」我說：「沒用的！」他說：「為甚麼呢？」

我說：「現在的讀者心理，認為馬紙是專家，你報紙只是附帶式而已，未必看你的馬經版。」結果他還是出了馬經版。但沒有一年，就取消了。

梁：當時還有一些馬簿？我記得，很貴的；此外還有一些賽馬「貼士信封」，也很貴。跟你們相比，為甚麼不行呢？

許：第一，馬簿成本貴，簡老八出過馬簿，成本貴，售價貴。當時最便宜的《馬聲》，五毫子，其他都要賣一元。馬經只賣一毫，差十倍。當時的人都是抱着「玩玩吓」的心態去馬場，不想去買這樣貴的馬簿進場。所以馬簿由始至終也不能打開市場。

梁：那「貼士信封」又如何？為甚麼最後也式微了？

許：那時是賽馬最興旺的日子，馬迷水準普遍很低，會以為那些「貼士信封」真的是內幕，其實不是。都是一些普通人作的而已，他們作神秘狀以信封封住，賣三元、五元一封。但那時還真的有人買。

梁：一九六零年代除了你們《天皇馬經》一枝獨秀之外，其他的如《老吉》、《馬路》也好像開始走下坡了。

許：一九六零年代只有四份最紅，《老吉》已經開始不行。《馬路》最初最好，事後雖然差一點，但都還好。《天皇》、《馬路》、《冷門》、《虎眼》四份，每份也可銷幾萬份。

梁：但到一九七零年代又不同了，七十年代商業電台出《節節領先》了，對你們有沒有影響呢？

許：一九七零至八零年代那十年間，專業馬刊就有二十多份。

梁：很多啊，因為那時電台也加入這戰圈。我記得那時商台的也有六萬份。甚至《新聞夜報》也不出報紙了，改出馬報。《田豐》也試過銷六、七萬份。為甚麼一九七零年代這樣興盛呢？

許：還有黃毓民那份《癲狗日報》⋯⋯（**梁：**那已是一九九零年代。）那時候一出，他也有幾萬份。

因為他在《東方》寫稿，有一批擁躉。出來辦《癲狗日報》，一出版就有幾萬份。在那個時候，夠份量的報紙不多，所以很容易經營。而他本身在《東方》寫了這麼久，讀者也有不少。所以，他一出版就風行。

梁：我們還是說回七十年代。一九七零年代又如何呢？一九七三年適逢經濟不景，突然間油價急升，通脹厲害。為甚麼那時的馬報特別興盛？會否同「賭博」有關？

許：很奇怪的，馬紙的銷路，亦即是馬場的興旺，跟社會經濟未必一致。原因是為甚麼？因為入馬場賭馬的馬迷，未必是受經濟影響很大的一群。其實有一些人經營不濟，生活不太好，「賭一把」、「博一博」的心態是有的。

梁：會否跟七零年代中期經濟起飛有關？因為在一九七三年燃油危機之後，特別是恒指由一千七百點跌至二百點。但其後經濟就慢慢起飛，到了七零年代末期真的是「嘭嘭聲」向上發展。所以在那年代，馬報特別多。另外，很多報紙也因馬經版而增加了銷路。我印象中，《天天》、《成報》、《快報》都有馬經版（**許**：嗯，《新報》也是……）對，《新報》馬經版又很厲害，是不是有騎師替它寫稿？

許：我記得股市由一千七百點跌到五百點（**梁**：二百點），那時候馬經的總銷量不但不跌，比較一千七百點時更厲害。馬經銷路好的時候，我去飲茶，我就是主角了，各人談話的對象是我；好了，股票到了一千七百點時，我去飲茶，他們談論的是股票，「今天股票哪一隻甚麼甚麼的……」那時，不但馬經不行，還要比以往更低沉了。那時候銷路甚差。

梁：這是一九七二、七三年的事？

許：一九七二、七三年之後，股市由一千七百點下跌，馬經反而好了。所以很奇怪。

梁：那時馬經版也吃香了？

許：馬經讀者的心態與普通市民的心態，是完全不同的，是兩回事。

梁：因為賭馬是「刀仔鋸大樹」，可以「搵大錢」嘛！

許：就是「博一鋪」的人比其他人多了，如果不是的話，他就不會爛賭吧！

工商晚報

賽馬職業化 騎師感困惑

馬會大會壓倒通過 下季賽馬採職業化 實施日期則仍未能確定

馬主歡迎職業化 有人認爲冇分別

一九七一年，馬會推行騎師職業化。（《工商晚報》，一九七一年三月十七日，第一版。）

梁：從一九七九年代開始，有一些練馬師、騎師寫稿，跟着有些大學生加入這個行列。是不是這樣？

許：是這樣的，馬會起初不會嚴禁。我曾經一度幫助過鄭棣池。他當冠軍騎師時，需要了解對手，我曾經在早上陪他去看馬，看了幾乎十年。以前是週五排位。排位後，我在新興樓前面樓下，一起喝咖啡。他問我對手哪一隻狀態比較好，另一隻如何如何……說完以後，我不會問他「貼士」。到週六賽馬，一時開跑。十二時十五分，我在馬會對面墳場等他，交換貼士。他說：「今天那個怎樣怎樣」。此外，他還曾用他的名字，拍了照，在《天皇》賣「鄭棣池貼士」。

梁：郭子猷有沒有？

許：郭子猷沒有。鄭棣池每次在《天皇夜報》寫三匹馬，那就很值錢了。那時候讀者都以為他「識嘢」，但怎料他一樣會輸！他問 Boycott，Boycott 是馬會秘書，是他「打晒骰」的年代，甚麼也是他做，他是英國人。Boycott 說過沒問題。但現在不准了啦！職業化之後就不准。

梁：何時開始不准？

許：一九七八年，沙田賽馬以後。

梁：除了鄭棣池之外，還有哪個騎師替你寫？

許：其他的沒有了。（**梁：**沒有了，只有他一人？）對，為甚麼呢？因為沒有名氣的，我不會去找他們。

梁：練馬師有沒有幫你寫呢？

許：沒有。

梁：有些練馬師的名氣很厲害吧？特別是退休的那一群。

許：練馬師跟我們沒有甚麼聯繫。他是馬會正正式式的僱員嘛，騎師是自由

一九七八年沙田馬場開幕盛況。（《星島日報》，一九七八年十月八日，第四版。）

身，不是為馬會打工。一九七八年，改作職業賽馬後，完全不同了。

梁：八零年代呢？馬報在八零年代已經走下坡了。

許：對。被報紙搶了讀者……

梁：我又想問一個問題，一九七零年代《東方》開始冒起時，有句口頭禪，就是：「有《東方》，冇窮人！」《東方》的「貼士」也是很準的。有沒有衝擊到你們的銷售量呢？

許：沒有，我們還是一路升。報紙就是這樣，不怕起很少，只要一起，就可以了。最怕一跌，跌了十份，就可以再下跌一萬份。所以勢頭很重要，辦報紙也好，辦馬經也好，你只要一起，怎樣去辦也沒有關係，它都一樣會起的。一到開始下跌時，就一瀉千里。

華文報業協會成立
選出首屆理事
陸海安任主席

【本報訊】香港華文報業協會，為本港華人經營之中文報負責人所組織，經社團註冊官核准立案後，即于去週舉行成立典禮，由大會選出第一屆理事，當選者所屬報社，包括：中英日報，超然報，真報，越華報，先生日報，新報，天下日報，明燈日報，娛樂新聞，甲報，天皇夜報，孖科日報，平安夜報，快訊日報，鐵報等。

該理事會昨日下午四時在月宮酒樓召開第一次理事會議，互選職員，除各組主任外，真報陸海安膺選首任主席，並決定暫以永吉街廿二號永富大廈三〇四室爲通訊地址，即日開始辦公。

許培櫻偕同陸海安等人創立華文報業協會。（《工商日報》一九六九年八月二十三日。）

梁：左報跟右報在一九六零年代都有馬經，也不錯。但文化大革命爆發後，左報的馬經版全沒了，右報還有，如《香港時報》、《工商日報》等等。但為甚麼他們不能贏過你們呢？

許：其實左右報都是好朋友，大家都會交往。以前華文報業協會春茗時，左右中全都一齊來。我能夠找到《成報》的老闆跟《大公報》的總編輯曾德成坐在一起……

梁：華文報業協會是甚麼時候開始創辦的？

許：是陸海安創辦的。一九六九年在希爾頓開會……

梁：有一樣我不太明白，那些小報有很多名人，如陸海安、任護花……又如陳霞子……他們的報紙辦得很興旺。但他們一離開，就不行了。為甚麼呢？是不是傳承的問題？是不是沒有接班人的問題？還是這些報社都是由強人領導，老總一去，就沒辦法繼續辦下去？

許：任護花是奇才，文筆很好。所以《紅綠》起得這樣快。他的對手是《成報》，《成報》那時居第一位，由萬多份起到五萬份，在九龍狀元樓設宴慶功。那時的《紅綠》……（**梁：**是哪一年？）應該是一九五幾年吧……（**梁：**我印象中是一九五八、五九那幾年。因為之後，就是很多報紙都出版了。好像《新報》……）《新報》也是後起的。《新報》創業時，也是我替他寫馬經的！連我《天皇》還沒有創刊！我還記得在《新報》是專門寫晨操的，那專欄叫「觀操隨筆」。辦了兩年，真的起了銷量，也起得很快。因為我們……（**梁：**那時是羅斌吧？）對啊，那個羅斌是「叻仔」。（**梁：**他還出版三毫子小說呢……）

到我開辦《天皇夜報》當然不跟他寫了，就搬到《天皇》寫晨鳥，他就告我，說「觀操隨筆」是它報紙的專欄，你偷了專欄的名字，但專欄不是有專利權嘛，專欄不是獨有的！（**梁：**那最後你贏了嗎？打官司？）結果，來了很多律師信。不過，因為大家都是好朋友，請他飲茶道歉，那就算了。大家繼續有來有往，是好朋友嘛！華文報業協會他是重要會員呢！我當主席之前，是他做主席。

梁：說回任護花，為甚麼《紅綠》到後來又式微了？

許：任護花後期因為競爭力太強，銷路也沒以前那樣好。很多報紙都是大規模企業化。好像《東方》，請很多人，篇幅又多。有資金請導演寫稿，是最好的導演（李翰祥）。《紅綠》因為保守，自己一個孤軍作戰，已經過氣了。

梁：他文筆雖好，其他卻不行。《紅綠》很情色，有很多黃色小說。

許：後來，他自己退下來，交棒給兒子，那更沒有心機打理，終於要賣盤，賣給了陸海安。我曾幫陸海安去打理。那時賣了約一百二十萬，價錢算高了。結果陸海安一樣不行。其實，陸海安的《真報》也不太好。《天皇夜報》倒閉之前，我跟陸海安辦過聯合報，《真報》、《天皇》、《紅綠》三家。每家都賣萬多份。那照一般來說，三家的讀者加上已有四萬多份，那就有賺了。但結果卻不是，那三家加上後還是一萬多。

梁：那就不能做下去了。但當時有很多報紙出版，如《田豐》、《正午》……對不對？正是一雞死一雞鳴，為甚麼會這樣呢？

許：那個年代，整個馬報、報紙形勢跟現時已完全不同了。是要大規模，大製作才能吸引讀者。

梁：所以，小報就被淘汰了？

許：以前第五班馬，現在都是第一班、第二班馬。你沒有這個財力，好像《蘋果》一樣，肯用錢，是用錢去堆砌來的。這個時代，小資本是不行的，不會再有羅斌，不會再有何文法了。

梁：但在七零年代，還有很多報紙可以出版啊。好像《信報》，林行止辦成了；之後有馮紹波《經濟日報》，又辦成了。他們一位是七零年代的，一位八零年代的，那為何又會成功呢？

許：那個時候，我是經常參與的人。甚至很多上市公司，我也幫他們去宣傳。好像楊受成，最初上市時，都是我找一些報章財經版的負責人去幫他宣傳、發稿。羅斌試過出單一頁紙馬經，一樣好銷。《天天日報》出的夜報，也一樣好銷。

梁：其實一九五九、六零年代初，有幾份報紙如《明報》、《新報》創刊，另《香港商報》是一九五二年已創辦，《晶報》一九五六年、《快報》一九六三年。有些報紙都像《天皇夜報》一樣，受惠於文化大革命的消息而冒起來，特別是《明報》，可以看得很清楚。

許：當時，很多左報辦得非常好。但由於報館立場，有些從頭到尾也沒有馬經版。我和《香港時報》的社長很熟，每年春茗，《香港時報》、《工商日報》……左中右一起吃飯。有一次台灣駐香港的辦事人來港，請新聞界吃飯。席間，我問，《香港時報》國家用了那麼多錢，為何不能增加銷量？他們都不懂回答。

我說：「香港左報，《大公報》固然好，《文匯報》是全港最好的，經濟版辦得最好，馬經亦辦得好，但銷路不行。原因是甚麼呢？很簡單，作風、言論、立場都要依照黨、國家的指示，不能遷就讀者的心理，怎有銷路？」

我又說：「《香港時報》和《大公報》、《文匯報》一樣，就是不能跟着群眾走，怎有銷路？老實說，《香港時報》不論新聞、副刊文章都是一流的。《天皇夜報》銷量還要比你多。」

梁：一九七零年代，第一張報紙冒起的是《東方》，對不對？它在一九六九年創刊，七零年代就冒起了；《快報》還可以。到八零年代，才開始衰退。《星島晚報》在七零年代也很強勁，晚報唯它獨尊，可不可以這樣說？當時，《東方》銷量很快升到第一；《成報》第二；《星島晚報》第三。晚報中，《星島晚報》第一。是不是？而《天天》卻飆升得很快……

許：七零年代《天天》是一份銷路非常好的報紙，銷量上升最快。《東方》每天銷量大約四十多萬份，《天天》能夠去到三十多萬份。記得有一次，我去台灣探馬奕盛，和韋邦（韋建邦），《天天》的搞手一起去……

梁：當時韋基舜已經賣給韋邦了？

許：已經賣了。馬奕盛請吃飯，席間有人說，《天天》快追到《東方》了。那時《天天》三十多萬份居第二位。馬經沒受影響，一樣很好。

梁：那時《成報》變了第三吧？

許：對。

梁：但八零年代又變勢了。八零年代又一個局面，對不對？《成報》又飆升，《天天》卻走下坡。

許：為甚麼呢？你說得對，資訊開始發達了，馬經雖仍受歡迎，但已大不如前。「搞手」很重要。《天天》迭經換主，換了劉天就，不行、退出了；韋邦又離開了，銷量一直下跌。《東方》卻一直在起。

梁：其實《東方》在七零年代開始起飛，直到九十年代《蘋果》出版。它現在仍是銷量第一。但《成報》卻一直下跌。八零年代的情況又怎樣呢？

許：八零年代整個環境很好，閱報讀者增加。但當時的二十幾張報紙，特別有成就、特別有增加銷量的，沒有很多家。回顧以往，凡是增加銷量很厲害的。那「搞手」一定都很厲害。

梁：內容會不會有一些偵查採訪或是突擊報道，受到讀者歡迎？

許：報紙太多了，要選擇哪一份呢？如果是普通的消息，人有你有，根本起不了大作用。甚至有些人手不足，直接去採訪的記者不多，那就靠政府新聞處的稿件，那些例牌報道，對銷量根本起不了作用。所以，一定要找尋突出、又有吸引力的新聞。

梁：其實，《商報》在五零年代也曾做過，相當成功。《工商日報》在六零年代亦辦過偵查採訪，都成功。

許：《工商日報》的內容非常好，將軍兒子回來後，很落力，把偵查採訪辦得非常好，當時《天皇馬經》和它在鬥銷量。他為人很正直、很努力、很落力。身為老闆去看開車（印刷機），每事都負責，後來卻不行。就是偏激一點。（**梁：**啊……因為政治立場？）就是立場過於堅定，不能適應社會的變化。

那時，香港人的的確確是反共的，反共的讀者很多。但後來大家都沒有所謂反共，只有求生存、求生活、求發達。對於甚麼主義、信仰，再沒那麼重要。他就是太固執，不能夠遷就社會和讀者的變化。失敗就在這一點。

梁：《天天》走下坡與領導人變更有關係，可能領導當不好。聽說劉天就生意不好，影響了報紙的業務。

許：《天天》就是老闆的變換，人事上的變動，失去了方向。

梁：為甚麼小報在七零年代會式微呢？

許：其實原因很簡單，知道讀者需要甚麼，就給讀者甚麼。何文法就是能適應社會的變化，當大家還在低估馬經的時候，他獨特看好，結果被他估中了。

梁：說回馬經，馬經現在還有去勢。我想問一下六零年代的馬經，像剛才你所說，是着重晨操、排位。七零年代的馬經是着重哪一方面呢？除了晨操、排位外，還加上了甚麼呢？

許：貼士……影響馬經銷路的，就是貼士。你識馬，看得很準，否則讀者對你就沒有信心。你貼士長期都中，讀者就會跟你，可能你不行一次、不行兩次，第三次他就不跟你去賭。

梁：那你可是伯樂了？你懂相馬，然後才有好的貼士嘛！

許：我不敢說是伯樂。有些人，自己不懂亂說，我是真真正正看馬回來，分析後才推薦的。當然有時候會失手，但長期來看，勝算是頗高的。

很奇怪，看馬這回事，沒有甚麼學問，也沒有甚麼書可參考。

梁：你是憑直覺還是甚麼？

許：憑個人感覺，你說牠狀態大勇，另一個卻說未必。其實，大家都是這樣坐着去看，未必每個人懂得看。

梁：騎師跟馬有沒有關係呢？

許：有關係的，騎師走錯位甚麼的，大家都會看。現在的馬迷，水準提高了。這些馬為何會輸，是「真拉」還是「假拉」，大家都很清楚。（**梁：**那你又看不看到呢？）我們當然看得到，普通馬迷都已看到。

梁：現在資訊發達，網上信息多，手機又通行。現在經營馬經靠甚麼呢？一定要相馬、貼士準，是不是只有這兩樣本領？

許：有很多東西需要配合的，例如「匹匹評」，就是每匹馬都要去批評，讓讀者有一個參考資料。做不到，就沒有參考價值。

梁：現在一些報紙很奇怪，馬經都很奇怪，某個馬評人圈某幾隻馬，另一馬評人就圈其他幾隻馬，都是同一場。第三個就再圈其他的，那就當然會中啦！那中了後，就在報上大字標題，說貼中了幾多場。你怎樣看這些報紙的馬經版呢？

許：這就是我們所說的「威水版」，在五零、六零年代報紙就沒有這回事。我辦《天皇夜報》，第一次想登《天皇馬經》的「威水版」，總編輯反對。他說影響報紙的格。不是自己吹牛，《天皇馬經》開業初期，《明報》幫我登廣告，那真的很有作用。因為那時《明報》已有十幾、二十萬紙。讀者看到廣告，都會買一份看看是龍抑或是鳳。

梁：但我剛才說的那種，三個馬評人都貼三隻不同的馬，一場出十二隻，那就一定中了。你有沒有留意這現象？

許：現在都有。現在賭法太多元化，時勢不同，寫馬經的手法也不同。大報之所以通行的原因，不是馬經得，而是讀者。它不賣馬經都有人看，買了，就順道看馬經。所以，它搶了我們一些讀者，就是這樣了。這影響很大！香港現時馬經的形勢都是一路走下坡。

梁：會不會被淘汰呢？

許：淘汰未必，半淘汰吧。有很多馬經現在已經沒有錢賺，也很難做。（**梁：**你們呢？）我們還可以勉強站得穩，從數十年前直到現在，有很多老讀者、慣性讀者。我在馬場，見到很多手拿《天皇》的，年紀已經很大了。

梁：現時的馬經還是一個人主理？主要由一個人去做，最多聘一、兩個馬評人幫手，對不對？

許：很多都是請人做的。我《天皇》也請人。

梁：你有幾多個夥計？

許：有好幾個。以前更多，因要排字，現在不用了。

梁：你有沒有想過傳承問題。你的接班人？

許：趨勢向下走，沒有可能像以往興旺。

梁：有沒有想過在網上、手機上發展？好像現時很多媒體也辦手機版、電腦版。

許：那些方法……你不是這一行，也不容易入行，很難。

梁：現時馬評人有很多，大學生也入行。他們會不會有機會好像你們一樣，自己去辦馬報呢？

許：我看他們的辦報機會很微。（**梁：**因為都是集團經營？）嗯……很難，為甚麼呢？因為以前競爭沒有這樣厲害，銷量少一些也可以夠皮。但現時，銷量少一些，就不夠回本。如果你是普通經營人，一個寫馬經的，靠稿費收入有限，只能照顧自己的生活。何來一大筆資金去辦報紙。辦報紙固然沒有可能，辦馬經也不容易。以前成本便宜，容易辦。

梁：即是，已沒有機會再辦小報了，沒有機會再做到「文人辦報」了？

許：今時今日再沒有白手興家這回事。一定是大資本、大規模、企業化，那才可以爭天下。

梁：話說回頭，你是第一個創辦馬報的，為甚麼之前沒有人辦？

許：我沒辦馬經前，《馬路》辦了十年也是二千多份，不夠回本。賺錢就更沒可能了。原因是甚麼呢？是賽期短，暑假休二、三個月，二、三個月不用吃飯了，那其他夥計怎辦？

梁：現在不同。馬是英國人引入的，但是不是中國人的賭性，讓賽馬專業化、企業化起來呢？那次馬場大火，燒死了很多人，人仍去賭……戰後賽馬就一直蓬勃。你覺得是不是和「賭性」有關？

許：那是時代問題。普通人對馬沒有認識，更沒有興趣，跑馬只是高層的玩意。後期，因為投注人增多，馬會開始賺錢，這才引起馬會對香港賽馬運動的興趣。香港，一切的賭博都不批准。唯一賭錢的地方，就是馬場。所以起飛得那麼快。現時的澳門，社會沒有甚麼獨特的進步，靠的就是賭業。

梁：其實，你們辦馬經，亦促使這個賽馬事業普及化。我想是有關係的！香港人喜歡賭，你們將賽馬普及化，將資訊帶給馬迷，讓這個事業可以發展下去。

許：年代不同了。現時的報紙是企業化，成本大、資本充足。已經取代了馬經的地位。馬經的內容，馬經的作者，集團可以撒錢，大力擴充和增人手。在《蘋果》出世前，《東方》這樣了得，寫馬經也只是三兩千元一個月。《蘋果》出台後，大概你也清楚，待遇很高，高至可以四十萬一個月。在報界來說，可以說是絕對破紀錄，以往的競爭都不是這樣。所以小資本的，簡直沒有辦法競爭。

梁：我覺得整個賽馬事業，都是由你們帶起的……除了《天皇夜報》、《天皇馬經》之外，你還辦過甚麼報刊？

許：後來我辦過《縱橫日報》，他（黃仲鳴）也有份的！不過已經遲了，是小報的尾聲了，那時是一九九二年。

梁：你辦了《天皇馬經》，然後是《天皇夜報》，七零年代還辦了很多刊物。

許：我雖然是寫馬經，但目標仍想在新聞事業上發展。雖然自己辦報紙，卻從未間斷在其他報紙上寫文章，也寫了十多、二十年。最多的是《華僑日報》，《星島》也有寫過，《明報》也有寫

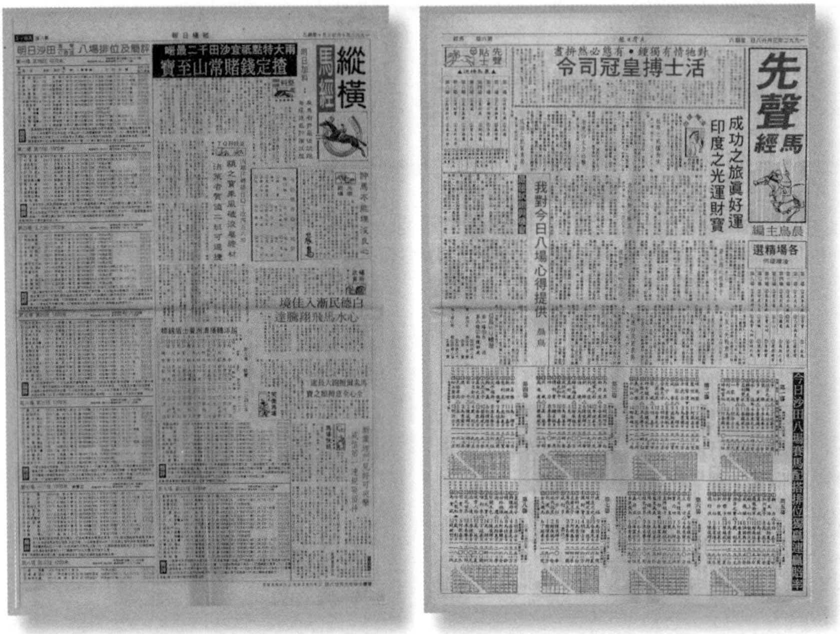

九十年代初，許培樱先後創辦《先聲日報》及《縱橫日報》。

過。除了寫稿，我經常想自辦一份報紙。所以，周刊我也辦過。最初辦了《乾坤》周刊，八零年代的事，三十多年了。（**梁**：逢星期四出版的……為甚麼你選週四呢？）銷路三萬多份。那個時候因為便宜，所以三萬多紙也是虧本的。（**梁**：也很便宜啦，才三元，八零年代三元一份真的賺不了錢。這本雜誌是八四年出版的。）

陸海安曾經來找我，他也辦了一份周刊（**梁**：叫甚麼名字？）我也忘記甚麼名字了。他叫我參本。我問他銷量多少，他說兩萬本，我說《乾坤》周刊三萬多也倒閉，那二萬多怎能維持，又沒有廣告。

結果，後期我辦報紙，到九十年代還死心不息，沉醉辦一份報紙。我曾經辦過《先聲日報》，九二年，都接近九七了，我還是一樣去辦……（**梁**：那是在一九九二年三月創刊的，那時股東有羅國洲？）對，《先聲日報》是一九九零年，一九九二年辦的《縱橫日報》，也有很多股份的。

梁：《先聲》是一九九二年辦的，那《縱橫日報》又是哪一年辦的？《先聲》辦了多久？

許：一九九二年的……《先聲》很快就倒閉了。（**梁：**這個又是以馬的內容為主的？）一九九二年，我辦《縱橫日報》的人才是非常好的。編輯馬經的是《香港日報》的副總編輯，黃先生當總編輯……（**梁：**啊……是黃仲鳴！）其他在《明報》當採訪主任的當我們的採訪主任……人馬是非常足夠的，很大規模的，資金也沒有問題。「東方馬」也是我們股東之一，那時是想大規模去搞的。

「散紙」都有三、四萬份，以前所謂「散紙」是表示不要錢（免費）將報紙分散出去。普遍來說「散」一至兩個星期，就收半價；再多一、兩個星期就收回原價。

這已不錯的，規模很大，人才又是一流，能拉到香港其他報紙老總級的人來辦，而資本又沒有問題，應該不錯了。

但運氣很重要，剛剛散完紙正想收回原價時，忽然，馬會百年也沒試過，馬匹感染腸病毒，馬會停賽半年。我靠馬經擔大局的，沒有賽事，就不能辦下去了。

那又很奇怪，剛剛是那一年，大馬（馬惜如）在台灣過了身。我還剩有資本，我結數，寫了一張六十多萬元的支票，親身還給他兒子。

梁：不過，除了馬版外，還有其他的。其他的不能「煞食」嗎？

許：我靠馬維生，最基礎的讀者是馬迷。停賽了，就沒有了馬迷為首的讀者，銷量立刻下跌。剛剛又是大老闆去世，結果就倒閉。這可是大規模報紙的形式啊，副刊也有兩版紙。

梁：可惜、可惜……

韋基舜
古今報史盡在腹中

韋基舜，一九三三年出生，二天堂藥業老闆韋少伯之子，一九六零年為盡用旗下二天堂印務之印刷機，偕兄長創辦《天天日報》，為全球首份彩色柯式印刷報章。及後再創辦《南華晚報》。一九七七年將《天天日報》轉售後，韋基舜投身電視節目演出及主持《城市論壇》等節目。

訪問時間：二零一一年十月二十一日

訪問地點：北角寶馬山樹仁大學新傳系錄影室

梁：我們今日很高興請到老報人韋基舜先生跟我們談談香港報業的歷史。請你講述一下香港戰前和戰後的報業狀況。

韋：戰前好多人辦報，做報人有社會地位，你會認識很多人，言談也受到人注意。政府要你付一萬元按金，當報紙有甚麼事，比如被人控告時，你大可以關門大吉逃避責任，但如果你有交一萬元按金作準備金，被人控告或被政府罰款時，就可以從中扣除。印刷機當時是要另外申請牌照的，現在已取消了這個牌照，因為現在複印件數太多。當時報紙要有三個人負責，即總編輯、印刷人和社長三人。當中有兩個人可以用有限公司名義，包括印刷同發行，總編輯屬於私人（法人代表），出事就會抓他坐牢。

梁：發行人都會有事？

韋：發行人無事，因為發行人每日發這麼多種報刊，你無法所有報刊都做到完全監察，所以要告發行人是不公道的。但「PUBLISHER」可以用有限公司名義註冊，叫「督印人」，也可以個人身分登記，所以被控告就不用上庭，而由律師代表或者個人代表。但在殖民地時代，有次政府一定要傳召那個「私人（法人）」上庭，給他一個下馬威。這些事就輪不到你說了，反正政府有權，但在法律上是無效的。

梁： 三十年代有多少張報紙？

韋： 《循環日報》、《南華日報》。《南華日報》是汪精衛擁有的，與現時《南早》無關。還有《星島》、《華僑》、《工商》、《建國日報》等等。

梁： 當時的報紙有政黨支持？

韋： 不一定，有民營，亦有黨報，反而四十年代的政治色彩濃厚些。

梁： 反日的聲音呢？

韋： 當時所有的報紙都反日，而《南華日報》自從刊登汪精衛的「艷電」後，一直旗幟鮮明，呼籲「曲線救國」、「和平談判」。

梁： 其實，汪精衛是悲劇人物。他很愛國，灑熱血，拋頭顱。一九一零年行刺清朝攝政王載灃而被捕。直至革命後，才放他出來。

韋： 環境不同，想法亦不同。

梁： 當時報紙賣一、兩仙？

韋： 自己沒有買報紙，因為家中有，不記得多少錢。我父親、兄長只看新聞，有《工商》，也有《循環日報》等，而《循環日報》更是老字號、大報了。家中女眷都會看小説欄目。

梁： 當時報紙內容怎樣？

韋： 都是國內新聞，戰情也有。最特別是有新聞檢查。

梁： 誰人查的？又是怎樣檢查的？

韋： 是華民署（華民政務司），你那時寫「日寇」這些字眼不行，會被「X」代替，有時也會「開天窗」。你「打大版」之後，就要送檢，之後才准印行。這種檢查戰前戰後都有，一九四七年時還有，好多報紙都要開天窗，至一九四八、四九年間，就開始沒有了。

梁：當時是不是也注重船期表等商業資訊？

韋：《經濟導報》報道船期和物價。每天都有，有衫料價格、船期等。他們做得很詳細。

梁：一九四一年，日本人佔領了香港「三年零八個月」期間只剩下《華僑日報》？

韋：當時《星島日報》還在，但改名為《香島日報》！

梁：還是原班人馬嗎？

韋：對。

梁：更名而已。

韋：《循環日報》原由王韜主持，他叫長毛狀元，太平天國時期來港。王韜回上海後，報紙一直有出版。一九四三至四五年期間，美軍地毯式轟炸香港。報社原來在歌賦街，因為主要閱報的人都在中環，但不幸被美軍炸中，報館被大火燒毀。大約是在一九四三或一九四四年。那時的字模用的是鉛製字粒，但大火燒了報館，鉛粒被燒熔了，變成一大塊鉛塊。

梁：後來不是重開了嗎？

韋：那時已不是原來的《循環日報》了，當時好多人合資，《循環日報》賣了出版權，那時《循環日報》本來是溫荔坡的，他住在跑馬地毓秀街，是我鄰居，在他樓上住着新馬師曾。

梁：《循環日報》後來為甚麼會收檔？

韋：因為老闆太多，意見紛紜，報界有一句「六議不同謀」，三個人已經談不攏了。

梁：循環日報大廈內有三家報紙……

韋：《循環日報》「復刊」只有一年多，林靄民先生當總編輯的。他也曾當過《星島日報》總編輯。他就是在解放軍進廣州時，起〈廣州天亮了〉這標題的人。

梁：《晶報》怎樣？

韋：《晶報》本來在中環威靈頓街，一九五零年代已在那裏。後來《循環日報》復刊，買下循環日報大廈，地下作機房，上面作編輯部。《循環日報》不再經營之後，《晶報》買下，就從威靈頓街搬過去。

梁：誰是老闆呢？是陳霞子一人嗎？

韋：他有股份。鍾平做督印人，總編輯是陳霞子。

梁：莫光後來成為他的女婿……

韋：是。莫光是我要好的朋友，攝影不錯。我在一九五八年和他認識，我的狗是全港狗王，在《晶報》刊了一版相片，很大篇幅。麗的映聲也請我上節目，人憑狗貴，第一次上電視。

梁：《晶報》沒有了，真可惜！

韋：這是競爭和閱讀形式的問題，讀者經常轉口味的。當年還是老式編輯，講究「對行」，排版要上下對稱，看上去要有「行氣」，但現在報紙圖片佔多，所以《晶報》不適合出彩色報紙，只適合舊式黑白報紙。正因為它講究「行氣」，大家看得很舒服，有一段時期辦得很好。

梁：日據時代報紙價格是？

韋：小時候不是我付錢的！

梁：戰後報紙呢？

韋：戰前多些文化人、文藝青年。（**梁：**然後日佔時期都走光了。）其中一些仍然留在香港，戰後都加入了報界，例如羅秀，《超然報》的總編輯。

梁：《超然報》是一九五零年代就有的嗎？

韋：對，是蔣大方先生主理的。

梁：《新生晚報》是戰後出版的……

韋：它的副刊不錯，為甚麼《新生晚報》後來很多人談到？主要是因為它在下午一時前就出版，慎記印的，利源東街那家，他們專門印報紙，承印很多家報紙。慎記的老闆是陳庭，我們叫他「十叔」，因為他是光頭的，那時有個笑話，「十個光頭，九個富」，我們因為很熟稔，所以才笑他！在中環地區拿印刷牌是很難的事，因為日日發出聲響，晚上會影響鄰居。所以申請牌照時要張貼告示，左鄰右里沒有反對，才可以獲發牌照。

因為發行商多聚在利源東、西街，一印就拿出來賣，非常方便。那時的白領，中午吃飯時，在報攤一見到，就拿一份《新生晚報》。

梁：那時有甚麼知名的專欄作家？

韋：有很多，如三蘇、鳳三等等……

梁：五零年代的《商報》呢？四零年代已有《文匯報》、《大公報》。

韋：《文匯》、《大公》那時很政治化，銷路受到限制，另當年很多人從大陸逃來香港，香港突然暴增至二百多萬人口，這些人大多對共產黨有不同的看法，所以另出一份《商報》，一份《晶報》，看上去沒有那麼政治化。

梁：《商報》五零年代好像很成功？

韋：因為《商報》在中環近永安公司那一邊印行，亦方便發行，但《華僑》在荷李活道，《工商》跟《星島》都在灣仔，所以《商報》有地利之便。

梁：那時，《文匯》、《大公》分別由李子誦、費彝民主理？

韋：是孟秋江，報業在國內有兩江，一個叫范長江，是在《大公報》做的。另一個在《文匯報》，可惜現時沒有人提這個孟秋江了。他在香港時，官階是最大的，梁威林也不及他，但在一九六七年調回北京。為甚麼他要走呢？我不知道，他走的時候也沒告訴我。我估計是他不太贊成「反英抗暴」。後來，林彪失勢。他跟吳法憲有親戚關係，被逼……據我所知是跳樓身亡。我認為他是有學識、有禮貌的謙謙君子，好能幹，可惜現在沒有人提他的名字。他是國內人，戰後才來香港。因為戰後余鴻翔來港當《文匯》總經理，江青前夫馬季良任總編輯。一九四九年立國，馬季良怕調回去，知道回去一定活不了，就逃到了美國、巴黎。後來香港《文匯報》創刊二十八週年，出了一本特刊，余鴻翔先生在一九七八、七九年間，請我轉交馬季良，所以我跟他有一面之緣。那時他在法國開了一間餐館，我跟小女去探他。

梁：還有甚麼人物？李子誦呢？

韋：李子誦在廣州。一九六七年後社長缺位，他才接任。

梁：《大公報》是費彝民先生吧？

韋：對。

梁：當時有甚麼人才？各報的副刊又怎樣？

韋：那時的副刊做得很好，特別是《成報》跟《紅綠》。

梁：是否很道地、很「港式」？

韋：那兩張報紙都主攻副刊。當時主打新聞的正派報章，往往是大報的形式，也是所謂的大紙，不太重視副刊。實際上，副刊一篇、兩篇撐不起紙的。當時，有些小說只賣幾毫子，更有些是三毫子小說，那些單行本三毫就能看幾十頁了，那你怎會用一毫買一張報紙呢？那時寫武俠小說，只有約三千字的版位，三條字，再加一個插圖，多不划算！

梁：金庸是在《商報》寫武俠小說的嗎？

韋：是。《明報》創刊初期的銷路不佳。原來以為武俠小說可以作主打，後來全靠馬經，才有起色！

馬經有叔子、簡而清。當時正好有「評馬人」盃，有賽事時那些馬評人都寫稿、貼馬，如果貼中了就派彩，到了賽季最後一天，誰有最多獎金，誰就最厲害！

梁：所以簡而清得到？

韋：不是，是叔子。根據簡而清的說法，直到最後一天兩人仍然叮噹馬頭，但簡而清要編，讓叔子先選馬，結果讓叔子勝出！那時有很多人關注這個。

梁：其實《明報》在六零年代冒起，走向跟你們《天天》不一樣？

韋：辦報不只是文化人的事，牽涉到很多方面。有經理部、廣告部、發行、印刷等等……文人只負責寫作的部分，印務、發行等是各佔一道的，後來廣告做得很好。

梁：不過也要有銷量才有廣告。

韋：魏大公（當年中文大學新聞系系主任）做過的報紙銷數調查。廣告協會想做一個銷數調查，出價六千元。我拿錢給魏大公，讓他去做這個調查，教他怎麼做，但我沒有看到調查報告，後來才知道都是說《明報》的。

梁：為甚麼呢？

韋：我不知道，但自那個調查出現以後，廣告人就以此作權威，將《明報》視為知識分子的報紙了。

梁：五零年代報紙又怎樣呢？

韋：陸海安辦了《真報》。他是《新生晚報》出來的。那時不少人都從《新生晚報》走出來。

梁：任護花呢？

韋：任護花是自立門戶的，因為大家尊敬他，稱他為「先生」。他也是開戲師爺（粵劇編劇），開的戲不少，就像南海十三郎一樣，後人寫南海十三郎時，將任護花寫得很壞，那是不正確的。《紅綠》還有徐夢寫的中篇風月小說，三日連載完，也叫「三日完小說」。

他沒有隨從，也沒有會計。有人說他欠人錢，那是假的。我和他用同一個發行商，叫陳富記，我常和陳富記的兒子一起飲早茶，才知道任護花是「無隔宿之債」的！那時報紙只賣一毫子，所以報販都不會賒數，要你付現。他將現金放入一個籐篋，因為在飲早茶後就能交數。任護花是現付的，也是每日清的，剩下的入袋，這方法很安全，若然沒有剩下，有人未出糧，生意便有問題了，若有剩就能即時知道有否利潤。這就是《紅綠》的做法。

梁：《紅綠》是何時創刊的？

韋：也是和平後。「先生」死後賣了給江德仁。他買了《紅綠》跟另一份報紙後，改名叫《聯合報》。但買了回來改了名，就不再是《紅綠》報了。

梁：另外的報紙呢？

韋：《真報》很會走位，那時金門炮戰，《真報》正好對準下午時間，比《新生》遲一點，但比《新晚報》要早，《新晚》又比《星晚》早，《星晚》四時多出版，它在一時至二時多就出紙，他常說這一類戰情，而陸海安自《新生》時期已為讀者解讀新聞，是不錯的賣點。另外還有兩版舞廳版，就是舞廳廣告，你可以拿着它去跳茶舞，主意其實不錯。還有蕭思樓，筆名「過來人」，他出了一張《羅賓漢日報》，現在沒有人知道了，講夜總會、歌廳的。那刊物不公開發售，而是放在理髮舖，與理髮師傅相熟才可拿到。

梁：那靠甚麼維生？

韋：有廣告的！另有一張《響尾蛇》，是一位姓柳的先生創辦的，我只記得他的花名是「大舊柳」。

梁：那時不是有《二世祖手記》嗎？

韋：是楊天成在《新報》寫的。楊天城本來是《華僑》的體育記者。《新報》創刊，他就去那邊寫《手記》。我辦《南華晚報》時，也有叫他寫。

坊間流傳他幫我寫稿的稿費高，請不要相信。以前報界稿費很少，流行八、十元一千字，楊天成的是六元。那時《二世祖手記》風行。為甚麼他只收六元呢？因為當他最不得意時，找了一幅畫，想賣給我，我給了錢，將畫回送給他。他說：「以後我一定會幫你。」所以稿費才收六元。當時三蘇等，以不同筆名寫稿會收不同稿費。

梁：你那個時候還有甚麼寫手呢？

韋：很多，如鳳三等等，中文《星報》有兩版副刊都是我處理的。為甚麼《南華晚報》的副刊卻很少呢？因為那時的副刊有兩種不同風格，一邊是本土，另一邊是海派，適合不同讀者。而《天天》更有來自台灣的寫手！

在一九六零年代，香港是很平穩的，物價也是。以字房為例，執字工人一日工資有三元五毫。

梁：記者呢？

韋：記者工資當然低！警員才一百多元，記者怎會比警員高呢？也只是數—元而已。編輯大約二百至三百元，大報的總編輯大約四百元。

梁：話說回來，《成報》為何會在五零、六零年代成功？

韋：不只這兩個年代，直至一九七二年時它仍然居第一！它馬經辦得很好，因為何文法是馬主，他兒子是騎師，所以很多人相信它的馬經。

梁：《成報》之後呢？

韋：《星島晚報》一直銷路普通，只有幾千紙。當時有宗案件叫伍雅兒案，她是一個明星，當時做明星只得幾百元，她跟男友珠胎暗結，但卻沒錢，不知怎辦，只好找醫生墮胎，結果死了，所以政府起訴那醫生。當時《星島》由梁泰炎主理，他以前在廣州當警探，很有頭腦，每日找記者記錄當時在庭上的一問一答。因為《星島晚報》四點鐘才出版，當時沒有電視，也沒有原子粒收音機，所以很多人都爭着看，《星島晚報》一炮而紅，所以鄺蔭泉跟梁泰炎都有功勞。那是五零年代的事了。

梁：《商報》冒起，是因為偵查新聞？

韋：《商報》的印刷機在中環，出馬經、排位時，就能因為出紙快而取勝。偵查報道的話，說真的，那時別的報紙有警探線，但《商報》沒有，壁壘很分明。

梁：所以《星晚》冒起了。

韋：《星晚》就是那樣冒起的。以前的人夜晚沒有娛樂，而《星島》卻有兩版副刊，可以供人在晚上消磨時間，所以《星島晚報》一帆風順。《星島晚報》跟《虎報》在以前拖累《星島日報》，但之後就不是了！是晚報帶領着日報。

梁：你的《天天日報》怎樣打響名堂？

韋：其實起初我不是搞手。我哥哥（韋基澤）買了部四色機，能平版一次印彩色，全香港只有一架，雙色機也是我們的，我們的雙色機和柯式印刷機是香港最好的。沒有想到機位很多，所以就去辦報紙了，以免浪費。起初的計劃是賣兩毫子一份，讀者覺得新鮮，所以有市場。但當時兩毫很貴，因為一日工資才三元五毫，所以不行，沒多久減回一毫。哥哥無意繼續做下去，由我接手。

梁：當時老總是誰？

韋：陸海安。金門炮戰後，《真報》銷量不及《星島晚報》，其他晚報也在慘淡經營，所以才走過來幫忙。他很好的，我接手主理時，他說不幹了，不是我不用他，而是因為他說要忠於我哥哥，所以離開。我做了一陣子總編輯，梁小中才來接手，他那時是在《新生晚報》上班的。

梁：你們沒打敗其他報章嗎？

韋：當時報紙太易做。美國政府請我去考察越戰，我去了很久，其間我哥哥又回來了，梁小中則説要等我回來才上班。回來後，我哥不幹了，但又不讓梁小中進報館。我很對不住梁小中，但哥哥已在印刷廠那邊貼了一張紙，説不讓他進去，那我也沒辦法，只有跟他説。他很謙虛，就不幹了。當時讓他在《南華晚報》寫稿。後來他去辦《先驅報》，做得不錯。但未站穩腳跟，又買了印刷機，一闊三大，成本大增，最後失敗了。原來真的不錯。

梁：當年辦《天天日報》是怎樣的？是不是六一年就開始兼辦《南華晚報》？

韋：一九六三年，兼做晚報，因為那四色機是四色滾筒機，底面一起印，是全世界第一部，一小時可以印一萬張紙。但設計不佳，速度仍有所限制。正因為我買了兩組印刷機，所以早上有空置的機位。我在一九六六年左右想辦一張英文報紙，所以找了 Jenkins（曾競時，英文《星報》的老闆），他本來在南京當英國的通訊社的記者，後來去了新加坡《海峽時報》，那時，《海峽時報》想買《南華早報》，Jenkins 是《海峽時報》的代表。

我認識 Jenkins，《海峽時報》的彩色周刊是我們印的。他來香港收購報紙。沒有人招呼他，我就把車和司機借給他。《南華早報》他買不成，《虎報》也買不成，後來便留在香港，開廣告公司。

那時我從歐美考察回來，覺得我們可以出一張類似德國《鏡報》的報紙。我跟他説了我的構思，他要一份 Management Contract，六萬元一月。聘請洋人，六萬元全包，其實是非常划算的。後來有人跟我説，他跟胡仙小姐見過面，更將那個意念賣給胡小姐。他翌日再打給我時，我只能回一句：「你都跟胡小姐談過了，不需要我了吧。」

結果那時三人入夥，和記的祈德尊爵士、胡小姐跟 Jenkins；後來還加入 Lesley Smith，他原是東南亞英新處的處長，他把退休金投資進去。英新處不是香港新聞處，是一個特務機構來的。

梁：那會影響《南華晚報》嗎？

韋：倒也不會，我就學《Daily Mirror》那樣，開了個「Page 3 Girl」，不過後來得罪了警察部。那時警察部有一個部門去整我的《南華晚報》，所以我們被告了兩次，鬧得很大，要請沈澄跟張奧偉兩位大律師去打官司，但也不行。因為當時僅由裁判司一人判定是否淫褻。當時英國已使用陪審團制度，可以廣納社會的道德量度。我那時很無辜，那張照片是女生在欄杆上滑下來，露出了一點內褲，這樣就被控告了。電影電視那些跳舞鏡頭尺度更大，卻沒事！另一次是方龍驤寫的〈塵火701〉，那是一部間諜小說，內容說到，有一個女子引誘男子，那

天天日報

全彩色新聞性日報，世界性創舉，十一月一日出版，中國人的驕傲！

全世界前所未見 中國人爭得第一

即將出版 售價二角

報業的革命

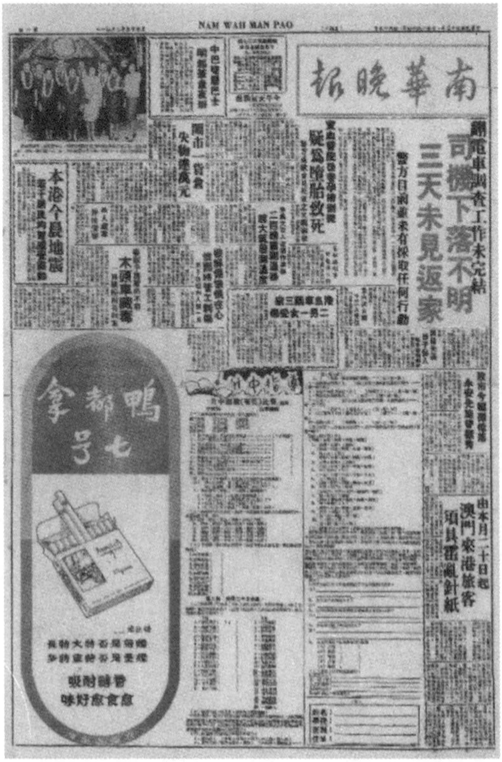

NAM WAH MAN PAO

南華晚報

司機下落不明 三天未見返家

澳門來港旅客 須具霍亂針紙

由本月二十日起

《南華晚報》、《天天日報》均由韋基舜創辦。

男子找毛巾包住她，就這樣也要告，這根本沒有暴露畫面！

梁：《天天》很奇怪，為何在一九七七年賣給劉天就？

韋：因為我兒去了（去世），而我還要做兩張報紙，即日報和晚報。其實那時經營不錯，但劉天就買《天天》是另有別情，他不需要《南華晚報》。實際上是有錢賺的，只是我無心經營，而且還有外債，即外面的人還欠《天天》好多錢。後來何文法也想買《天天》，但我早就在口頭上答應了劉天就。那時《成報》也想轉做柯式印刷。

梁：所以你連廠房也賣出了？

韋：對。做日報，等到「埋版」已是兩點多。晚報九點開始，我們做到十二點就要開印，但我下午又要去應酬，日日忙碌，都沒有時間見家人。那種每日重複衝線的感覺，真的很糟糕。

梁：六零年代報紙的情況如何？你們《天天》應該已經靠四色柯印大獲全勝了？

韋：沒有贏與輸的問題，每張報紙都有它的專長，不能被人取代。

梁：《天天》特長是甚麼呢？

韋：《天天》特長是馬經以及副刊。當時別人還取笑我，說我在辦一份「雜誌式報紙」，那真的是我首創。每日都有不同的特刊，講音響、音樂、夜總會、汽車、健身，每一個星期，每一日都有一篇特稿。

梁：汽車分類廣告也是你們首創的嗎？

韋：不是，我們是做車行的廣告，試車時會請男女模特兒，邊拍攝邊介紹一輛新車。這是彩色印刷的好處，例如介紹指甲油，就可以清楚解釋廣告商品。當時我們廣告比其他貴，十元五毫，買一吋廣告位。但是那時做柯式報紙有一個限制，廣告稿要給電版房做，廣告公司同一時間給所有報紙，但我們要自己分色、曬菲林，廣告公司根本不知道我們時間緊迫。我們的廣告費較貴，還要特別再訂製一個電版。

《中報》版頭特別大，但廣告商不會考慮到他們的版頭……所以說文人辦報總是自以為聰明，但其實還要顧及經理部、廣告部！當時他們從台灣來港創刊，連續幾天都沒有頭條，只有賀稿，那可是辦報毒藥，只能壯大聲勢而已。辦報要兼顧很多範疇的！

梁：銷路如何？

韋：有一段時間，《天天》有八萬份。《南華晚報》也有六萬多份，很穩定的。

梁：一九六九年《東方》創刊後，情況如何？

韋：《東方》上市，我幫他們做公關，全香港報紙都有幫它賣招股廣告，除了《成報》。因為《成報》銷路比它高一點。我那時游說何文法先生：「他日你也要招股時，他們就不會幫忙了。」這不是同行如敵國的事情。但他回道：「我不會上市的！」結果《東方》上市超額認購三百八十倍，一毫子升到一元。它賣出百分之三十，已收了三倍現金回來了。還有那種七天期票，《東方》借給人收利息，就賺到了六千萬，買下一間新廠房。

梁：《東方》成功在哪？

韋：有多種因素。例如內容出色，梁小中在這方面很在行；狗經，莫氏兄弟發行。馬奕盛晚上不多睡覺的，很多時候和我吃消夜，請我吃好東西，如蒸龍蝦等等，跟我聊到快要天光時，就親自去看發行，很少老闆會這樣的，就他一人着重發行。天光後才去食粥，再回去睡。他是一個很勤力的老闆。這是成功之處：內容好，發行好，自然會成功。他們成功不是偶然的。

梁：八零年代好像市道很好？

韋：《星晚》有一段時間常說：「香港不行了！」可能編輯部有人不喜歡中共。但一九八四年簽了《聯合聲明》後，還是每天說不行。《星晚》讀者中有很多地產老闆，你都只會說「香港不行了」，這不悶倒他們嗎？後來他們都不看了，覺得沒用。所以銷量就下跌，回不來了。沒了廣告，同時又有電視競爭。後來迫不得已修正過來。

梁：娛樂報紙在五零至七零年代十分盛行……

韋：對，有《銀燈》、《明燈》、《電視日報》等等。

梁：是不是因為電視興起？

韋：可能是吧。那時電視的影響還不是很大，因為電視有自己的周刊。那時有歌廳、夜總會，夜總會就是《羅賓漢》，《天天》也有夜總會版，歌廳部分是另外的，雖然我們也曾做過。因為香港歌廳曾請我做公關，我就介紹一個記者去做，黃少光，也就是三蘇的小舅。當年歌廳仍盛極一時，後來請了台灣的姚蘇蓉，不知怎的，她出不了境。只有岑才生先生以籌款為由，才可以請她來。那時當然會故意做一些新聞，說請女保鑣云云。一些報紙的成功與歌廳盛行有關。

梁：為何後來又不行？

韋：因為卡啦OK出現了，人人都自己唱。那時有些餐室仍有歌女，聽眾也叫她們不要再唱了！

梁：娛樂報紙不同往日了，但馬經、狗經也是嗎？

韋：這又不是，馬經有點不同，那時是搶排位的，中環是必爭之地，讀者都湧去中環買排位紙。現在少了很多，因為不用買，隨身就有，將來勢必被電子傳媒取代，電子傳媒對印刷傳媒有很大威脅。

梁：你信不信將來報紙會消失？

韋：「完全消失」會是很後期的事，但現在已見到那個趨勢了。對於長者來說，電子媒體這玩意，我們是「文盲」，都不熟悉。現在學生是「閱讀困難」的，這事讓我再三嘆息。以前「擔紙」

的稿件大約會寫三千字。現在有誰會看這麼多字呢？現在報館要作者寫八百字，已算很給你面子了。將來讀者想看有聲有畫的東西，就是這樣。

自從有了電視後，報紙開始受到影響。而現在的硬件愈來愈先進……收費報紙會怎樣被打擊呢？現在收費報跟報販分賬，「七一」、「七二」分，例如零售價是六元，報販分賬就會收一元八毫。以前報紙一毫轉兩毫是最難的，因為主要是廣告折頭的問題。當時主要是我去討價還價。

梁：售一毫時，怎樣分賬？

韋：七五分。

梁：當時一毫子，報販拿兩仙半，七仙半分給老闆，是這樣嗎？

韋：報業公會加價兩毫，要我和羅斌做代表與報販談判，那時怎麼也談不成。馬奕盛當時不是公會代表，但也跟我們來，他跟其中一區去談，而我亦在另一間房跟他們達成共識，「六八分」。羅斌當時擔心不能向公會交代，我跟他說：「將在外，君命有所不受，要是雙方都要回去商議，永遠無法談妥。」於是所有報紙都登啟事，宣佈加價兩毫。但第一日，《工商》照舊售一毫。嘩！大件事了，大家立即召集會議。有人說：「《工商》不能下柴灣，我說了算！」眾說紛紜，我只跟他們說一句：「報販賺錢，要做好多事情，你只售一毫，分賬太少，他怎會去賣呢？有甚麼好擔心的？」果然沒過幾天，《工商》亦賣兩毫了。

梁：現在發行模式不同了？

韋：現在發行統一了，以前分很多個「區頭」的。

梁：現在便利店發行又是另一模式了。

韋：不得不採用這種模式。便利店發行要付上架費，這對報館有大負擔，但沒有他們也不行，因為他們有龐大的分店網。

梁： NEWSSTAND（街邊檔）模式也沒有了。

韋： 香港以前有特色，租報紙。所以當時出一些「寫真集」。原本打算以「女性名人」作賣點，怎料香港有出租雜誌的慣例！喝茶時，八至十個一桌，大家一起傳閱同一本寫真，看完就還給報販，不帶回家。報販也喜歡這種模式，因為賣一本只能賺一次錢，每一次租完可以「回尾」！每個人想的東西都不同，出版商出了一段時間就不再出了，報販以為很好賺，但如果是容易賺錢，怎麼只有一本呢！所以辦書報，單方面只着重編輯部是不行的，也要顧及發行的部分。話說回來，有些人說有些報販有黑社會保護。這是有理由的，如下雨天會弄濕報紙，難以追究。那些是成本來的。早上四時就出來工作，這樣大的交易，怎會沒有人想從中獲利呢？

梁： 你認識那麼多報人，可以說說他們的事蹟嗎？任護花怎樣？

韋： 任護花自己辦自己的，就是每天收回報紙所賺的錢，不會欠你債。

梁： 他文筆不錯？

韋： 他的讀者信箱，很多人平時難以啟齒的問題都拿來問他。

梁： 張續良也有寫過吧？

韋： 對，張續良，英文名叫「阿 DOC」，是大陸醫生，他有段時期跟我做一本醫學雜誌，曾任《明報》總編輯。

梁： 他是不是跟查良鏞先生吵架後，離開了《明報》？

韋： 不……是他喝醉了，在報館桌面撒尿，沒辦法的事……他那時也幫我寫稿，雖然潘粵生是社長，但他不知道這事。直至前一陣子我跟潘粵生說，他才驚覺張續良原來有「秘撈」。報界我認識很多人，左、右報，我都可以接受。例如金堯如，他跟孟秋江請客，不是在一般的酒家，而是在粵海關（香港辦公室）！那是一九六七年以前的事了。另外，李宗仁從美國回中國時，他也叫我上北京，我拒絕了。那時合眾社香港分社社長 Charles Smith 想去，就問可不可以代表我去，但他是外國人，因此被拒。結果張寬義代我去，他很滿意，寫成「人生中的一件大事」。一九七二年，尼克遜訪華，左派請我去上海，因為專機不能直飛北京。有人通知《明報》，於是在出發前，《明報》和《南華早報》說不應該請香港人上去，還大字標題登頭版反對。搞得後來左派要向我道歉，請我吃飯，總共四個人，羅孚、廖霱民、胡棣周和我。他們說對我不住，我一笑置之。其實那時是廖霱民親自請我去的，我當時有慎重考慮，因為我們報頭年號寫着「中華民國」。但考慮到可以採訪這個重要新聞，我才答應他，最後卻變成這樣。我答應了你才取消，讓人心有不甘。

梁：陸海安又怎樣呢？

韋：他一直在《新報》，不太好景。

梁：他不是做過議員嗎？

韋：不是。

梁：你跟金堯如、余老總、廖先生他們的關係又如何呢？

韋：余鴻翔老總他不是黨員。我們兩人是最好的朋友，我時常跟他竹戰。

梁：左派報人如羅孚等等，怎樣發跡？

韋：做總編輯、賺稿費，能賺多少呢？報紙有多少收入呢？那時大陸不像現在這樣「大款」。何來有錢給自己人？最大的支持是給他們送紙，不是一筆小數目。一日用幾噸紙，每一磅給你賺一毫，已經不得了了。

當時有挪威紙、加拿大紙、吉林紙、廣東紙……廣東那些是紅色的，《晶報》、《商報》用廣束紙，紙質不一樣。我做印刷，清楚這回事。胡仙用最好的挪威紙。她很聰明，找躉船來裝，不用付倉租。誰買甚麼紙，我很楚。而且現貨，要預訂。

梁：《新報》羅斌呢？

韋：他管理得宜。他在上海做發行，發行《藍皮書》和《西點》。他管理得十分好，從不浪費。我們負責執版，排好版，打版印，印刷後還要散版、還倉，那時不能每天都鑄新字粒。但他不還倉，只鑄新字粒。他將那些字粒拿去印三毫子小說，不用再排版，可以直接翻用。那時金庸的小説好賣，他就集齊數天的份翻印成單行本，搶先發行賺錢，當時根本不理會版權的事。李金石負責他的周刊《新知》；李金石曾在邵氏工作，有一堆女明星的……當時《明報》用女明星的相片，他就用女明星的艷照！獨樹一幟，非常成功。怎料有一次碰壁了。李金石去「收片」，他那時已是老總，不是小混混了，誰料有記者寫了段稿，正好寫蓮花宮那邊！記者不知道老總已收了片，將稿拿去給羅斌看，老闆下令新聞出街。那就釀成大禍了，明明已付了掩口費，你還刊登這段新聞，結果被人用單車鏈痛打一頓。

那時有個報販的兒子常跟我們去拍照，冒充我們去「收片」。但我們早就跟環頭環尾的探長説好，我們《天天》不「收片」的。所以那小子又被人痛打一頓。

梁：那你與「特級校對」陳夢因熟悉嗎？

韋：很熟悉的！我每晚都買《星島》，因為我、黎振和他是好朋友，時常三人去消夜。我是夜鬼，那時常等「特級校對」交稿，等到二時多，幾乎所有版面都在等他，因為他寫得很慢。

梁：他不是老總嗎？那時的老總不是要「看大版」嗎？

韋：對啊，但還是要等他先交稿。「嗆喉作料」這個詞就是他弄出來的，説的是「味粉」，因為吃味粉讓喉嚨受不了。

梁：特級校對之前是做甚麼的？

韋：他曾在《星島》做過，戰時在內地開過酒樓，和平後挾着兩把槍就回香港了。戰後香港准許盟軍帶槍入境，中國軍隊也是，所以他挾槍回港。他坐着的事後像一隻「坐山虎」。何建章跟他不合，因為那時何建章被迫與日軍合作辦《華僑》，他就是來港「緝奸」的，每次相見都要叫嚷：「何老建，最近怎樣？」心中有刺，彼此都不爽。後來陳夢因發現不太安全，就移民美國了。

那時是一九六一、六二年左右，《天天》剛創刊，陸海安任總編輯，陳夢因回來，找我吃飯，在北角吃羅宋餐。他想做《天天》的總編輯，但那時我還未作主。他被胡仙調走，所以就來找我，希望我請他當總編輯，但我幫不了他，就是這樣，「鬍鬚佬」鄭郁郎接了他的位置。鄭郁郎也是我好友。他本來做翻譯，也曾開辦公關課程，後來知道工作不穩，就找我預留後路。最後他離開了，不過胡仙對他很好。胡仙的廣告公司可以「barter」（以物易物）的，發展商登樓盤廣告，不用給現錢，用樓花支付。這對兩家都有好處。所以百德新街的樓房也是 barter 回來的，那些樓就平賣給夥計，她對夥計不錯的。周鼎也是我的好朋友，胡仙對他很好，周鼎病重時，胡仙幫周鼎付醫藥費，算很不錯了。

梁：唐碧川呢？

韋：唐碧川是《晚報》的，他是新聞學社第一屆畢業，就是傑克（黃天石）那個新聞學社。我從小看傑克寫的小說，後來有幸認識他，他是一個好人，我五零年尾有次在避風塘跟他聊了很久。

梁：對頭是《華僑》的何建章，他們也很長情的。

韋：那只是《華僑晚報》而已。戰後兩張大報有很多國民黨的人。因為《星島》是《香島》……鄺蔭泉也是國內「有力人士」派來的。而《華僑》的歐陽百川也是黨員。

梁：歐陽百川在《華僑》做了多久？

韋：做到去世。他在《華僑晚報》當總編輯，何建章做日報，是分開的。

梁：還有線振球呢？

韋：他懂日文，那時剛好日本時代，所以很器重他。他只辦日本旅遊業務。

梁：其後就是汪石羊？

韋：不是，汪石羊只做攝影，沒做旅遊。他「捉到鹿唔識脱角」，那時在報行，有很多機會。一九五零年代初，西德復甦，想請一個記者去訪問，西德領事點名要《華僑日報》的汪石羊去。他去考察，取得 Linhof 的代理權，那是最好的相機，甚至比萊卡相機更好。但萊卡體積較小，較為普遍。而 Linhof 較為專業，體積較大。那時香港生活水平不高，一般人買不起這種高檔相機，拿了代理權回來，還是要讓別人去做。做報館的很依賴人際關係，要靠人家給面子。像《華僑日報》被《南華早報》買了後，由潘朝彥主理，我跟他説若將社團版及新界版刪去，就不再是《華僑日報》了。他當時壓力很大，因為有人認為社團新界版方便謀取利益。但其實《華僑日報》報攤零售不多，而是社團、會所訂閱的較多。因為講死人的也可以三版，有三個不同組別的記者採訪，把送殯、花圈、扶靈的名單都寫下來，每版都有編輯。別的報紙都沒有社團、新界版。新界版也有很多鄉紳客源，那些「金腳甲鄉紳」的事蹟也要報道。《華僑》的影響力要靠這兩版來維持！但《南華早報》買了後將這兩版刪掉，這就不再是《華僑日報》了！當年社團版，也有分「三院」、「保良」線，同一張報紙也分兩組人處理，辦報就是這樣複雜。有些報紙沒有這些消息，但《華僑》是大報，要在社會上有影響力，不登不行。雖然當時銷路已在下跌，但也沒法子，潘朝彥他是受壓而被迫刪這兩版的，我也不贊成刪掉。那時做《華僑》、《工商》、《星島》，一定有這些版面。有一次廖寶珊的（廖創興）銀行擠提，報紙説他的銀行不穩，於是就要擺平這三張報紙。

梁：怎樣解決呢？

韋：當時有個記者體育會，每張報紙都有「話事人」，要出新聞、蓋新聞都要找他們。我跟記者會關係很好，所以叫我去談，只有《工商》談不成。原來《工商》舊時社址在電車路，是何東租下的地方。但何東死後分遺產時，那地方不歸何世禮，賣給了廖寶珊，《工商》被迫遷往灣仔。《工商》十分不滿，要買回，但廖寶珊又不肯，所以才這樣。當年《工商》每天在頭版「吊腳」開一個欄，特別起眼。說來好笑，那時不會這樣編的，以前排版很緊密。

梁：說回《工商》，何鴻毅學成歸來，《工商》的確有新景象。

韋：《工商》有改版，如體育版等。《工商晚報》翁平做總編輯，退休之後就娶了何秀子，她是一位台灣無人不識的「媽媽生」。我笑說他倆的婚姻是誤會，因為舊時國內報人地位很高。翁平是個肥佬，娶了何秀子，一個以為對方有地位，另一個以為對方有錢，就是誤會一場。而遲寶倫做《工商》總編輯時，他有內線（警探線），有一個山東人警司給他料去登，登了某人販毒。那人來找我，我跟他說：「這你要跟何鴻毅說了。」我跟何鴻毅是大四同學，於是介紹何鴻毅給他認識，讓他們各自解釋……後來，遲寶倫就不能再做了，來《天天》做旅遊。那時《天天》是第一家做旅遊版的。之後他跟 ARROW 旅行社做，再去《星島》。所以說人際關係很重要。當時做記者，人工怎會多呢？那時記者體育會有個週年水運會，是收錢的，與體育活動無關！若有求於人，如想寫某種稿件、擺平某些事，都會在記者體育會內通告搞定。說句實在話，那時記者、編輯的工資又有多少呢？現時不少人說他們的工資甚高，隨時可買到值錢的東西。

梁：現時報行工資真是兩極化，高層年薪甚高，記者卻不是。

韋：當年買東西也很花錢的。金堯如帶我去看展覽，林風眠一九六四年的畫展。大會堂場刊封面的畫賣五百元，上面畫的白鷺我不太喜歡。他帶我去是捧場。

梁：你買下的話，今天很值錢了。

韋：那份場刊我保存到今天。最近他乾女兒馮葉來港，我說送給她，但她不要。當時，齊白石的畫賣五十元，但也要存錢存很久才可買到。四零年代時，造船廠的工人一天的工資只有一塊一。

梁：六十年代初工廠女工一個月三十元，一日一元。傭人一個月只有十幾元，帶小孩的給多一點而已。

韋：和現在相差很遠。那年代的人沒有錢，一家八口一張床。

梁：富二代才有錢，其他人真的很窮。

周奕
細談左報

周奕，一九五九年入《文匯報》任記者兼攝影記者，主力採訪工會、新界及政治新聞。其後改任要聞編輯、發行課主任、出版課主任、文匯貿易公司經理、彩印公司經理，一九八七年任副總經理至退休。退休後主理海鷗攝影會，及研究香港史。著有《香港左派鬥爭史》及《香港英雄兒女——東江縱隊港九大隊抗日戰史》等。

訪問時間：二零一一年十月二十一日

訪問地點：北角寶馬山樹仁大學新傳系錄影室

梁：周奕先生，請你先談談《華商報》。《華商報》是在一九四六年恢復出版的。

周：對，當時《華商報》在中環干諾道中一二三號全座，一直辦到廣州解放。在解放之前他們接到要全部職工回廣州的通知，所以事先將一批批人經游擊區送回去。到解放那天，他們才出文告別讀者。但喬冠華先生還在香港逗留了一段時間。

梁：一九四六年，新華社香港分社是否已經成立了？

周：不……還沒，當年香港剛剛光復，英軍立刻接回軍管，但英軍未能管理新界地區，只知道東江縱隊仍在新界，所以就請那些游擊隊員以自衛隊名義協助維持治安。東江縱隊「打蛇隨棍上」，要求成立一個聯絡辦公室，結果就在油麻地柯士甸道口，現在的九龍公園附近，成立了一個不掛招牌的東江縱隊聯絡處。這個聯絡處後來變成了新華社。

梁：誰是負責人呢？

周：黃作梅，克什米爾公主號遇難的那一位。喬冠華也做過一段時間，不過後來被調回去了。祁烽代理社長兩年後，梁威林才來坐正，祁烽當副手。祁烽從一九五六年到退休都在香港。《華商報》結束以後，原社址就租給了《大公報》。

黃作梅（左）、祁烽。

梁：當時《大公報》誰人打理？

周：社長一直是費彝民。

梁：《大公報》和《文匯報》在五零年代、四零年代末期有很多「叻人」？

周：李子誦……因為他抗戰時期就在廣州辦報，後來去了韶關……和平之後，他反對蔣介石內戰，又在廣州辦報，其後來到香港，廣州解放時，他再上廣州接收國民黨的報紙。那時他是國民黨人員，是國民黨革命委員會的，簡稱「民革」。當時國民黨對民主人士很尊重，亦充份利用他們，所以共產黨入廣州時也要找這些民主人士幫忙接收。他大概在一九五零年才從廣州調回香港接辦《文匯報》。

說回《文匯報》，本來是在上海的，從上海來到廣州、香港之後……我也忘記創辦人是誰了，反正是上海來的，我們都叫他「上海佬」……在香港創刊以後，情況也相當複雜。有很多看管過共產黨報紙的人，其實絕大部分——完全可以用上這個「絕」字——都是民主人士。那時的民主人士普遍反對蔣介石、反對內戰，因此心都向着共產黨，支持共產黨來反對蔣介石。

我聽舊同事說，一九四八年《文匯報》在香港創辦時，工資很低，每人只有幾十元工資而已。

其實從一九四七年開始，內地的民主人士就站不住腳了，在一九四八年之後陸陸續續移居香港。當時很多出名的學者都在這裏，達德學院也是這樣成立的。若達德學院一直辦到現在，人才又不走，它的教授名單應該比香港大學還要顯赫。可惜，那些教授和學生的心都是向着內地的。

《文匯報》是不是很多人才呢？可以這樣說，但要分兩類，一類是正式受薪的，不多；另一類是請一些文人來寫稿，或請他們主編周刊，那時《文匯報》每逢星期一出版一個周刊，每次做一個專題。那些主編、作者也是當時響噹噹的學者。

文匯報
WEN WEI PAO
孫科忽然消極
陶啓明案正擴大偵訊中
王雲五徐柏園拍桌相罵
蔣經國奉命幹到底
濟南仍緊
馮玉祥火葬
上海無娛樂
謝啓
關於本報復刊

香港《文匯報》創刊號。

梁：當時銷路又怎樣呢？《文匯報》應該不錯吧？《文匯報》、《大公報》的銷路都不錯，直到文化大革命才大跌，是這樣嗎？

周：具體情況我不太清楚，但我聽那些前輩說，其實也辦得很困難……

梁：但副刊很不錯啊！

周：唉！你副刊好，但讀者群有多少呢？香港到底是一個移民社會，大部分人都認同國民黨和蔣介石，視蔣介石為正統。

梁：解放之後才是這樣吧？解放之前應該不是。

周：解放前、解放後都是這樣，維持了相當長的時間。我知道當時工資不高，數十元一個月……

梁：那個時期的工資差不多就這樣吧，一般人也不高，全部都很低的。

周：實際數字我真的不清楚，估計不多。我聽說那個時候用的印報機，是那種「六度」印刷機，要「叱嚓、叱嚓」才能印一份。《文匯報》租的地方在荷李活道，是有印刷機的地方，地下就是機房，閣仔是排字房，二樓是編輯部，三樓則是經理部。那時有很多同事下班後，就在報館內將椅子拉出來，直接躺下睡了。

有時候，連印刷用的紙也沒錢買！所以你不要以為銷路真的很好。那時候的經理——當時不叫總經理——是余鴻翔，督印人一欄也要寫他的名字。他為了報紙順利發行，四處求人，借錢回來。因為你賒數太多，別人就不肯賒紙給你。最後買到翌日要用的紙，才總算解決印刷的問題。實際上，那時候銷路應該不太好。

五零年代的《文匯報》編輯部。

五十年代，《文匯報》遷址波斯富街四號。（照片攝於一九七三年）

《文匯報》荷李活道社址。

梁：《文匯報》從中環搬到銅鑼灣，然後再搬回灣仔，是嗎？

周：是啊。一九四八年復刊時在荷李活道，也就是中環，一九五五年搬到銅鑼灣波斯富街四號。這筆錢怎樣來的？聽說是上面給的。為甚麼呢？因為那時銷路不太好。其實當時辦報紙，銷路好，就能賺錢，《成報》就是一個好例子，我們那時叫它做「印銀紙的」，雖然售價是一毫子一份，但已經賺錢了。《文匯報》在波斯富街四號買下一塊地皮，建起新的社址……（**梁：**印刷廠也一併建成？）對，那時有了印刷廠，轉用輪卷機，即滾筒機。

梁：接着六零年代就搬到灣仔？

周：對。我聽那時候的同事説，

情況有所好轉，一九五六年終於加了人工，而且還可以出雙糧。很不錯，有一定的津貼了。

梁：《文匯報》是隸屬國務院的嗎？

周：這個關係嘛⋯⋯我真的講不清楚。在共產黨機構做事是有一個原則的，從大人到小孩都知道：不需要你了解的事情，你別知道得太多。也不要問！所以你只能聽，上面說了一點，你默默記下就是了，千萬不要再多問一句，如果多問一句，你就有嫌疑了。

首先說一下這個變化吧，應該是一九五五年到一九五六年期間。為甚麼會有變化呢？我估計是因為，一九五三年，朝鮮戰爭結束了，國家經濟也穩定了一些，於是就有點錢可以津貼海外機構去搞宣傳。所以《文匯報》拿了這一筆錢，先搞好社址，然後才可以加人工。

但有一點說漏了：《文匯報》本來是民盟的報紙。民盟文人多，而且大部分人的心向着內地。上海解放時，很多人都趕回內地去了，把業務交給留下來的人處理。就在經營不善、經濟拮据的時候，國民黨革命委員會成立了，而民革是有錢的。聽說當時李濟深、蔡廷鍇也拿了一筆錢出來，準備自己辦報紙。有人跟他們說：「不用那樣，民盟辦《文匯報》辦得這麼辛苦，你們把這筆資金投進去就好。」後來民革就投資在《文匯報》上，所以一九五零年左右，李子誦從廣州調過來主持《文匯報》。

實際上《文匯報》是由民盟的報紙轉為民革的報紙的，或者說是兩者的合併，一直以來都是民革的。後來聽說要成立《文匯報》有限公司，大家就想，要掛誰的名字呢？當時曾有人提議，掛李濟深的名字，因為李濟深出了很多錢。但李濟深本人不方便，因為他是個有強烈政治取向的人物，於是他就推薦他的一個手下，梅文鼎，也就是梅叔，來當董事長。

所以《文匯報》的董事長都是掛名的，根本就不理事，在有限公司這架構中，他只是簽字而已，全部事情都由新華社那邊去處理。梅文鼎是魚欄中人，有時候他會買些好魚回來，炸給夥計吃。

所以，長期以來《文匯報》的董事中都有李濟深、蔡廷鍇的後人，他們也只是掛名而已。

梁：現在如何？

周：現在全賣給別人了。所以《文匯報》比較特別的地方在於跟民盟、民革的關係。

梁：你一九五八、五九年加入《文匯報》，當時誰做總編輯？

周：李子誦。當年還沒有「社長」，社長一職是文革以後，大約在一九七八年之後才增設的，還是由他來擔任。起初，在孟秋江之前，是新華社派一個人過來……名字我真的記不起了。實際上《文匯報》的社長也是掛名的。

梁：楊奇有沒有做過？

周：沒有，他已經回廣州了。

梁：後來楊奇不是又回到新華社嗎？

周：那已經是一九八零年代的事了。

梁：祁烽有沒有做過？

周：沒有，祁烽級別較高，他是香港工委（殖民地時期中共的半地下組織）的第二把手，梁威林是第一把手。祁烽長期負責搞宣傳。

梁：你在的時候，《文匯報》的人才是否鼎盛？有哪幾位令你印象深刻？

周：都不錯啊！當時總編輯是李子誦，副總編輯是金堯如。金堯如的文筆很好，大家都很清楚。還有副總編輯馬鋭籌，馬鋭籌主管副刊。還有一位副總編輯劉士偉，本來是《華商報》的記者，一直做到這個位置，後來主管要聞。我們那時候記者不多，採訪部只有十二個記者：周政民、黃永和、劉曦明……我加入以後，很多重要新聞都由我負責採訪。

梁：你的採訪經驗很豐富。

周：話說回來，一九六二年外流潮，香港記者最了不起的就是去邊境採訪……（**梁**：去到梧桐山吧。）他們沒有去到梧桐山，我去過，梧桐山屬華界，解放軍會開槍的！（**梁**：我記得陳非說去過。）那個是華山，上水的華山，不是梧桐山。梧桐山在華山對面，只有我上去過。我怎樣上去的呢？很簡單，省委要派工作組，新華社知道了，他們也要派一個工作組去跟着省委寫內參。《文匯報》副編輯主任、主管港聞的廖靄文就帶着我……當時左報報道大新聞的例牌陣容，《文匯》是我，《大公》是王津，《新晚報》是黃念祖……

臨行前，廖靄文吩咐我們：「我們是有紀律的，因為我們是境外記者，不要干涉省委工作組的事，他們內部的事，你不需要了解，你只要了解外流的有多少人、整體情況如何，就可以了。」所以，我就跟着省委工作組去睡碉堡！我在碉堡內睡過，梧桐山也上過。

每日有甚麼情況，我都要搖電話回去深圳，廖靄文蹲在深圳華僑大廈。那些電話又怎樣搖呢？我相信沒甚麼人試過的。電話機旁有枝小搖桿，一直搖，搖好了就說：「打去深圳。」逐個站搖，搖了四到五個站，搖到深圳，再接到華僑大廈。不停地搖，邊搖邊咔咔作響的那種。

《文匯》搬到波斯富街之後，是環境比較好的一段日子，也有一定銷路，《大公》則在干諾道中一二三號。那個時候，我們人員流動比較大。

梁：為甚麼呢？

周：可能民盟那些人嚮往新中國，沒多久就回去了。《大公》相對穩定，因為它是一個很成熟的報業機構，很多人才都是自己培訓出來的，上層也相當穩定。他們最出名的是出了兩個武俠小說名家：梁羽生和金庸。英文的人才也不少，還出版過英文版的《大公報》。

梁：李俠文呢？

周：李俠文是《大公報》的總編輯。（**梁**：聽說現在身體不太好）嗯，好像現時只能在家附近走幾

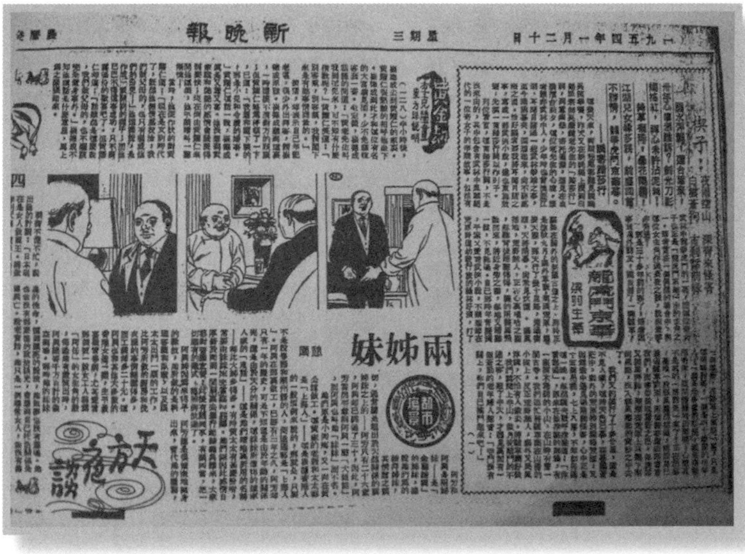
新晚報
星期三
一九五四年一月二十日
龍虎鬥京華
梁羽生著
兩姊妹
天方夜談

《新晚報》走小資產階級路線。一九五四年一月二十日起連載梁羽生的《龍虎鬥京華》，開創新派武俠小說風潮，更為大眾歡迎。

圈，不再出來了。馬廷棟本來也是一個很出色的編採能手，但他卻做了總經理。

梁：《新晚報》呢？當年它也很暢銷。

周：《新晚報》為甚麼會出版呢？聽說當時新華社覺得《文匯》、《大公》兩份報紙面目太「左」，大張旗鼓支持共產黨，接觸不到一般民眾，所以，要辦一份迎合小市民口味的報紙。

梁：不是《商報》先辦的嗎？

周：不、不、不，先有《新晚報》，然後才是《商報》、《晶報》。《新晚報》一九五零年創刊，一張紙而已，比較符合小資產階級的情調和品味，很受歡迎。

梁：是羅孚籌辦的，對不對？

周：對。羅孚「度橋」很厲害，聽說連載武俠小說就是羅孚提議的。羅孚花了不少心血，但他要兼顧《大公報》，既主管《大公報》副刊，又是《大公報》副總編輯，耗費了不少精力。

梁：聽說曹驥雲也是這樣？他在英文版《大

公報》，但仍然要看管港聞，對不對？當時的人手很緊張？

周：《新晚報》很受歡迎，但也沒有超越其他大眾報紙，當時只要求它不要辦得太「紅」。（**梁：**這樣也行？）雖然的確不是很紅，但別人也能呷出共產黨的味道。

《新晚報》為甚麼會出事呢？那是一九五一年發生的「三一事件」。當年東頭村火災，香港政府將各界捐贈的數萬元扣下，不發給災民。地下黨因而介入社會事務，組織了災民代表會，要求華民政務司發放捐款，但那些災民還是只獲發了十數天飯，救濟金仍被扣壓。

那時，內地派出「粵穗慰問團」，想要慰問災民。香港政府當然是「可怒也」！那天粵穗慰問團準備要來香港時，周恩來總理覺得事情不妥，立即打長途電話制止。周總理考慮的是，中英之間可能發生衝突。只不過，香港的群眾已到尖沙咀迎接。場面很壯觀，有上萬人，我也在那裏。後來發生了衝突，《人民日報》針對事件刊載了一篇短評，《新晚報》轉載，《大公》、《文匯》也轉載，香港政府認為這篇短評是「煽動性文章」，控告三家報紙：《文匯》、《大公》、《新晚》。

梁：結果怎樣？拉人坐監，還是罰錢就算？

周：這事很「大鑊」！法庭判決罪名成立，《大公報》罰款停刊（**梁：**幾日？）好像是三個月吧。（**梁：**三份都要停刊？）不是！首先受到控告的是《大公報》，但《大公報》要上訴，而《文匯》呢……

我那時還是小子一名，才十八歲，只聽到上面的人說，周恩來召見英國代辦，說了三句話：「香港《大公報》、《文匯報》、《新晚報》是中國人民的報紙，如果中國人民不能在香港辦報，那麼我們就要考慮改變對香港的政策。」

我記得很清楚，因為我的記憶力比較好……哈哈，所以一九五一年傳達的消息到現在我還記得。

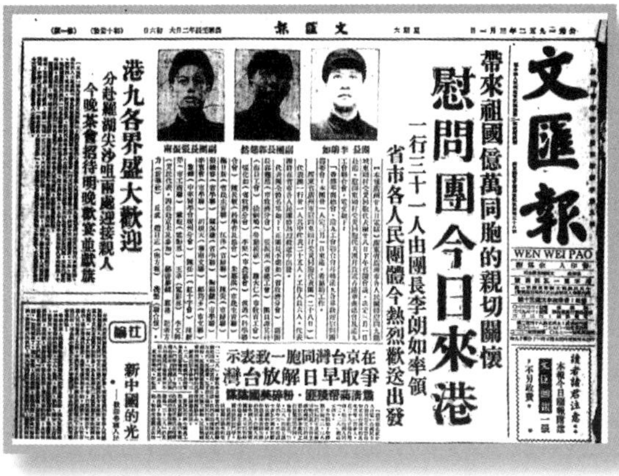
文匯報

WEN WEI PAO

帶來祖國億萬同胞的親切關懷

慰問團今日來港

一行三十一人由團長李朗如率領

省市各人民團體今熱烈歡送出發

港九各界盛大歡迎

分赴羅湖尖沙咀兩處迎接親人

今晚茶會招待明晚歡宴並獻旗

在京台灣同胞一致表示

爭取早日解放台灣

社論

新中國的光

報道慰問團消息。

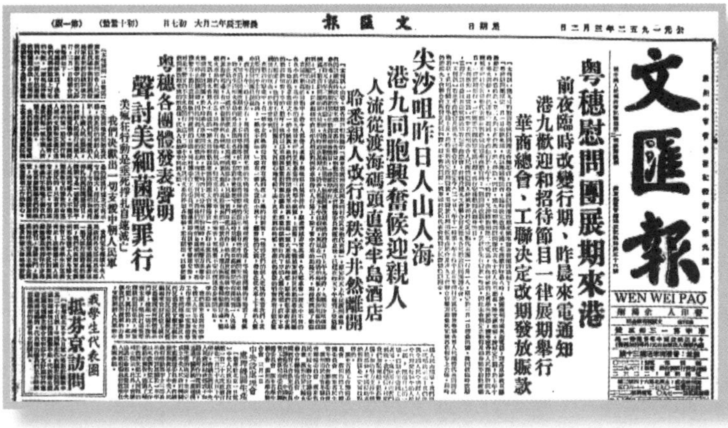
文匯報

WEN WEI PAO

粵穗慰問團展期來港

前夜臨時改變行期、昨晨來電通知

港九歡迎和招待節目一律展期舉行

華商總會、工聯決定改期發放賑款

尖沙咀昨日人山人海

港九同胞興奮候迎親人

人流從渡海碼頭直達半島酒店

聆悉親人改行期秩序井然離開

粵穗各團體發表聲明

聲討美細菌戰罪行

我學生代表團

抵芬京訪問

報道粵穗慰問團展期來港。

文匯報

九龍昨發生流血事件

警察與羣衆大衝突

槍聲大作催淚彈煙瀰漫

十餘人受傷數十人被捕

港府新聞處發表

關於衝突的報道

勞工處竟准偽組織註冊

洋務工會嚴提抗議

粵穗慰問團赴港受阻，釀成「三一事件」。

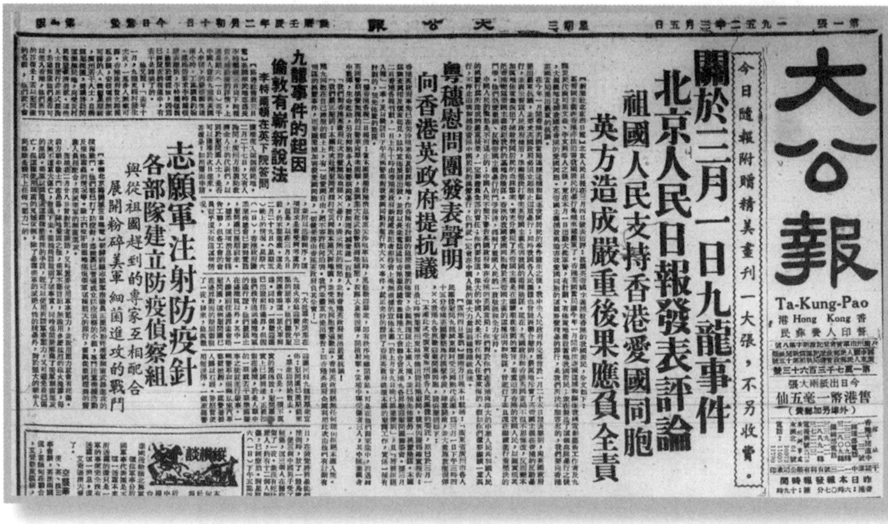

大公報

Ta-Kung-Pao

今日隨報附贈精美畫刊一大張，不另收費。

關於三月一日九龍事件
北京人民日報發表評論
祖國人民支持香港愛國同胞
英方造成嚴重後果應負全責

粵穗慰問團發表聲明
向香港英政府提抗議

九龍事件的起因

志願軍注射防疫針
各部隊建立防疫偵察組
與從祖國趕到的專家互相配合
展開粉碎美軍細菌進攻的戰鬥

《大公報》轉載《人民日報》評論，遭港府控告「發表煽動性言論」，被罰停刊。
《大公報》，一九五二年三月五日，第一版。

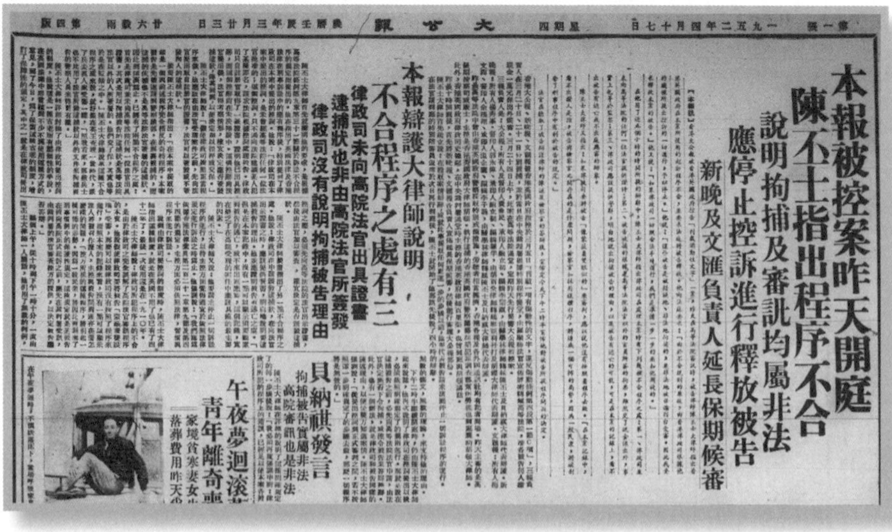

本報被控案昨天開庭
陳丕士指出程序不合
說明拘捕及審訊均屬非法
應停止控訴進行釋放被告
新晚及文匯負責人延長保期候審

本報辯護大律師說明
不合程序之處有三
律政司未向高院法官出具證書
逮捕狀也非由高院法官所簽發
律政司沒有說明拘捕被告理由

貝納祺發言
拘捕被告實屬非法
高院審訊也是非法

《大公報》被控報道。

梁：所以只有《大公報》被查封了？

周：是停刊了，而且這事鬧到了外交層面。周總理說話相當狠：「那麼我們要考慮對香港的政策。」《大公報》排期上訴，排得比較後，但若不迅速處理，事件可能會繼續升級。於是召開了一個法庭，說：「這個判決只是警戒報章不要隨便亂說，將來《大公報》如果上訴，也會有變化，停刊令可以不予執行。」這樣就解決了。

那麼，為甚麼要出《香港商報》？

由於英國政府要告《文匯》、《大公》、《新晚》，當時就匆匆忙忙成立了《商報》。（**梁：**印象中那是一九五二年的事？）對，是一九五二年。

《商報》怎樣辦呢？還是匆匆忙忙從《文匯》、《大公》調人過去。（**梁：**當時張初也是其中之一吧？）是啊，但先從《大公報》調了張學孔去做老總。（**梁：**張學孔能寫的嗎？我還以為他只是一個經理人。）不是啊，張學孔是採編人員，很行的，《商報》全靠他「度橋」。後來《文匯》也調了一兩人過去，其他人好像來自《經濟導報》。

《商報》有個特點……為甚麼要叫《商報》呢？因為要快快出版，那時候有條例規定，如果你要辦報紙，就要交五萬元訂金……

張學孔（中）與《香港商報》同仁。

梁：一萬元吧？

周：對，一萬元，另外還要排期申請。當時《經濟導報》註冊了一份《香港商報》，是它旗下的商業行情報紙，索性立刻用《香港商報》這報名上馬。

梁：《商報》開始時的社會新聞很強？據說它的專題報道也很出色。

周：那是逐步增加的。當時報紙分兩類：大報和小報。大報很特別，頭版是國際新聞，小報不會這樣處理。《商報》打破了這個傳統，第一版放港聞，這應該是張學孔的功勞，敢於打破傳統。

梁：《商報》的銷路應該上升得很快，在左報中排名第一，然後才到《新晚報》？

周：當然不是。《新晚報》先出，銷路也不錯，但一個「三一事件」就將它窒礙了！《新晚報》破了功，暴露了左報面目，這才出《商報》。

現在《商報》、《晶報》的同事都很懷念以前的政策，為甚麼呢？因為當時只要你愛國，上頭就不會干預你的版面。不會像現時這樣，甚麼新聞都要打電話來指點你怎麼做。

所以《商報》差不多就是張學孔自己一個人在舞弄。起初他也是用國際新聞作頭條的，但一有大港聞，就會把它放在頭版。其次，大的港聞，會一直追下去，派出特組隊，類似現時的狗仔隊。

梁：所以就有深入報道吧！另外，武俠小說好像也是《商報》先行的？

周：武俠小說是《新晚報》先行的。

梁：是梁羽生先寫的吧，對不對？

周：對，《龍虎鬥京華》。第一日怎樣寫呢？因為今日決定，明日就要出版，於是定了名字，《龍虎鬥京華》。有甚麼主角、故事怎樣，都還沒有想出來，但要交一千字呀。梁羽生這樣寫：有個老人騎着一頭驢，帶着個書生，走在黃昏的路上。他說，這樣一來怎麼變都行了。他真行！

梁：《晶報》是甚麼時候出版的？

周：一九五六年，《商報》則是一九五二年。《商報》辦得很成功，銷路很好。據說周總理看後，認為《商報》還是有一些文人氣質。他說：「我希望辦一張報紙給『街市佬』看。」

梁：如此這般，才開辦了《晶報》？為何要找陳霞子去當大旗手呢？

周：《商報》創刊時，發刊辭是李子誦寫的。到辦《晶報》時，上面又有這樣的要求，那怎行呢？李子誦熟悉舊報人，我們文記《文匯報》的，只是上海佬而已，後來才培訓了一批香港人，但舊報人不多。費彝民是北方來的，不太熟香港。於是李子誦將陳霞子從《成報》挖過來，因為他們是老朋友。為表達對陳霞子的感激和信任，李子誦說：「這份報紙你話晒事。」《晶報》表面上由一個姓王的泰國華僑出面，但也確實有這樣一個人，我在《晶報》見過他。他剛從那邊回來，這邊就介紹說：「看，這就是我們的老闆了。」如此云云，但實際上不是，還是新華社付錢的。新華社付錢後，就交給陳霞子自主經營。

梁：《晶報》很厲害，在灣仔建了一座大廈。

周：不是，那不是《晶報》的。那是《循環日報》的。

梁：《循環日報》的，但後來不是也將《晶報》、《正午報》等安置在一起嗎？

周：只是搬進去而已。那時是這樣的，《晶報》本在軒尼詩道，後來搬到中環錦江酒樓對面，第三次才搬到灣仔循環日報大廈。因為那時要拆舊樓，沒有辦法才搬過去。

《晶報》最成功的是那個常識專欄信箱。第二受歡迎的，是陳霞子先生寫的社論，他拿國民黨自己的言論，去數落國民黨。他本身是舊文人出身，受過國民黨的宣傳，那些句子全都如數家珍地抖出來，這是他擅長的事。

《晶報》出了很多厲害的人，如張寬義、胡棣周，馬經則是羅治平搞的……它最大的特點就是無為而治吧！

說到銷量，一九六二至六四年間，銷路最好的是《成報》。我在一九四八年剛出來做事時，接觸的所有小市民，都在看《成報》。我當小夥計時，做過跟車押貨，貨車司機也全部在看《成報》。

梁： 當時的「大官」漫畫是字花貼士，街頭巷尾的人都看它來猜測字花會開出甚麼。當然《成報》還有很多內容，我家當時也看《成報》。

周： 《商報》則獨創一格，比較斯文正經一點。

梁： 五零年代，《商報》很快冒起，帶領着左報，對嗎？因為《新晚報》銷量已下滑。

周： 對，它已追上《成報》。（**梁：** 我印象中最高峰時它的銷量在八萬至十萬份之間。）他們說曾經超過《成報》，我也信一半吧！一兩天還是有可能的。銷數第二的應該是《星島晚報》，但實際是多少，我也不知道。

梁： 《星島晚報》在一九七零年代的銷量已超過《成報》，但在六零年代兩份報紙仍然叮噹馬頭。七零年代的《工商》、《華僑》、《星島》之中，《星島》領先，《工商》跟《華僑》跌了。《明報》一九五九年出版，在六零年代，金庸因為逃亡潮與文化大革命而冒起。文化大革命時，所有左報銷量都插水了。

周： 哈哈哈！當時銷路應該是這樣，五零年代末、六零年代初，《成報》已有十萬份，第二應該是《星島晚報》，第三是《商報》。《晶報》聽說也有六萬份，也有錢賺。《文匯》、《大公》受到一定限制，不光賺不到錢，可能還要貼錢。

梁： 剛才你說，那兩份報紙是國務院資助的，對不對？

周： 《文匯》屬於哪個系統，我說不清楚。我聽說，香港幾家左報是直屬中央的。所以有一次文化大革命時期我回內地採訪，也用上了這種說法。有人問：「你《文匯報》是隸屬哪個單位的？」我就答：「中直（中央直屬）單位的！」他們就沒話說了。

聽說在一九六二、六四年間，《商報》大約有十萬份，《成報》有十二萬份，《晶報》有六至八萬份……（**梁**：《文匯》、《大公》呢？）那時候我不知道，到我管的時候，有四萬份，我估計當時也有這麼多，其實銷量我們都不敢問的，那是敏感問題。

後來出了《循環日報》。（**梁**：那份《循環日報》應該是一九五九年的吧？）對，一九五九年。為甚麼會出呢？只是借用了《循環日報》的舊名。這幫人跟舊的《循環》沒有甚麼關係，只不過利用高卓雄的名字出版報紙。（**梁**：是當時的賭王嗎？）不是不是，是香港中華總商會會長，不是澳門那個。高卓雄在左派很有名。「毛挾雞」嘛！你還記得不？他是共產黨統戰香港商人中比較有成績的一個。本來他是親英的，被共產黨統戰後，在中華總商會掛了五星紅旗，也就弄了一張《循環日報》。

梁：王寬誠跟共產黨關係怎樣？他是共產黨員嗎？北角很多地方都是他的。他死後的遺產稅，也搞得「很大件事」，後來由周總理出面，才將大部分遺產移交給新華社，而不是留給他的後人。

周：我不清楚。只知王寬誠自從中共建國就很親共，是不是黨員我不清楚。（**梁**：當然是啦，那些錢根本就是共產黨撥過來的。）遺產的事我也不知道。

梁：全部上交新華社了。

毛澤東在宴會時親自款待高卓雄，故高卓雄得花名「毛挾雞」。

周：不，新都城是他自己的。

梁：其他的都交回中央。

周：那時他一直跟夥計說：「你們不要以為這些全是我的，日後都是國家的！」但夥計都說「誰睬他誰就犯傻，別理他！」，夥計也不理他。

當年王寬誠在商界……五零年代是高卓雄，六零年代是王寬誠。你入行的時候王寬誠已經取代高卓雄了。

辦《循環日報》，掛的就是高卓雄的名字。

梁：當時內容好像有馬經、小說，很少港聞。

周：反正我認為《循環日報》沒甚麼特色，它想辦成一張大報，但卻做不到。人才可能是個問題。於是辦了張《正午報》。

梁：《正午報》是馬報吧！

周：後來將它改造成馬報才成功的。為甚麼左報銷路會跌？因為反英抗暴鬥爭。我記得《商報》、《晶報》沒有怎麼介入「澳門事件」，沒有大力報道。到「反英抗暴」時，新華社就要求《商報》、《晶報》介入了。

《商報》、《晶報》，外邊的人稱之為「外圍」、「橙色報紙」，說它們是「尾巴報」。「反英抗暴」時，新華社乾脆要求「橙色報紙」也參與進來，把它們也變成紅色了。於是《商報》、《晶報》銷路急劇下瀉。「反英抗暴」之前，《商報》、《晶報》是可以帶進差館的，因為不知道它們是紅色報紙。結果到了反英抗暴鬥爭時，暴露了真面目，失去了大眾讀者。失了群眾不太緊要，但編輯方針怎樣呢？《商報》、《晶報》的同事很懷念以往上面傳達下來的方針：你們自己解決，只要愛國就好。但現在不是了，甚麼都要干預你。最後干預到甚麼地步呢？認為狗經、馬經都是毒害勞動人民的，所以要停辦狗經、馬經。這下好了，《正午報》怎麼辦？《正午報》當時辦馬經辦得很成功，銷路聽說很好，是賺錢的。那就停辦吧！你上面說要停就停吧！

梁：羅治平是不是因為這樣而離去？

周：不錯！羅治平結集了《正午報》那幫人馬，搞了另一份馬經。聞說《正午報》辦狗經時，有位湯老先生，原來是《文匯報》體育版主編。他這人很會積存、分析資料，《正午報》的狗經、馬經在他的管理下，辦得很好。

香港商報

澳門葡警昨製造新流血案
死傷一百餘人全市大騷動

澳當局緊急戒嚴
並發表七項公報

澳葡警察廳長指揮軍警
毆打屠殺學生工人坊衆
三人慘死 數十人傷重留醫

澳門當局今淩晨宣佈
今晚賽狗取消

澳督府中
軍警動武

一九六六年澳門「一二·三」事件後，外圍報章加入鬥爭行列。《香港商報》，一九六六年十二月四日，第一版。

那時所有夥計都出來辦另一份馬經，當然也要叫老湯出來一起搞。但他拒絕了。羅治平很公道，對他說：「這樣吧，湯生您不來不要緊，我們預了一份股，紅利給您，多謝您多年教導之恩。」但這位老先生，一分錢也不收。那時候的人，思想就是這樣。胡棣周也是《晶報》的。

梁：暴動時，你們怎樣經營下去？你們變成了過街老鼠，很多人都不喜歡左報，認為左派應為香港的混亂負責。那你們怎樣維持？最後鬥爭可以說是失敗了，你們怎樣適應自處？

周：一九六七年是一場很大的搏鬥，它最突出的一點在於，凝聚了群眾，增強了左派群眾凝聚力，包括核心的凝聚力與民眾的向心力。我是長時期跑基層的，很了解工會和新界農民。這方面群眾的凝聚發展，做得相當好。

梁：但也很艱難吧？因為文革期間，中國的供港物資不會有很多。

周：兩個問題，先說民眾的凝聚。當時的民眾組織其實發展得不錯，如香島中學，它本來在運動場道九龍仔，後來發展到慈雲山、土瓜灣，後來在大埔；漢華則在九龍開分校；香島中學也有學生一萬人。

有群眾說，不接受你港英奴化教育，要接受愛國教育。於是，當年愛國教育發展得很厲害，勢頭很猛。

報紙方面，在經濟上沒有甚麼大問題。我記得六七年暴動，六九年結束。然後我們就調薪了，按每年的通脹來調薪。但銷量真的跌得很厲害，具體數字我也不知道了。

之後，我成了《文匯報》的「消防員」！哪裏要我，我就跑過去。當時的領導調我出來，給了我一個任務：「現在銷路跌得快，有沒有辦法增加新界的銷路？」

當時還不能說是我主理。我只是個記者，連主任都不是，只能成立一個推廣小組，《文匯報》經理室有個人任組長，《大公報》發行主任當副組長，我是組員，但全都聽我的！這個小組根據我的關係，逐個地方去推廣。

梁：當時《華僑日報》在新界辦得很好，由李君籌負責，他跟「鄉下佬」關係很密切吧？

周：他是跟上層好，而我是跟下層好。各有各走，他去上層就是。其實他也賺得不太多，可能做體育的會多賺一點。他們社區、體育做得較好，我便從社區開展。怎樣開展呢？

當地農民組織推廣組，發動村民去看報紙，而我們的發行網可以直接將他們訂的報紙，送到那片區域。最突出的是大圍，大圍當年還沒有火車站，有很多農友農地。火車駛過大圍時，就把那堆報紙從車上推下去，他們每天按時在鐵路旁等報紙。那堆報紙就是《大公》、《文匯》、

《商報》、《晶報》，就這樣分發到農友手上。

梁：銷路增加多少？

周：我仍然不敢過問，估計超過一萬份。我沒有仔細數過。

梁：能收到錢嗎？

周：當然能收到！從來沒聽過收不到錢，因為收不到錢肯定要找我算賬。我的責任是這樣的，找到當地的頭領，讓那些具體業務人員去組織辦理，然後我就「拍拍屁股」走了，又去別處開展業務了，最「威」的時候開展到大嶼山三鄉、梅窩那邊。

梁：左報在一九六七年之前，還是有狗馬經的，政策也很開放，但文革以後，至今也沒有恢復文革以前的景況，是不是？

周：確實是這樣。

梁：原因在哪？現在也已經變天了，香港是中國的一部分，為甚麼今時今日的左報還是不行？

周：我先說一個笑話。停辦狗馬經之後，《商報》、《晶報》跌紙。四人幫倒台後不久，新華社對我們說：「你們可以恢復了！」《商報》就恢復了，但陳霞子不睬、不恢復。夥計問他為甚麼。他說：「啤！上一年叫我停，今年又叫我恢復，我怎知甚麼時候又會叫停？」《晶報》就是不肯復辦馬經……（**梁：**那《晶報》就倒閉了？）也不關事的。

梁：當時新華社還有支持《晶報》嗎？後來為甚麼又不支持了？

周：有！後來也有支持。不過，最後在計數時……簡單地說，餅只有這麼大，你要分四份還是分兩份呢？收了那兩份，剩下的兩份多少可以變大一些。

梁：你有沒有留意現時那兩份……《商報》已賣給《深圳特區報》，不算是香港的報紙，是內地的報紙，在香港市場只是聊備一格。我相信不會多於一千幾百份，但在深圳就能多賣一點。

今時今日只剩下《文匯》、《大公》，近年來一直都在內地化，無論是人還是其他資源，都是內地來的。這是否成為這兩張報紙無法冒起的原因？國家給了它們很多錢，你覺不覺得很浪費？

周：要我說，還是趕緊關門大吉好了。這句話我在電台也夠膽講。第一個是不需要，第二個是版面跟群眾脫節了。特別是現在讀者的心態，它們根本就摸不到。

梁：最慘的是，現在的經營者全是從大陸來的，而且是來幾年就回去那種。這樣就出現了傳承的問題：新來的人不知道怎樣做，來的時間短，適應一輪，就走了。長遠來看，這是很不健康的。你說得對，應該把它們都關了。

周：倒不如用這筆經費來聯絡、培訓專欄作家，那些能為你帶來影響力的專欄作家。過去有一個看法，手上沒有了傳媒，就沒有人傳達我們的呼聲。現在不再需要印刷媒介了吧！電子媒介那麼發達，國家有重大宣傳時，甚至那些反華報紙都會刊登，若他們不登，我們在《深圳特區報》印它個十萬、二十萬份來派不就好了？是不是？

我現在很少接觸他們了。說句不好聽的，回歸後中聯辦的宣傳文體部長是誰我都不知道！唯一一次是過年、過節時他們派幹部送來一些賀禮。

我覺得這樣，我從青少年時已擁護共產黨，一直做到退休，作出了我的貢獻。我退休後搞的攝影學會，辦得很成功，現在是全香港最出名的學會。還有就是我在做歷史研究，也出了兩三本書，還會繼續出書。

梁：你怎樣看香港現時的報行？昔日左報跟右報的競爭很激烈，他們人才也不少。

周：對，人才不少！大致上是這樣，我的看法是，《華僑日報》太市儈了，它其實是有人才的，但太過市儈。一單新聞，甚麼版都刊登。它不發掘新聞，也不解釋、引導讀者，太過商業化了。

整個採編部，都為自己去找金源。

反而《星島》那邊較好，內裏怎樣我不知道；但很強烈的一點感受是，他們的記者很特立獨行，不會跟着行家，也不會打電話駁料。

《星島日報》讓我有這個感覺，除了在新聞現場跟我們一起採訪，大家可以交換新聞資料之外，一離開現場以後，他們就不會再打電話來核對或駁料。聽說他們規定不能發鱔稿，所有政府稿都要經過胡仙小姐才能發出。

梁：我讀書時《星島》老總是鄭郁郎，那時我當他的助手編《香港年鑑》，在報社幫他開信封，有銀紙就放在他櫃桶內，發稿就由我去發。

周：那應該更早了，一九六五年吧，我跑工展會那年。

梁：那時記者有限制，老總卻沒有。胡仙扭轉了這種風氣。

周：那時我跑工展會，到處都有油水，到處都有鱔稿，廠商只要準備點銀紙給記者就行。但《星島》不行！

梁：我記得在麗的電視做的時候，也有人給紅包，我說不能收，立刻就被那些攝影師拿走了。

周：《星島》在鄭郁郎時期，是大肆鼓吹公關的。那時候香港還沒有公關這專業……（**梁：**他是第一位做的。）《工商》制度較完善。（**梁：**何將軍不是很節儉的嗎？）我聽他們說，其實何將軍待他們不薄。我們那一代的待遇還算不錯。

那個年代的新聞記者，不會刻意去發掘新聞題材，只會跟跟熱點，新聞完了就完了，很少去發掘其他的。

我記得一九六幾年，香港交通開始出現擠塞，《文匯報》做了全版報道，全行都震動了。那次我用了一個星期去採寫，採訪部已經「呱呱叫」了。

梁：那時副刊也很強，特別在五零至七零年代。現在專欄跟副刊也不行了，內容不知怎樣來的，跟以前相比差好遠！對於今天的副刊你又怎麼看呢？是不是當時有很多內地人才來香港，他們有很好的文學根基，所以才擁有這樣大的讀者群？

周：應該是。現在的副刊只是一幫作者在無病呻吟。很多人都懷念以前的作家和作品，比如在《中國學生周報》寫的，還有友聯出版社，這兩家都是反共的，但也發掘、幫助了很多文人。

梁：我突然想起一個人，「六四」時決定在《文匯報》上刊出「痛心疾首」四個字的那位，他是誰？（**周**：曾敏之？）他在《明報月刊》這樣寫，所以是誰定的？那個時候你還在文記，應該知道是誰定的吧？

周：是他建議的。

梁：拍板的是李子誦吧？

周：當時曾敏之主持編務部。張雲楓因病休息，在這件事上他很為人詬病。（**梁**：我知道他那時神經衰弱。）當時提出了兩個建議：一個是「夫復何言」，不知是誰提的。（**梁**：李子誦，好像是他。）另一個

滬穗昨再爆發大遊行

廣州學生反對鎮壓

重慶連續四日遊行

社論

痛心疾首！

軍隊進京維持秩序 官方說非鎮壓學生

舊金山華僑大遊行

「失民心者失天下」 艾青憂慮國家前途

首都戒嚴第一日

傳京武警毆打平民

京郊軍車被阻目擊記

一九八九年學潮，《文匯報》社論「開天窗」，抗議軍方實施戒嚴。《文匯報》，一九八九年五月二十一日，第二版。

是「痛心疾首」，是曾敏之提議的。

我當時負責經理部，那時經理部就只有我這個寡頭副總經理。所以我說我這副總經理是大「後生」。（**梁：**以前不是有位梁甚麼的嗎？）梁占元嗎？他退休了。

當日大概是十一點多十二點，副社長——新華社調來的那位（陳伯堅），他召集了幾個負責人，想聽聽大家的意見。大家覺得「痛心疾首」有點過激，而「夫復何言」倒可以接受。

曾敏之說得好像他定了以後立即打電話請示李子誦，其實不是這樣的。

根據另一個人的說法，提議是中午的事，到了傍晚時分，幾個人在王家禎家裏商量。當時王家禎已經病了……其實他已經退休了，而且病得很嚴重。這幾人包括張浚生、金堯如，好像還有李子誦，曾敏之也在場，但他沒有出聲。最後決定用「痛心疾首」這四個字。好像就是這樣。

梁：後來編輯等人都換了。是不是那時開始調內地的人過來？

周：開始了吧。因為後來李子誦解聘陳伯堅，新華社就解聘了李子誦，有一批人隨李子誦而去。

（**梁：**陳伯堅又走回去？）

事情是這樣的，李子誦年紀大了，要退休，當初派了北京市一個市委副秘書長來接替。但這傢伙來了一年多，不知道因為甚麼事待不下去，於是又把他調走。陳伯堅是新華通訊社的，不是新華社，他是通訊社亞太部的主管。問他有沒有興趣過來，他答應了，後來卻跟李子誦鬧不和，所以就把他解聘了。

梁：陳伯堅最後去了哪裏？

周：後來他患上癌症，在一九九一年過身了。他也是新聞工作者。那個袁木，你也知道吧？袁木是國內部主任，而他在新華社總社是國際部主任，兩人的職位是並排的，後來他才外調來香港。這時有一批人走了，另一批人就升了上去，很多內地的人陸陸續續過來。新華社變得完全沒有香港人。（**梁：**會不會是他們不相信香港人？）過去就是這樣，我也覺得北京不太相信我們。過去，以新華社來說，基本上都是內派的，但內派之中也有很多人在香港做過事，如楊奇、李沖。六零年代、五零年代末，那時我跟新華社還比較熟，大部分人還是香港人，如黃文放、司徒強等。

梁：你看現時台灣的《蘋果》，用的都是當地人，不需要香港派去。《聯合報》派一些人來香港辦報，最後還是生存不了。派人這種做法就是在浪費國家的錢。

周：有些人跟我說，當時《文匯報》直屬中央、雙重領導。這種經營方式在內地是常有的。中央外派到地方，它們就「掛靠」到當地黨委去。（**梁：**那「雙重」就是中央與地方之意？）對。但我知道幾位「老總」每年都要回北京匯報一次，由廖承志耳提面命。所以我們的老總，尤其金堯如，非常活躍，很熟悉內地的人脈。還有一個說法，詳情我也不太清楚。《文匯報》在五零年代的位置還十分高。孟秋江當年是社長……（**梁：**也就是督印人？）不是，督印人是表面的，是余鴻翔。他們說，孟秋江在黨內的職務比新華社社長梁威林還高……（**梁：**那倒也不出奇，好像許家屯也比很多人高級。）許家屯後來級別提高，但以前是副部級。所以說孟秋江很高級，而金堯如級別亦很高，金堯如經常頂撞祁烽。

梁：金堯如在「六四」之後離開了《文匯報》吧？

周：金堯如是另一回事，他是批判《投奔怒海》才出事的，因為《投奔怒海》這電影是廖承志授意拍的。

梁：所以不是因為「六四」，是《投奔怒海》？

周：那件事我很清楚，應是一九八二、一九八三年的事，金堯如認為這電影是反越南為名，反共產黨為實……（**梁**：他這麼有黨性的嗎？）這部電影的內容全都可以跟共產黨劃上等號，大概就是這個意思。於是得罪了廖承志。（**梁**：他還在《文匯》吧？）他被調回內地了。去了哪裏呢？回了北京，據説要調去中國通訊社，那是僑辦（國務院僑務辦公室）下面的機關，而中通社不太歡迎他，就那樣頂着。聽説內地的調令需時三至六個月，他回去之後，正好調令未到，廖承志又去了美國治療心臟病，回來以後很快就病逝。金堯如被卡在中間，聽説後來被調去出版總署。

梁：我不太明白，他是廖承志的人吧？他因為《投奔怒海》，反對廖承志，被調回內地……

周：沒這麼簡單，他也有他的人脈，他跟新華社的社長……梁威林之後的王匡……金堯如被調到出版總署做副署長後，他又不太喜歡。那時他沒有交出旅遊證件，所以回到香港。（**梁**：重回《文匯報》？）沒有，是黃玉郎那份報紙（**梁**：《天天》？）不是《天天》，是那份財經報紙，請他做社長，但半年後就倒閉了，所以他閒來沒事。他跟李子誦關係很好，有很多決策其實都是他作出的，甚至將我調去做副總經理也是金堯如決定的。（**梁**：那你就欠他一份人情了吧？）我跟他很熟，也跟他的子女很熟。

梁：為甚麼他會去了美國？

周：據説他被開除出黨，可能是「六四」吧，或是當了李子誦的甚麼甚麼……我也不敢問他。「我是被開除出黨的！」他總是這樣説。你也有聽過吧？

他去美國申請居留。有人向他建議申請政治庇護，很快就能獲得居留權。他説：「我不做這些。他給我就給我，不給我，我也一直住下去。」

梁：申請政治庇護也不好，你一輩子都要被CIA（中情局）跟蹤，那不是甚麼好事。他最後因癌症病逝，很可惜。我以為他是因為「六四」而出走的。

周：不是。你知道那段日子，我經常找他。

梁：那怪不得了。他們是不喜歡金老總的，覺得他黨性太強……（**周：**誰不喜歡他？）《文匯報》香港的朋友，說他黨性太濃、太強。可能《投奔怒海》是其中一例。所以他們較想念廖老總廖靄文。

周：不是的，那時候人人都說廖靄文是極左，是左王，但金堯如，我覺得他很開放。有一次我在編輯部看到金堯如跟幾個人說：「呢鑊嘢我在新華社做了檢討啦……不過唔緊要，你哋繼續搞，有咩事我頂住！」我真是服了他！

梁：是哪一件事？

周：忘了，反正那個時候動輒得咎，他最常說的就是：「我頂住了，做過檢討了，你們繼續做吧！」

梁：說回文革，那對你們《文匯》的影響很大，那時候換了很多人。有很多人人頭落地，港英政府又要你們交人，你們怎樣應對？

周：文化大革命跟「反英抗暴」是同期的，文革一開始，本來說海外機構不搞文革的。但新華社內，有青年貼小字報，還有人在扮紅衛兵，不是抄家那種，是罵領導「封資修」。那時祁烽跟我說：「說我的畫是『封資修』，那我就交給『集古齋』賣了算了。」《文匯報》到了「反英抗暴」時，出現政治上的思想衝突。有幾個人離開了，像作家高旅（邵慎之）……我也記不清楚了。（**梁：**編採人員不多吧？）編採人員離開的不多，只有我們要聞科一位編輯，因為家裏不同意，怕了吧，所以就離開了，基本上大家都很團結。

梁：你們那時是怎樣走過來的？

周：我們沒有受到很大影響，只覺得一批批人很不同。我私底下也有跟一些越南華僑繼續來往。（**梁：**採訪工作呢？）那時我已去了要聞科，不太清楚。那些政府「吹風會」，肯定是沒有的了，在「反英抗暴」初期已跟他們斷絕關係。另一方面，我們自己也受極左思潮影響，像

港九愛國新聞工作者聯合聲明
堅決加倍回擊港英迫害 更高舉起毛澤東思想偉大紅旗奮勇前進
並電北京人民日報等新聞單位請將港英迫害罪行向全世界揭露
附電文

「報業公會」淪爲美蔣工具
文滙大公新晚宣佈退出
三報仁至義盡，反覆勸說，但該會理事會既不撤銷荒謬聲明，又不答覆。三報退出後，雙方矛盾仍然存在，這個矛盾必須通過某種鬥爭才能解決。三報完全懂得怎樣運用主動權，對付理事會一些人的罪惡活動

左報被查封以及《文匯》、《大公》退出報業公會的報道。

舉行壽宴這種事情就屬於「封資修」，比如你六十大壽，我也不來賀你。這些影響很大，我說一個笑話：我們《文匯報》有兩夫婦，是低層職工，他們節衣縮食儲了一筆錢，買了筲箕灣太安樓，兩萬多元。文革一來，就有人說：「買樓是資產階級行為，工人階級應該買樓嗎?!」於是就蝕讓了出去。另外，還有一個笑話，是關於我老友的，他更是工人階級，是巴士工會的。他父親做小生意，有些錢，就買了一套房給他們夫婦兩人住。好了，到「反英抗暴」、文化大革命時期，他們又將那套房賣出去，然後再找業主租回來住。

這些思想對我們影響深遠，因為文革有接近十年，中間五、六年是高峰期，批判批到「四人幫」後期。

梁：你有沒有感覺被毛澤東誆騙了呢？真的騙得很透徹，這根本就是一場政治、權力鬥爭，他只是想打倒劉少奇而已，想自己當皇帝，你有沒有這樣的感覺呢？

周：對啊。我有一個感覺，就是毛澤東拿他自己的個人威信作賭注，但最後是一敗塗地，雖然當時像是全盤勝利。

不過當時我們卻沒有這樣的想法，是很投入、很服從的，李子誦也是。當時在要聞科，處理國際、國內新聞，甚麼標題、甚麼新聞都要他看過才能發下去。我們是一面倒的，沒有發覺那是

一個騙局。

梁：那你回頭看呢？

周：我覺得那時很投入，很順服。

梁：我覺得五零、六零年代的民生還是很苦的，香港經濟到七零年代後期才開始起飛。在這期間報紙起到甚麼作用呢？

周：如果說到民生，我覺得六零年代中期是香港輕工業發展的時期，除了穿膠花之外，就是電子業，十五歲也可以入行。那時候容納了一大批失學的少女。以前「女子無才便是德」，小學畢業就很不錯了，除了做點心妹還能做甚麼？這時大量的工廠為她們解決了就業問題，至少家裏不用養着她，這一點對香港工業也是很大的貢獻。

除了假髮業之外，還有穿膠花，大家都知道，對家庭有幫補作用。到七零年代，其他行業也上去了。其實，獅子山精神就應追溯到六零年代。現在其實是很悲哀的，到處是魔鬼家長。我女兒也說，現在的中學生，小提琴、鋼琴是必修，在這兩種樂器以外，還要再學一種才是「正常

文匯報

萬歲！毛主席！

《文匯報》標題：「萬歲！毛主席！」

的」。我覺得這很不正常，但是現在香港市民覺得是正常的。中學收生，見到你的孩子鋼琴才五級，根本不會放在眼裏。

梁： 説回報行，現在報行也不正常吧？

周： 對啊！簡直不正常到極點！我就是看不透。

梁： 以前報行裏有老中青三代人，現在只有年輕的才可從事報行工作，很不正常。報館裏有中年人，但沒有老年人，過六十歲就走了。現時報紙還算蓬勃，這要算上免費報紙，每日總銷數有六百萬份，是這樣一個景況。

周： 我也想不通了，因為我已退休廿年。別説這些，可能我現在出來，就有人過來把我踢出去，説我是老傢伙甚麼的。

彭熾

游走於報紙與雜誌間

彭熾，一九三三年出生於廣東省海豐縣，一九五一年來港，就讀於香港聯合書院新聞系，一九六零年畢業，獲台灣教育部頒授學士學位。歷任《星島日報》、《中國學生周報》、《工商日報》、《快報》、《新報》記者、編輯、編輯主任等職。服務新聞界逾四十年，工作之餘擔任樹仁學院（樹仁大學前身）新聞系兼任講師多年，亦曾在嘉禾電影公司、無綫電視擔任公關、宣傳工作。六十—七十年代參與文化界友好創辦《盤古》、《南北極》、《東西風》等雜誌的編採工作。一九九零年出任《壹周刊》文稿編輯。

訪問時間：二零一一年十一月六日

訪問地點：北角寶馬山樹仁大學新傳系錄影室

梁：我們很高興請到資深報人彭熾先生，來為我們講講他經歷過的六零至七零年代的報行生涯。我知道彭兄你是在一九五九年入行的，先在《星島日報》當記者，隨後到《中國學生周報》，《工商日報》，《快報》和《新報》等任編輯、編輯主任。你入行時的情況是怎樣的？人工有多少？社會狀況又如何？

彭：我加入《星島》時，梁泰炎先生當採訪主任。他很想辦好採訪部，在任內訓練出一批優秀記者。當時我們共有三位同學一起進去，都是聯合書院新聞系畢業生。（**梁：**哪三位？）我、黃夢曦（後來當樹仁新聞系系主任），還有陳舜楷。梁泰炎說：「我首先會安排你們在校對部工作，或者你們會覺得奇怪，為甚麼有這樣安排？因為在校對工作中，你們可以看到記者如何寫稿；編輯又怎樣改他的稿子。然後你們要有一段時間做法庭，一段時間做突發。這兩條新聞線對初入行的記者而言，是很重要的。法庭審理的各類案件，就是社會的縮影，千奇百怪。記者正是要深入社會，理解社會。至於跑突發，工作要做得好，須憑機智、毅力去完成。最後一段時間要自己找題材發掘新聞，找出自己的長處和興趣在哪裏，作為你選擇的線。」

梁：這跟我們現在學系的訓練差不多！不過，現在報行不是這樣栽培新人的；他們一來就要「埋位」工作。而且報行今天差不多已沒有校對這工種了。

彭：我找材料發掘新聞之後，選擇跑教育線。這對我來說是佔了很大優勢。因為我出身於聯合書院，很多教授都是以教育為己任，也有參與成立中文大學的。好像王書林先生，當時他是專上學校統一文憑考試會議的秘書。我要採訪這些新聞時，很有「着數」。

梁：當時你的薪金多少？

彭：當時香港三大報都一樣，入職二百八十元。三個月後，升至三百元。《星島》有一個特別之處，就是日報記者要兼晚報。所以要經常外出吃飯，一個月有飯錢津貼四十五元，叫作「誤餐費」。一個月四十五元，每天一個半元。一個半元可以吃到甚麼？在茶樓可以吃到一碗雞飯加一位茶錢。如果你要吃西餐，一個常餐是兩元多一點，自己要貼大概一元。

梁：當年老總是誰？

彭：陳夢因先生。

梁：晚報呢？

彭：唐碧川先生，他是星系報業在位最長的一位老總。

梁：當時報行記者工資已經相當不錯。當老總、編輯的，又有多少？記得當時報紙賣一毫。

彭：是一毫。不過老總薪資多少是機密，真的不知道。

梁：你們當記者的，要不要替報社招收廣告？

彭：沒有規定，但有個潛規則，記者可以替客戶直接落廣告，收取佣金。

梁：有沒有規定上、下班時間？以前報行是否沒有假期，一年三百六十五日都要上班？

彭：是，要放假，就得和採主商量。一般來說，如果真的有正經事要辦，大致上都是有商有量的。

梁：一九六零年代香港發生不少大事，正是你參與新聞工作的時候。你怎樣看當時的景況？

彭：一九六二年中國大陸發生饑荒，鄰近香港的人民蜂擁而來。大部分人是從深圳越過梧桐山，藏匿山上，以免被香港警察拘捕。他們乏糧乏水，有的病倒了，身邊連樂油都沒有，說他們正在死亡線上掙扎，也不為過。

這時候，正是香港人表現出熱心助人的時刻。各報社都派出記者到梧桐山去。目的有三：一是採訪新聞；二是帶麵包、水和急救藥物，如萬金油之類，濟助逃荒的同胞度過燃眉之急；最後是協助他們透過報紙發佈逃亡者的姓名及其在港的親友姓名。其親友見報後和報社聯絡，記者便告訴逃亡者藏身之處，讓他們團聚，接到市區。

梁：警察不捉他們？

彭：只要他們不被發現，抵達市區，就不會被捉。他們可以安然到人民入境事務處領取身分證。作為正式的香港市民。

梁：大陸人除了從陸路深圳邊境偷渡來港之外，還有從水路游水過來的。他們的遭遇又怎樣？

彭：他們比陸路偷渡的不只更艱難，還要冒更大的風險，有的給風浪吞噬，有的被鯊魚做了點心！但若能上岸抵達港境，他們受到的待遇，和越過梧桐山的逃亡者是一樣的，可以領取香港身分證。

梁：香港突然來了這麼多人，社會福利設施當然不能滿足市民需要，社會秩序豈不混亂？

彭：我想不是這樣的。當時香港已進入人力密集的工業時代，需要大量人力。所以，他們既來之，政府便樂得安之。

梁：大陸飢民的偷渡潮對香港報業的發展，有不小的影響，是嗎？

彭：是。起碼為兩份新生的報紙，《明報》和《新報》，補充了充足的養份，成為異軍突起的暢銷報紙。

《中國學生周報》一九五二年七月二十五日，第一頁。

《快報》一九七七年十月三十一日，第一頁。

梁： 當時有三張大報：《工商》、《華僑》跟《星島》，還有一張大眾的報紙《成報》。《成報》的銷路是不是比三大報要多呢？

彭： 講銷數，《成報》一直領先。主要是它很適合普羅大眾的胃口。

梁： 那個年代還出了《快報》，是嗎？

彭： 對，《快報》的成立是這樣的。胡家（胡文虎家族）要分身家，胡仙很有興趣辦報紙，她覺得如果不幸將《星島》分給胡文豹那邊的話，就不能參與主持報業。所以，她預為後着，成立《快報》。

梁： 《快報》好像是一九六三年創刊的？

彭： 大概是吧！當時，主要骨幹都是《星島》日、晚報的高層，鄺蔭泉當總編輯，梁泰炎兼任採訪主任。那時，我已經去了《中國學生周報》。

梁： 你哪一年去《中國學生周報》？

彭： 我只在《星島》做了一年，被胡菊人拉了過去。胡菊人和司馬長風都說：「很多朋友都等着你回來。」這話從何說起？那是因為我被聯合書院選派赴《星島》之前，是在胡菊人當社長的《大學生活》做兼職。《大學生活》同樣是友聯出版社主辦的刊物。

梁：五零至六零年代，《中國學生周報》是「頂呱呱」的，你可否講講《中國學生周報》的事？那刊物當年影響了不少年輕人。

彭：這得要先了解一下它的母體——「友聯出版社」。自一九四九年，中國大陸「解放」後，一群不滿中共統治的知識青年，相繼來到香港。他們有一個共同的理想，希望中國有實現民主的明天。於是組織「友聯」，訂下以文化承傳救中國的共同目標。所以，他們要在海外宣揚民主精神、民主概念。「友聯」除了出版書籍外，還辦了多份刊物，對象分為成人、青年和兒童；包括《祖國周報》、《大學生活》、《中國學生周報》、《兒童樂園》等。其中影響當年青少年最深的，該是《中國學生周報》和《兒童樂園》。

《中國學生周報》真的辦得有聲有色，除了周報的內容很受歡迎之外，同時成立很多興趣小組，由知名專業人士擔任導師。如口琴隊，導師梁日超，當時仍在喇沙書院讀書的黃霑也有參加做隊員，男高音何君靜是合唱團指揮，籃球健將凌錫銘為籃球隊教練。興趣小組還有足球隊、乒乓隊、舞蹈組、學術組、戲劇組等等。戲劇組曾演出的大型舞台劇《清宮怨》，邀請該劇的編劇姚克教授為顧問。另一大型舞台劇《秋海棠》的男主角陳振華，後來在「無綫電視」成為紅小生。學術組一個小女孩，就是今天香港大學新聞及傳媒研究中心總監陳婉瑩教授。

梁：那時司馬長風在《中國學生周報》擔任甚麼角色？

彭：他是「友聯出版社」社長，《祖國周報》主編，也是《中國學生周報》顧問。《中國學生周報》每個星期在出版翌日，開一次工作會議，他都出席聆聽同仁的意見，和提出他的觀點。他同時在《中國學生周報》以秋貞理筆名寫散文，筆帶感情，分條析理，如後來結集成書的《段老師的眼淚》、《北國的春天》等，每篇文章都具有相當的感染力。在當時，他是《中國學生周報》讀者的偶像，也是《中國學生周報》的靈魂。

梁：很可惜，《中國學生周報》在六零年代後期，就辦不下去了。「友聯出版社原本是美國人支持的。後來因為美國和中國修好，中斷資助「友聯出版社」，《中國學生周報》也就結束了。是的，你和司馬長風交往多年，應比一些人對他的了解更深入吧！可否談談？

彭：說不上比別人深入。在十多年的交往中，他給我留下的印象，是一位溫厚儒雅的長者、大個子，聲如洪鐘，談吐優雅，猶如他的散文，充滿人情味。我未入讀「聯合書院」，在《中國學生周報》看到他的文章，只知他的筆名叫「秋貞理」；直到將畢業時，才知道原來他的名字叫胡永祥，也叫胡越。後來知道的更多，又叫司馬長風、胡欣平、胡若谷、胡靈雨、嚴靜文。

梁：六零年代的年輕人熱衷於文藝。當時青年人成立的「文社」如雨後春筍。可惜沒有維持多久。是否因為社會風氣變了？

彭：文藝刊物，在五零至六零年代的確曾經盛極一時，但到了六零年代後期已在走下坡。七零年代有《南北極》周報出現。這雜誌是由文化、學術界的一群朋友，期望能在文化領域中創出奇蹟而組織起來的。參與的人有司馬長風、胡菊人、戴天、王敬羲、導演胡金銓、歌唱家費明儀、學者劉紹銘與李歐梵，及本人等多人，內容為時事、雜文、掌故、興趣專題等等。我和司馬長風是負責實際的編務工作、以司馬長風為總編輯，我為執行編輯。這時，我和他算是初次正式面對面一起工作。他思路敏捷，做起事來快速，令我深深嘆服。一篇洋洋數千言的稿子，他翻幾翻、劃幾劃，不一會兒就改好了。

梁：《南北極》周刊的壽命不長，好像未週歲已改為月刊了。為甚麼？

彭：這是大家始料不及的。原來搞周刊所需的人力，遠比我們預算的相差很遠。而我們是一個同仁組合，資源有限，不得已，便改為月刊。這刊物也算維持了很長時間，該是因為王敬義經營有道吧！而我和司馬長風在周刊結束後已退了股。稍後再辦《東西風》月刊。在七零年代，社會趨勢已變，香港進入經濟繁榮年代，人們開始富有。富起來的社會，聲色犬馬、財氣，比起文藝更為吸引，循規蹈矩的雜誌空間變得有限。我和司馬長風出版的《東西風》，而至《東南風》，經營了兩年多，也告結束了。而司馬長風則埋首完成他的著作《中國現代史綱》、《中國近代史輯要》、《文革始末》、《毛澤東評傳》、《周恩來評傳》、最後當他完成《中國新文學史》時，他就滿心高興的說：「現代的東西，要說的也就差不多了。」

梁：一九六三年，你在《中國學生周報》做了三年後離開，接着去了《工商日報》。那時《工商日報》是誰當老總，誰當採主？

彭：老總是潘仁昌先生，是一位老報人。社長是胡秩五先生，也是老報人，一位風度翩翩的儒者，深受同仁尊敬。記得每年報慶，他一站出來講話，便全場肅靜。

《工商日報》總編輯潘仁昌（左）及社長胡秩五，深受員工尊敬。（《工商晚報》，一九六六年六月九日，第一頁。）

不像一般宴會，台上有台上的人在講，下面有下面在喧嘩。

梁：後來，胡秩五去了「珠海」教書。他逝世時，很多人還在懷念他。

彭：我去《工商日報》見工時，採訪主任是何鴻毅，他剛從哥倫比亞大學取得新聞碩士學位回來。（**梁：**好像是六三年，對不對？）大概六二、六三年左右。到我入職時，採訪主任已換了張永抗，何鴻毅調去當《工商日報》秘書，主持報業。張永抗是密蘇里的新聞碩士畢業生，他特別注重現代記者的操守，以及稿件的公正、準確、客觀。當時招聘的記者，差不多都是大學畢業的。

彭熾加入《工商日報》時，何鴻毅（圖）擔任採訪主任。

梁：你那時的工資有多少呢？

彭：也是二百八十元開始！哈哈！他不當你是資深記者。他說：「我們的制度就是如此。」

梁：你在《工商》做了多少年？

彭：大概七年吧。

梁：記得我認識你的時候是在一九六七年暴動期間，你在《工商》上班後。可否講講當時的報行，好像《工商》跟《星島》跟《華僑》的競爭是否很激烈呢？

彭：可以這樣說。如果記者要到第二間報社兼職，《星島》一定不行，《工商》也不行。但《華僑》比較寬鬆。

而《星島》特別嚴格。大概是六零年吧，我記得當時《天天日報》成立那天，有一位《星島》

的記者去祝賀他們，到他們報館走一趟，一回來就給解僱了。

不過我們跟一般行家交流，是沒有問題的，但《星島》跟《華僑》交流則例外。

梁：你跟左報的關係又如何呢？

彭：我在《星島》和《工商》時，做音樂節期間，經常和左報記者聯繫。只要你不說出來，就沒問題。所謂交流，主要因為音樂節一天有二十多場賽事，記者只有一個，最盡只可以去到三、四場，那你怎能做到？只能在晚上打電話去問行家：「喂，那場的成績怎樣。」這是互惠互利的交流呀！

不過左報是樂意的，在音樂節結束後，還請大家去吃一頓飯呢。

梁：六十年代的社會風氣，很流行「派紅包」，《星島》和《工商》的記者會不會收紅包？

彭：社會「賢達」的確會在喜慶日子給記者派紅包。比較普遍的，是社團會長、理事長之類的人物，在他們的社團會慶時，會把紅包和「鱔稿」派給記者，以便替他們宣傳。另一種情況就比較嚴重。在六十年代，社會烏煙瘴氣，非法「架步」林立，不法者公然在街頭、餐廳，或民居搞黃、賭、毒勾當。執法者卻視而不見，置若罔聞。有一種現象，如電影故事那樣，各報社派駐九龍的突發記者，為方便工作，在九龍一間酒店，長期租用一個房間作為「公館」。這也方便了「通融架步」有關方面派紅包，作為「掩口費」！若哪個記者收了紅包，而他所屬報紙卻把「架步」公開揭發，那記者就會受到「教訓」，身體被傷害。報紙是社會公器，社會如此黑暗，對於剛從新聞學院出來，充滿理想抱負的何鴻毅，是可忍孰不可忍也！於是對揭發黃、賭、毒架步不遺餘力。而《工商》在何鴻毅接任採訪主任以後，設了一個「改寫組」，目的就是要使報道按照新聞守則處理，務求準確、客觀、公正。由於《工商》不斷揭發非法架步，主持公義，贏盡社會好評，也增添了報紙的活力和動力，銷數也因此大增。

梁：我印象中當時三大報，薪金最少的，似是《工商》，而且每年加薪只有五元，是不是這樣呢？

彭：絕無大幅加薪是事實。我加入《工商》時是二百八十元，離開時，我的底薪也有四百多元，另外還有稿費、獎金、副刊編輯費，加起來也有七、八百元，收入不少。

梁：你在《工商》的時候，面對最大的衝擊是文化大革命吧？那時候的《工商日報》是不是受到政府一些優待？特別是《工商》，是那場反左派暴動的主要報紙。好像《商台》一樣，是站在港府這一邊的。《商台》立了大功，得到政府延長其獨家經營權，一直到九十年代才開放給別家電台跟其競爭。

彭：你這問題說大不大，說小也不算小。眾所周知，當年「日不落國」的大英帝國，以船堅炮利在地球上到處欺凌、侵略弱國，香港是在鴉片戰爭後被英國掠奪的土地。港英當局為鞏固其殖民地統治，用懷柔政策籠絡社會上有影響力的財主、企業。以六零年代來說，重要的傳媒、報紙不外是三大中文報紙《華僑》、《星島》、《工商》；英文報紙有《南華早報》。這些機構在運作上，政府會給予方便不在話下；但總受不踰越殖民地統治原則的規限。在六七年左派掀起的騷動期間，政府為加強宣傳戰，有頻密的新聞界「吹風會」，由政府的高層出席解答當時

工商日報
THE KUNG SHEUNG DAILY NEWS
左派攪騷動又再升級
搗亂九龍市中心
大部地區昨宵禁
暴亂份子縱火擲石到處破壞公私財物
截車將人驅走
推翻後放火燒
倫敦今晨發表聲明
支持港府防暴措施
最後消息
記者隨乘警車
宵禁區巡視
油麻地區騷動
逐漸延至旺角
半價
海底綳止咳露
Raid

六七暴動期間，右派報章成為港府保護對象。（《工商日報》，一九六七年五月十八日，第一版。）

的形勢，《工商》是被「當然邀請」的新聞機構之一。這該是你所說的「着數」吧。

梁：在我記憶中，當年《工商》是強烈反共的，跟《香港時報》一樣針對「左仔」，抨擊他們的暴行，他們的編採人員，會不會受到左派的威脅和報復呢？

彭：暴動的時候，左右兩派記者在外面採訪相遇時，即使平日交往頻密，此刻與對方都表現得互不相識。我們有一個記者在荃灣採訪暴動場面，遇到一個認識他的《文匯報》記者，他叫道：「他是《工商日報》的記者，港英的走狗……」嘩！差一點就被打死了啊！嘿！幸好他跑得快，才避過一劫！

梁：你自己有沒有遇到呢？

彭：我倒沒遇到，不過我有參與過現場採訪。當時的感覺，只能以「驚心動魄」來形容。

梁：左報記者當時很難做嗎？

彭：左報記者經常跟那些舉起「紅皮書」叫囂的人群一樣，走在騷動行列中。

梁：當時左右派傳媒的對立那麼強，左派用甚麼手段去對付右派傳媒人？

彭：最嚴重的，是《商業電台》的節目主持人林彬，因為他在「欲罷不能」節目中對港共主導掀起的騷亂，不留餘地的嬉笑怒罵，引起廣大市民的共鳴，令「左仔」恨之入骨，竟在他駕車上班途中給淋汽油燒死。而報界中兩枝勁筆：《明報》的查良鏞，和《星島晚報》的萬人傑，都被諸多恐嚇和死亡威脅。但他們還是繼續揮筆如故，正所謂「仁

新蒲崗人造花廠左派工人繼續鬧事
包圍記者獲警隊解圍
强阻貨車載膠花入廠
防暴隊高舉催淚槍附近各工廠紛紛關門

右派記者於採訪暴動新聞時，常遭左派人士騷擾。（《工商日報》，一九六七年五月六日，第五版。）

者無憂，勇者無懼」。

梁：這次左派掀起的騷動，是由一九六七年四月底新蒲崗的香港人造花廠的勞資糾紛所引起。事件發展至五月六日，約一百五十名工人在左派工會支持下在廠外集會，並阻止廠方出貨，與廠方發生衝突，招致警方介入。可以說，一場大規模的騷動正式開始，至十二月結束，時間長達七個月。你們做港聞記者的，一般的感覺怎樣？

彭：身為記者，接到差遣，赴湯蹈火也得以完成任務為要。採訪騷動新聞是很刺激的，也不知有多危險。該是一九六八年吧！中文大學新聞系有幾位三年級同學來《工商》實習；記得有同學嘆道：「像去年騷動，這樣的大場面我們真的錯過採訪的機會！」

梁：那時你怎樣看左派報紙的表現？

彭：傳播媒介不管你是官辦、民辦，受眾多的必定是受多數人歡迎的；它是有被接受的價值。左報的銷路，在六七騷動之後，已是每況愈下。在學新聞學的時候，教授對新聞報道寫作的當頭棒喝就是：要準確！要客觀！以此尺度去檢閱媒體的表現及成敗，大概差不多！

梁：香港的報業、七零年代還相當發達，八零年代開始式微，你認為是甚麼原因？這趨勢到今天，還會延續嗎？

彭：其實，六零年代當電子媒介漸漸發達，很多新聞學者曾經展開熱烈的辯論，印刷媒介會不會被淘汰。從香港的現況來看，《東方日報》銷量還處在高峰。《蘋果日報》還有不俗的表現，不可忽視的是免費報紙蓬勃。這些印刷媒介是有它的存在價值，它可以容納大量的資訊，讓商人有個推銷商品的場地，它可以讓讀者時時刻刻的尋找所需的資訊。或者說，電子媒介一樣可以這樣做。但各有方便，可以並存而不悖。這是今日上述所指報章仍然有存在空間的原因。七零年代，香港報業關注的是內地的改革開放。八零年代則是香港前途。這關係到市民對有關資訊的渴求，有份量的報紙還是受歡迎的。八零年代後期香港前途已經塵埃落定，像《明報》、《華僑》、《成報》、《新報》、《星島》的老闆已經無心戀戰，都先後易手他人，退休享清福了。接手者都未能秉承原報的辦報宗旨，其受讀者歡迎的程度大多已大不如前。

整體而言，印刷媒介正在受着一群不在乎媒介本身是否賺錢的商家操控，而傳統媒介本身則已在沒落中。

梁：七零年你在《工商》很受重視，為甚麼要轉到別家報館去？

彭：離開《工商日報》，是因為我們認為董事長何世禮將軍對採訪部同事請求加薪一事處理不當。

工商日報元旦增刊

李小龍刻意做「巨人」

「猛龍過江」多項創舉

嘉禾形勢大好

進軍國際影壇 李小龍開先河

今天自晨至夜全映七場

戲票好過股票・非撲不可

李小龍 苗可秀

鄒文懷監製

猛龍過江

THE WAY OF THE DRAGON

七十年代李小龍獨領風騷，帶動功夫電影潮流。（《工商日報》，一九七三年一月一日，第二十版。）

採訪部在一次工作會議中，附帶討論了同仁的薪金偏低，決議請求當局加薪。當時主持會議的，是副主任梁儒盛（那時主任空缺未找到適當人選），我一向是會議秘書，於是順理成章，請求加薪的信，便由我執筆。信呈上去，何將軍看了大怒，認為如此集體請求加薪殊難接受，必須懲誡主事的和執筆的。於是，貶梁儒盛做電訊翻譯員；削去我兼任《工商晚報》副刊編輯。事至此，我和梁儒盛便即辭職不幹了。有數位同事，替我們不值，也跟着辭職。

梁： 你和梁儒盛隨後去了《快報》？

彭： 梁儒盛去了《快報》。那時，嘉禾電影公司剛成立，我加入了嘉禾宣傳部，稍後李小龍也加入嘉禾。

梁： 你對李小龍有甚麼看法？

彭： 他初期很有禮貌。無論在甚麼地方，閒下來的時候，就像在擂台上與人比拳、準備出拳時那樣，不停地踏着步。也樂於和人們談他的截拳道。及至他主演的《唐山大兄》、《精武門》等一再破票房紀錄，成為國際級大明星之後，情緒有點失控。有一次，嘉禾官方雜誌《嘉禾電影》有一篇寫李小龍的文章，內容不大合李小龍之意。他大吵大鬧，認定那文章是我寫的，要在鄒文懷的辦公室，齊集鄒文懷、何冠昌、梁風《嘉禾》三巨頭，和宣傳部主管蔡永昌，把我叫進去。他一見我就咆哮：「你點解要咁寫！你一定要講！」我答他：「我都説了，那文章不是我寫的。」他忽然從腰帶扣拔出一把短刀，兇巴巴逼我承認那文章是我寫的。幸好《嘉禾電影》老總梁風在場，證明那文章的確非我所寫。後來他又逼梁風「交人」。梁風對他説，不能告訴他誰是那文章的作者；因為身為一個報人，有責任保護消息來源。梁風最後對李小龍説：「你若要殺我，我寧願死在你的手裏，讓我轟轟烈烈地成為維護新聞自由的烈士。」此事後來還是不了了之。

梁風對當時的李小龍的評語就是：「當他霎時成為國際巨星，名氣大得自己在精神上難以承受，認為自己是天神，世上最完美無缺。」

不久，我離開了《嘉禾》。李小龍也在一個夜裏傳出死訊。

梁：你離開嘉禾，去了《快報》嗎？你先去《快報》還是《新報》？

彭：《快報》。其實梁儒盛多次叫我去幫忙。他進《快報》後，很快升為副主任。很需要一個能全面審閱稿件的人幫手，多次要求我過檔，我只好答應晚上回去報館幾小時，幫他們改寫稿件。兼職了一段時間。在嘉禾期間，《銀河》的老總看到我在《嘉禾電影》寫明星的文章很叫座，就跟蔡永昌說：「你們彭熾老是不寫稿給我們。」用上層的壓力要我給他寫稿。我最恨這種事情，於是立刻不幹了，去《快報》做全職。

梁：你在《快報》多久？

彭：說來倒滑稽，我同時在《快報》和TVB兩邊走，也有六、七年光景。一時在《快報》全職，TVB兼職；一時是TVB全職，《快報》兼職。

梁：那是七零年代的事吧！那年代，報行有沒有你特別值得一提的事呢？七三、七四年間有很多關於經濟的報紙出版。好像黃玉郎辦了《金融日報》，但失敗告終；查良鏞辦了《財經晚報》，但也不行。林行止的《信報》也是七三年出的，結果辦成功了。

彭：其實，也沒有太大的問題，一張報紙冒起，一張報紙沒落，是正常不過的事。當時最值得說的，就是「鹹濕報」（色情報）興起，如《今夜報》。（**梁：**對！七零年代出了不少「鹹報」，之後就是暢銷的《龍虎豹》。）那時候，色情刊物佔領了香港的市場，但這只是曇花一現罷了。未幾，人們都討厭了。

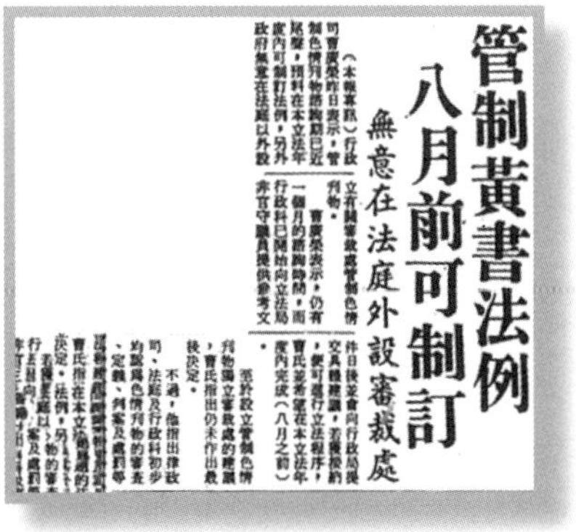
管制黃書法例
八月前可制訂
無意在法庭外設審裁處

八十年代初，色情刊物充斥，色情物品管制法例出爐後，「鹹濕報」迅即沒落。（《星島日報》一九八六年二月十三日，第十六版。）

梁：你在《快報》的日子中，鄺蔭泉老總有沒有參與你們的工作？胡仙又有沒有干預你們？

彭：胡仙不會干預，胡仙連《星島》也不干預，她只看收入。有錢賺便開心，大家加薪；沒錢賺就裁員。

梁：正常啊！其他報紙的情況又怎樣？

彭：好像《成報》是賺錢的，《明報》也賺錢，《新報》也是賺錢的。大致上辦報都是賺錢的。沒有甚麼報紙好像現在這樣艱難經營的。

梁：後來你去了《新報》，可否說說當年《新報》的情況？

彭：《新報》是羅斌創辦。他退休以後，就交給兒子經營。（**梁：**那是七零年代中期了吧？）對！我過去你《商台》那邊是甚麼時候？（**梁：**八零年代了！）我是八零年代中期出任《新報》採訪主任的。羅斌已將《新報》交給了兒子羅威。我在《新報》做了兩年多。

梁：之後，你去了《商台》？其實七零年代的報紙是值得一提的。當時的《天天》已在變。

彭：《天天》易手多次。

梁：是！初是妙麗手袋的老闆劉天就買了，因為經營主要業務出問題，最後《天天》由左派機構透過何世柱出面買下。所以，搞得很多牽涉持牌人誰屬的官司糾紛。然後才到黃玉郎經營，結果又是不行，由《星島》買來經營了一陣子……那報紙的變動很大。

彭：不過，《天天》不算是主流報紙。

梁：那又對！主流報紙是《華僑》、《工商》、《星島》和《明報》，那時候冒起得最快的是《東方》吧？《東方》打低了其他報紙，《成報》也被打得很慘。

彭：不算很慘，還頂得住。

梁：那時候《東方》已經是最暢銷的報紙。

彭：八零年代《工商》銷數每況愈下，直至結束。

梁：六零年代中後期，文化大革命讓所有左報都被打殘。其實，五零至六零年代中期他們還是很輝煌的。

彭：因為六七年騷動，所有左報都回不來了。

梁：至今天，左報的銷路仍沒有起色。今天的報紙當中，《東方》已是大報，它是在七零年代冒起的。

彭：《東方》的做法是用雄厚的本錢堆砌出來的，它以極高的稿費網羅最優秀、最叫座的專欄作家寫稿，約定只供稿給《東方》，不可以供給其他報章。警探線跟突發線是《東方》的強項。它就是不惜工本去發掘新聞。

梁：他們的社會新聞也做得不錯。

彭：有行內人說，他們的採訪車比記者還要多。突發記者也比其他報社多！（**梁：**所以，它冒起得快是有理由的。它在八零年代已經是第一大報了。）副刊又做得好，整個班子都是一流的作者。（**梁：**它是各方面都好，但《成報》還是不改風格，所以，到後來就式微了。）

梁：其他報紙都曾經風光一時，例如《星島晚報》、《華僑》……

彭：八零年代《星島晚報》的讀者完全被電視搶了過去……

梁：《華僑》、《工商》也慢慢地進入衰亡……

彭：《工商》不能不退出的。因為它有將軍的背景（何世禮將軍），將軍不會稱毛澤東為毛主席的，不叫他毛匪就很給面子了！另一方面，《工商》的人才都走光了。沒有人才又怎能辦好一張報紙。因為人工低，好人才都被挖走。這又是另一個原因。

梁：其實，你做過的《新報》也曾經輝煌一時，但到了八零年代也在走下坡了。

彭：也是這樣。《新報》在羅斌的弟弟羅輯當總編輯期間，反而好得多。羅輯雖然才智不很突出，但他能夠包容，所謂有容乃大，能容納各方面的人才。就算你和他「嘈交」，他總是說：「來喝一杯吧！」就將事情化解了。

梁：他的兒子羅威就不是這種人？

彭：我就看不到他有管理方面的才能！只被人蒙着眼走路。（**梁：**被誰牽着走？父親嗎？好像沒有理會他啊！）不是，不說名字了。

梁：很可惜，最後要賣了給楊受成。《蘋果》出了以後，報界已是另一個局面了。

彭：是啊！這是一個換世紀的年代了。

梁：對啊！說回五零、六零年代，當時的民生，當時的報行，都可以說是一個艱苦的年代。但你們當年都做得開心，對不對？

彭：對啊！當年開心得很。一來我們是新聞系出身的，整班同事，不是學院出來的，便是從台灣各大學出來。大家的年齡差不多。所謂臭味相投，所以，大家相處得很好。另一方面，當時大家好像對錢的感覺也沒有那麼強烈，生活過得去，就滿足了。而且，當時的報社，當記者的都很自由，競爭不如今天的劇烈。

梁：現在報行，上、下班都要打卡，記者的流動性很大，跟你們以前的不一樣了。我印象中，以前流動性不大，很多人都是在一份報紙做一世的。

彭：當時，我記得有很多同事喜歡打麻將。《工商》對面的士多餐室，也有麻將台出租的，下班就去打麻將。

梁：現在不行了，完全不可以。

彭：以我個人來說，除了當記者，我還可以去電視台兼職，就是在 TVB 兼職三至四小時。我還可以在學校教幾課書，就是這樣自由的。

梁：現在沒有可能的。

彭：所以，我跟經理級相比，當年的收入比他們還要多。我在打三份工，兼職的薪水加起來可以比報館全職的還要多。

梁：當時很多記者也是這樣的。很多行家插很多支旗，在不同報紙寫稿。你有沒有寫稿呢？

彭：我在《工商》也有寫稿……

梁：之後就沒有了，是嗎？寫專欄是很困身的，很花時間。

彭：後來不寫了，在《快報》還有寫，但不定期的。

梁：當時寫稿、寫專欄是否另外給酬勞？當時寫一個專欄有多少錢？

彭：是以字數計酬，公價定一千字十元至二十元。

梁：一個欄要寫一千多字？

彭：一般是八百字到一千字，計字數的。《星島》要扣去標點符號！《工商》不會扣，照原稿紙行數計算。

梁：那很不錯！你印象中哪幾個老闆是比較特別的呢？好似何鴻毅……

彭：我想，如果何鴻毅有實權的話，《工商日報》可能會有不同的發展。（**梁：**原來他是沒權的？）權都在他父親那邊握着，父親說甚麼，他就要做甚麼。所以，後期他洩氣了。張永抗當了兩、三年採主也不做了。

張永抗，曾任《工商日報》採訪主任。後轉職離開報行。（《華僑日報》一九五七年六月七日。）

梁：好像去教書？

彭：不，不是教書。他去了股票公司當分析員。其實，他都是個人才。

梁：他後來發達了吧？我也有聽過張永抗這名字。還有甚麼其他人物？

彭：嗯……大致上都是寫稿寫得好的，例如繆騫人的父親繆雨、林山木等等。黎智英就直情是了不起吧！回首看左報，早年左報有更多人才，如羅孚、陳霞子等，寫批判性的文章猶如利劍，文學水平也高。

梁：數十年浮沉，驀然回首，驚覺現在直情是個全新的局面了。

潘一工
縱談報界人和事

潘一工，資深報人。一九三六年出生，一九五八年底加入《香港時報》。一九六三年轉至《新生晚報》，其間亦於《快報》兼職，及兼任香港浸會學院新聞系講師。及後轉投《星島》集團，分別於旗下日報及晚報工作，直至《星島》賣盤後離開。

訪問時間：二零一五年九月十六日

訪問地點：北角寶馬山樹仁大學新傳系錄影室

梁：香港上世紀五十年代的報業，情況怎樣？

潘：那時候，香港只有三張傳統的大報，就是《星島》、《華僑》、《工商》。一九四九年，大陸政權易手前後，左右派都來香港辦報。右派的是《香港時報》。這張報紙辦得很特別，當時國民政府撤往台灣，庫房空虛，蔣介石動用他的特別辦公費。原本是南京《中央日報》社長彭學沛來創辦的，但是他在來港途中撞機死了，便改由在台灣創辦《中華日報》的許孝炎主持。許氏是五四時期的北大學生，既是老報人也是資深國民黨人，在黨內當過中宣部次長。總編輯李秋生、總主筆雷嘯岑都是大陸知名的老報人。而編輯部人員、除了本地新聞及體育版之外，大多是大陸來的外省人。

《時報》開辦之初，經營是很困難的，台灣沒有外匯，本地商家則不願與所謂「機關報」沾上關係。就算是報慶，平時有往來的商家，也只願送賀禮而不肯登賀啟。（**梁：**是怕國民黨這品牌嗎？）對！就是不想別人知道它與國民黨有關連。在銷路方面，一天近兩萬份左右，許社長想到「入鄉隨俗」這一招。當時港人喜歡看足球賽，因此就請了足球評述員廖沛霖負責體育版，這位筆名「好波」的主編，又請了幾個足球圈的人寫專欄，如此一來，一到週末，總有三萬

中華日報 航運版

中華民國九十九年七月十九日 星期一

中華日報 航運版

CHINA DAILY NEWS

中外運/高麗海運合作月底闢印尼線

大陸上半年新船訂單量2378萬載重噸飆升四倍

外籍郵輪兩岸往返即將開放 港務局及早準備

運籌新加坡供應鏈亞洲高峰論壇 歡迎報名

高雄關標售充公私貨

財政部高雄關稅局

上半年香港櫃量1143萬TEU 回升力道不及2008年水準

世邦國際企業集團

30年

專注高品質服務

世邦一貫的堅持

http://www.tvlgroups.com

許孝炎在台灣創辦《中華日報》。

五千份上下的銷量，在五、六十年代也還可以了。

左派則是面對着「機關報」沒有人看的問題。中共建政後，《大公》《文匯》先後由中共的「港澳工委」領導，成為「正式」左報。大陸的《大公報》有過百年歷史，曾被美國密蘇里新聞學院譽為「中國最佳報紙」，而來港辦報的人員都是一流人才，但一成為「機關報」，在一個難民佔多數的社會，卻面對沒有人看的問題。在五十年代，民間就有左報《大公》《文匯》等沒有讀者一說。不過左派有人又有資金，針對香港的實況另闢途徑，在一九五零年創辦了沒有政治色彩的《新晚報》，其清新風格爭取了不少讀者，然而大陸的「運動」迭起，《新晚報》政治色彩愈來愈濃厚，讀者愈來愈減少。其後，左派又創辦了幾張適合不同階層讀者的報紙，如辦給商人看的《香港商報》以及普羅大眾的《晶報》等等。

我在五十年代末才從事新聞工作的。說來很

偶然，《時報》高層的一個世伯，在路上碰見我，知道我還沒有找到工作，就說他們有一個初級翻譯的位置，問我要不要去試試，我就這樣入行了。做了幾個月，感到相當順手，而我過去對時事不是太留意，在做了電訊翻譯後，便開始「惡補」一番。每週必看《紐約時報》航空版以及《時代》、《新聞周刊》等等英美雜誌。也因此，很快對時事有了相當認識，而翻譯普通電訊稿就有「駕輕就熟」的感覺。

這樣過了一年多，國際版主編楊際光（也就是新詩詩人貝娜苔）另有高就，要去吉隆坡，擔任新開辦的中文《虎報》的副總編輯。我一直跟着他，在他指導下，我對國際局勢多了認識，對文字翻譯也有長足進步。楊大哥向社方推薦我繼任他的職位，這就提到社務會議中討論，有人認為應給年長的先上，最後社長說：先讓他試試，不行再說。事情就這樣定下來。我在主編國際版之前，先由老編輯易金輔導。上半個月我先選好電訊稿交譯員翻譯，在核對原稿後，交由他起標題。在下半個月，我又在他指導下，增加起標題、畫版樣的工作。如此一來，在獨自編輯之時就很容易。這是國內大報的做法。我後來才知道，本地報紙外電由編譯主任負責，編輯可以不必懂外文。無綫開台之時，由於有兩個請來的國際新聞編輯不懂外電，以致運作上遭遇困難。

梁：當時《時報》的工資是怎樣的？跟其他報紙相比，高些還是低些？

潘：跟大報比起來，還是差一點，至少比《星島》少。（**梁：**跟左報呢？）我不大知道，應該差不多。（**梁：**那時大約是多少錢？）在我入行時，好像主編三百多到四百元，記者就二百多。《星島》則是記者三百五十元左右。那年代，香港經濟未起飛，不流行加薪的，多是在職務調升時加的。不過那時候，當編輯的，工作時間不是很長的，通常是四個小時左右，電訊翻譯則三個鐘頭。所以大多數人日間都有工作。

梁：你有沒有兼職？

潘：當時沒有。最初之時，一方面因為我不是學這行的，需要邊做邊學；更因我的體質不太好，一勞累便受不了。在熟悉了編輯工作之後，我先在劉以鬯主編的副刊「淺水灣」寫點稿，主要是介紹西洋文學。後來又在外頭寫點稿，也替美新處譯過書，其中一本是美國黑人民權領袖金格的傳記。就這樣過了幾年，一直到我去《快報》兼職之時。

梁：當時的稿費是怎樣的？我記得當年報紙是賣一毫子。

潘：我只知道《星島》是十元一千字。其他大報好像低一點。（**梁：**按月算的嗎？）文稿按日計，每月發一次稿費。我們《時報》六元一千字。很多報紙的稿酬大致如此，還有許多小報更低一點。

梁：當時報紙的篇幅跟現時的，真的不太相同。現時的報紙賣六、七元。

潘：對！《星島晚報》在五十年代出一張紙就可以賺大錢。那時《星島日報》已賺的不多。《星島日報》是在國共內戰那幾年轉虧為盈的。當時國民政府處於軍事劣勢，常封鎖戰地消息，這使得外國媒體的記者佔了優勢，將戰地情況發出海

香港時報

美國國防部昨突宣佈
增派陸軍萬餘人
赴越南參加作戰

強調在越堅持到底

北韓如續蠢動
廢除休戰協定

蔣總統嘉言錄

成功的味道

國民黨在港辦的《香港時報》。

外，而香港報紙多採用外國通訊社的稿子，也因此市民比內地人民更消息靈通。《星島》在華南各大城市都有發行，所以很有銷路，我猶記得四九年初，在廈門到鼓浪嶼渡輪碼頭上報販的叫賣聲。這種戰情的「外銷轉內銷」，不但使《星島》成為國內讀者最熟悉的香港報紙，也使在外國通訊社工作的中國記者廣為人所知，如《合眾社》的張國興，他與國共高層均有接觸，但也因為採訪得罪了一些人。

梁：張國興？是後來浸會大學新傳系系主任那個嗎？

潘：就是他。他在四九年共軍進入南京後，被禁足了幾個月，到年底才獲放行。來港後，在美國「福特基金會」的贊助下，創辦了「亞洲出版社」，出版了四百本左右的書籍，其中很多很有份量。他也辦了「亞洲影業」，拍過九部電影。

國共內戰那幾年，《星島》在老報人林靄民主持下，賺了不少錢，胡文虎乃決定增辦一份給中國人看的英文報紙。於是《虎報》在一九四九年三月開辦，編採人員基本上都是中國人，而且大部分是從上海來的，如首任總編輯袁倫仁就是；而在第一次大戰後，《紐約時報》派去採訪凡爾賽和約、有「中國英語第一人」美名的桂中樞，後來也加入；上海報壇的風流人物吳嘉棠，先跑到東京去辦「泛亞通訊社」，辦了幾年就結業；於五七年來港，當了《虎報》總編輯。這三位《虎報》老總，後來先後進了星島，袁先生當過總經理，及後到「亞洲基金會」工作，對中美文化交流出了很多力。桂老到《星島》寫社論，公餘之暇，還編了一本中文工具書《桂氏字匯》。吳嘉棠則是在六十年代末，到星島當主席特別助理。

在較年輕的一代「虎報人」，有未來的星島老闆胡仙與《工商》的何鴻毅，在美國學成歸來，都做過一段時間。七、八十年代的影業大亨鄒文懷，從聖約翰畢業後回港到《虎報》當記者，幾年後進「美國之音」工作，後經吳嘉棠介紹給邵氏老闆邵逸夫，開始他的電影事業。無綫電視的開荒牛、後過檔麗的的黃錫照，也是《虎報》出身的，順便提一下黃太潘慧仙，是基因研究鼻咽癌的先驅。此外，被譽為「傳媒教父」的黃應士，從美國回港後也是到《虎報》工作的。

梁：當時《星島日報》的老總，是不是「特級校對」陳夢因？

潘：陳生在五零年任老總。那幾年，《星島》換了幾個老總。在四八年，原來的老總姓沈，移民美國，由一位姓楊的老報人接任，但在四九年九月，早年為蔣介石的親信、軍事家楊杰，在投共途中路過香港，於軒尼詩道友人寓所遇刺身亡。《星島》對這一事件作了極之詳盡的報道，引起港警方的猜疑，他乃遠走曼谷。當時的編輯主任陳夢因就坐了老總之位。陳夢因後來移民美國，《星島日報》很長時間沒有正式老總。當時的編輯主任是鄭郁郎，他大概執行總編輯的職務，外頭的人都以為他是老總。然而，在他過世時，《星島》刊登他的死訊時稱他為「前編輯主任」，他的兒子便跑來報館抗議，說「內內外外都知道先父為老總」。鄺生（鄺蔭泉）乃向老闆報告此事，胡小姐（胡仙）則說：「我並沒有請他當總編輯。」鄺生就勸說「人都往生了，就由他去吧。」就這樣，後來在登訃聞時就冠以總編輯之銜。

梁：是嗎？鄭郁郎沒有真正當過總編輯的嗎？

潘：應該有其實而無其名。因為總編輯的工作總要有人做。

梁：《星島晚報》就由唐碧川打理？

潘：是的，他主持晚報幾十年。

梁：《華僑》當時的老總是誰？

潘：日報是何建章、晚報是歐陽百川。說起何建章，早年的一件事得說一說。日本佔領香港期間，三大報只有《華僑》照常出版，引起愛國港人不滿，有一天《華僑》的頭條是關於裕仁的講話甚麼的，《華僑》工房的一名工友，將標題上「天皇」中的天字換上「犬」字，然後溜回內地。

第二天，日本憲兵隊長氣勢洶洶的衝入報社辦公室，拔出刺刀，一刀切下寫字枱的一角，厲聲問道：哪一個是岑維休？那時老闆不在，何生乃站起身來與之周旋，展示其勇氣。歐陽百川則與粵系國民黨人很有淵源。

梁：你剛才說的大報，還有一張，是《工商日報》嗎？當時的《工商日報》又是誰做領導？除了「將軍」（何世禮）當社長之外還有哪些人？

潘：將軍是董事長，社長是胡秩五。胡先生二十年代來港，擔任何東的中文秘書，後入報社工作，從編輯做起，任內創辦了《工商晚報》及《天光報》。他到七零年退休，還擔任報社董事。而當時的老總是潘仁昌。

梁：左報呢？當時的左報有《文匯》和《大公》；《文匯》又是誰當老總呢？

潘：左報的情況我不大清楚。只知道李子誦做了很長時間總編輯。

梁：那是四九年的事？

潘：應該是那幾年的事。《文匯》原本在上海出版，因為過於親共而被查封，徐鑄成乃於四八年來港創辦香港《文匯》。李子誦當社長之後，由金堯如接任老總。

梁：《大公》呢？

潘：我真的不大清楚，只知道他們人才濟濟。

梁：費彝民是社長吧，但總編是誰？應該是香港人，不是大陸來的吧？

潘：我只曉得《大公》原有香港版，在四九年由中共「港澳工委」接管。《大公》總社有很多優秀報人，如大名鼎鼎的金庸，也是跟着大隊來的。

梁：陶傑老爸曾做過《大公》英文版的總編輯？

潘：也許是吧。除了曹驥雲，英文好的還有幾位，譬如劉梵如。

梁：他就是劉天蘭的父親嗎？。

潘：是的，他主編過英文的《東方》雜誌。

梁：是跟新華社社長一起坐飛機失事的那一位？

潘：是的。他們是去採訪萬隆會議的。

梁：當年的報紙，一般編採部的人手有多少呢？

潘：看情況而定。一般來說，出兩張四開紙的，編採人員也就四、五十人左右。不過，加上校對組以及早期還有收發電訊組，又多了二十人左右。大報如《星島》、《華僑》人員較多，因為它們有專駐法庭的記者，也有專門採訪社團消息的記者。

梁：你甚麼時候轉去《新生晚報》呢？

潘：我在六三年轉去《新生晚報》。當時，《時報》高層有變動，社長許孝炎調返台，總編輯李秋生轉任總主筆，而我的直接上司、副老總張繼高也要回台任新職。有一天茶敍時，當時已在《新生》擔任總編輯的劉念真，也是我的舊上司，就當着眾人面說：「小潘跟我一起做。」大家都說好。

梁：你就這樣過去？《新生晚報》很早創刊的嗎？

潘：是的，過了幾天我就去上班。《新生晚報》是在抗戰勝利後創刊，我去時已換了二、三個老闆。當時的社長張獻勵，是上海聖約翰大學畢業的，來港後在英文《南華早報》工作了一段時間，後在一家廣告公司當經理，之後與友人收購了《新生》。那是在五十年代的中期。

梁：當時的《新生晚報》，我記憶中有一個新聞工作者被遞解出境到台灣去的？

潘：那是在我加入之前的事了。香港是宣傳重要陣地，在內戰之前開始，幾乎每一家報社都有左右派的人，如喬冠華也在香港報紙做過。在中共建政之後，《星島》就有二、三個編輯返回內地工作。一般來說，四九年後已「壁壘分明」，本地非共報社已很少左派。有，也不會公開擁共。而右派，與台灣官方有聯繫的新聞工作者，在五、六十年代被遞解出境的就有好幾個。這大概與英國與中共有邦交有關係。

梁：當時《新晚報》跟《新生晚報》有否衝突？它們是一左一右的。

潘：也許有過筆戰，而我在《新生》前後十二年就好像沒有發生過。在這裏要先說一下香港的晚報。雖然都叫晚報，發行的時間卻有別，如《新生》、《真報》正午出版，《明報晚報》、《工商晚報》則在午後出版，而《新晚報》、《星島晚報》則是在下午四時左右出版。

《新生》是民營報紙，而其辦報宗旨是以「無黨無派的立場，報道大家所欲知之事」。由於晚報主要為提供市民大眾茶餘飯後的一些消遣，因此早期的《新生》並不太側重政治新聞，卻很注重文化、娛樂之類的副刊。《新生》在這些方面顯然有些特色，受到本土讀者的歡迎。在十年前，三位中大教授還進行了《新生》副刊對香港文學影響的項目研究。

真報
美國決意協防金馬
今晨海戰

《真報》

梁：《新晚報》是甚麼時候辦的？

潘：一九五零年創刊。左派報紙當年銷路少得很，不過他們有人又有財力，於是想到辦一張沒有政治色彩的報紙爭取讀者，《新晚報》因此誕生。由於風格清新、文字通順，很快就吸引不少讀者。但是在「大躍進」之後一切就變了。

梁：當時《新晚報》的總編輯是羅孚？

潘：對！從創刊起就是他。

梁：當年《新晚報》的銷路不錯，對不對？

潘：是啊。《新晚報》的銷路一度只差《星島晚報》幾千份，但是大陸的「大躍進」宣傳一畝田可產幾千斤稻米的事，香港讀者多不相信，接着三年的天災人禍，引致六二年的大逃亡潮，《新晚報》的銷路好像就一路下跌。

梁：《新晚報》當年的文化版很強。

潘：對！除了文化版以外，它的許多內容都很好，就以國際軟性新聞來說，我是看《新晚報》才看出這類新聞的趣味性。

羅孚不錯。他在二十歲時，就被譽為「桂林才子」。他腦筋動得快，在五四年他看到有五千港人到澳門觀賞太極宗師吳公儀與白鶴拳陳克夫的武術較量，便立即叫他的同事陳文統（梁羽生）寫新派武俠小說。後來又叫查良鏞（金庸）寫，開啟了新派武俠小說之門。

梁：《新晚報》怎樣跟《新生晚報》比較呢？在銷路上少它們一點點？

潘：這要看哪個時期了。正如我所說，《新生晚報》、《真報》這些報紙在我進入《新生》時，銷路已開始走下坡。但是大陸爆發「文革」，香港發生左派暴動，銷路又彈上來，在此時期顯然比《新晚報》多了很多。

梁：最高潮的時候有幾多份呢？

潘：總有三、四萬份。

梁：很厲害啊！剛才你說的《真報》老闆是誰？

潘：陸海安。

梁：陸海安是國民黨黨員嗎？

潘：陸生是否國民黨人，我就不知道了。他當過（中華民國）僑選立委

梁：香港有幾屆僑選立委都是報人，如卜少夫。

潘：陸海安是《新生晚報》出身的，他所寫的「新聞說明」有很多讀者。後來不知道甚麼原因，他與陳秀蘭等人走出去，辦了《真報》。

梁：當時，《真報》比較反共，立場十分清晰。

潘：確是比較反共。倪匡初來香港，便是在《真報》，以「衣其」這個筆名寫了大量反共文章。後來倪匡成了多產作家，在報壇頗有名氣，「六七暴動」之時又主動「拔筆」《真報》助陣。另一個「反共健將」雷健，也是大陸出來的，還有唯靈（麥耀堂），早年也在《真報》，在他做採訪主任時，曾到《時報》兼職，翻譯電訊，大家見他「運筆如飛」，又見到他長得黑黝黝，便猜想他是南洋華僑。副老總張繼高就說：「他一定是菲律賓來的。」由於大家不熟，也沒好意思問他。他只做了一個短時期便離開了。後來才聽他自己說是順德人。

梁：他不是在《南華早報》做過一陣子嗎？

潘：也許是吧。我再見到他的時候，已是七十年代了，吳嘉棠請他來《星島》編輯增刊。就是每週出一次的那一類隨報附送的刊物。

梁：之後他去了香港旅遊協會吧？到退休以後才開始寫飲食專欄。

潘：我不很清楚。不過他在七十年代中，就自己開了一家公關公司。

梁：陸海安寫東西是很不錯的。是否還有另一位高手？

潘：寫甚麼的？寫社論的。早期有好幾個，舉例來說，《時報》的黃震遐（女作家沙千夢之夫，筆名東方赫），在六二年中印邊界戰爭期間所寫的政論，連軍事專家都認為很有深度。《工商》的任畢明，他的社論比較辛辣。說到淺白易懂的就要數《晶報》的陳霞子了，他的社論是用文

言、白話和廣州話合起來的「三及第」文體，很適合本地讀者看。後來，金庸也是用較淺白的筆調寫社論。

梁：陳霞子不是左派出身的嗎？

潘：對，其實他辦的《晶報》就是左報！

梁：他有參加過《商報》嗎？

潘：陳霞子原是多產作家，他在《商報》也有稿寫。不過，在辦《晶報》前好像是《成報》主筆。

梁：可惜這些報紙已成歷史了。你在《新生》做了多久？

潘：從六三年到七五年，前後十二年。前六年我的工作習慣，除了變成早上上班外，與在《時報》時並無二致。到了六六年中，《新生》的銷路沒有起色，老闆張獻勵英語好、粵語不行，常與人用英語交談，所以大家也習慣用他的英文名亨利張稱呼他，認為必須衝一衝，但老總劉念真想不出好辦法，既然無法做到，便自願引退。於是老闆就想自己試一試，並要我執行日常作業。我說我還做不來。就在此時，梁小中不做《天天》老總，亨利張聞訊就去請他過來。在這要先說說《天天》。《天天》在六零年由二天堂創辦，好像是大哥韋基澤主理，陸海安任主編，後來韋基舜接手任社長，但是印刷廠仍由二天堂擁有。梁小中及編輯部幾名人員，不曉得怎樣和印刷廠的人發生摩擦，印刷廠那邊便在門口貼出告示，不准梁小中等若干人進入，梁生聞訊走去一看，不禁大怒，撕下告示，拂袖而去。就這樣，亨利張便請到他重返《新生》，出任總編輯。說起梁小中，的確是報壇傳奇人物。他也是《時報》出身的。

梁：他不是跟你在一起的？

潘：不是。他比我大十二歲，我進入《時報》時，他已離開多時，在報界已有相當名氣。梁生父親是教書先生，母親是廣西的少數民族人。小時喪父，所以童年過得很艱苦。小學進入一所官辦教養院，除了讀書還要受軍訓，中學也復如是，所以初識他的人，看他的言行舉止，以及高大身材，多以為他是軍人出身。讀完中學，他進入廣州一家地方報紙工作。

他也是四九年來港，在《時報》籌辦時，他帶了介紹信去應徵。許社長問他會不會「譯電」，他回說會，許生便叫他那一天去上班。他坐上寫字枱後才發現是翻譯電訊，照他自己說「唯有頂硬上」。他雖然過去沒有做過，但是中文根基好，又懂得一般英文，對時事又相當熟悉，所以譯得「有板有眼」。當時，有的報社設有一個電報組，專門收發通訊社及本身通訊員的文稿，兩廣報社也習慣稱這類工作者為「譯電員」，因此梁生誤會並不奇怪。過了一段時間，編輯部高層知道他懂得編報又是廣東人，便調他去編本地社會新聞。此時，他月入不到三百，又要開始養家，所以沒有餘資供公餘消遣之用，於是他發憤讀書，常從地攤購買舊書來鑽研，而他又博聞強記，為他的寫作打下紮實基礎。在報壇像他那樣從嚴肅的政論到性文學都能寫得頭頭是道的人並不多見。過了不久，他開始在報上寫稿，編報才能又受到賞識，於是便出去香港報業界闖天下。

任何事都得看「天時」，報紙的起落也復如是。梁生來上班的第一天，內地的《解放軍報》響起了「文革」的第一炮，市民又再關注大陸局勢，這有助於報紙的銷路自不在話下。因此，梁生「新官上任毋須三把火」，整個編輯部氣氛融洽，而他每週總有二、三天，與我們幾個較年輕的同事，在收工之後去茶樓飲茶或是附近的波樓打桌球，我們幾人出一點錢，而由他包底。如是過了大約一年，香港發生左派暴動，梁生的工作又多了，才少與我們在公餘相聚。

左派暴動，《明報》查良鏞是主要針對的對象之一。查生想去外地「避風頭」，於是請了梁小中出任《明報》總編輯，便攜妻朱玫到歐洲遊歷去了，回程時又在新加坡逗留了一段時間，他回來後，暴動已平息，而梁生除了公務，又有一些私事，忙上加忙，便離開了《明報》。

在六十年代，本港報業的一項發展，我也在這裏提一提。國際新聞協會在一九六三年底在香港舉行研討會，以中文報業為主題，開啟各地中文報紙的初步聯繫。到一九六六年，胡仙提出組織世界中文報業協會的建議，除《星島》之外，其他已加入國際新聞協會的香港報紙：《工商》、《華僑》、《明報》、《天天》以及《新生晚報》，都參與籌備。這幾家報紙的代表每月在利園酒店一個大廳聚首一次，亨利張也帶我去過二次，並且叫我替他作一份香港中、英大報對當日頭條國際新聞篇幅的比較。在一九六八年，就成立「中文報協」，由胡仙出任主席，《華僑》的岑才生、《工商》的何鴻毅，擔任副主席，張獻勵則為義務秘書。其後，選出第一屆執委會，胡仙任主席，王惕吾為副主席。

兩年後，胡仙當選國際新聞協會主席，她在任內，有一次以英文發表一篇情文並茂的演說，使台灣報業得以加入這個國際性新聞組織。

梁：梁小中不是在七十年代跟「大馬」（馬惜珍）去了《東方》嗎？

潘：還未到，他在八八年才去《東方》當副刊編輯顧問。他離開《明報》後，又為胡應濱策劃出版一張報紙。

梁：胡應濱那張報紙後來沒有出版。

潘：是的。不過，梁生幾個月後又復出。《星報》出中文版，第一個月將英文版全部內容譯成中文，大概少人問津，負責人乃向洋老闆建議請梁小中去當老總，梁生幾下子便使《中文星報》脫胎換骨，娛樂版與副刊很快成為工廠女工的「至愛」。

說回《新生》，此時亨利張已過身，由董事陳鏡泉出任社長。梁小中與他顯然合不來，便於六九年五月十五日辭職不幹。那天，我因家父病危，沒有去上班，陳社長以為我與梁小中「共進退」，並叫同事王紹漢來我家問個究竟，我便告以實況。

梁：你繼續留在《新生晚報》工作？

潘：是的。說到這裏又要多說一件事，我當時已經進入《快報》工作。

梁：《快報》是在一九六三年創刊的。

潘：對，那年《快報》創刊，就先說這個吧。鄺蔭泉想辦一張《新晚報》形式而有較多本土色彩的報章，得到胡仙的支持。鄺生策劃的《快報》是實行勞資合作制，資方出資，勞方以「勞力入股」。在中國，這種勞資共擁的方式，自《大公報》開始之後，《快報》應是少數幾家之一。這種方式有許多好處，除了獎勵「勞而有得」等等之外，更重要的是勞方有了「話事權」，防止這一社會公器變成老闆的「私器」，而這種現象在今日香港更為明顯，可能也是報紙公信力以至銷路日跌的原因之一。

快報

EXPRESS

中共最高機構尚未開會

毛澤東逝世及十一已過

金融中心

柔軟隱形眼鏡

全港獨家選用…

香港隱形眼鏡中心

玩具廠商請注意

澤記洋行有限公司

ELLEN BUILDING

延齡大厦

地點旺盛　交通方便

兩梯四伙　洋樓間格

戶戶單邊　廳房光猛

本年底完成

長江實業(集團)有限公司

有待無恐!

美美會所

蒸氣浴

韓國六天

日本

曼谷

痛症

日本六天$1,980

台灣九天環島豪華團

西北美加歡樂旅行團

勞資合作制的《快報》。

《快報》董事局有五名成員，資方兩人：胡仙與她的兄嫂陳秀容，勞方三人為胡爵坤（負責業務）、梁泰炎（負責採訪），以及鄺生（常務及負責編輯部）。

開辦時，由胡仙先出一萬元繳交報紙登記費，編輯部設在《星島》隔壁，我記得是陳舊樓房，寫字樓還沒有這樣大（指劃着錄影廠），而這些開辦費用大約也是一萬元，是發行商張輝記先支付報費的。

《快報》就這樣開始運作了，嚴格來説，《快報》是《星島》的「子報」，本地新聞稿絕大多數是《星島》供應的，港聞組除編輯外，最多人的是改寫組，四、五個「生花妙筆」老手，負責新聞稿件的「改頭換面」，特稿多由《星島》記者寫的（每月另給與報酬），專職記者只有一人，也是《星島》調過來的劉漢章，他特別擅長軟性新聞採訪。

梁：當時《快報》就這樣開始的？

潘：是的。當時《快報》有兩版刊登國際新聞，第二版是軟性版，由易金編輯，第一版在開頭時，由一位老報人來兼職，但他上不慣夜班，便介紹了陳行來做，就是你説的被遞解出境的那一位。

梁：他是不是太偏激？

潘：這與他編報無關。他是國民黨人，聽説屬於黨內一個文化宣傳小組成員（那年被遞解出境的，還有其他幾位文化人。）他去了台灣後不久，便在花蓮一家報社任總編輯，而且又是國民黨「黨代表」，在那個小城日常生活不知過得多舒適。

梁：《快報》很快冒起來了。

潘：所以説《快報》是「奇蹟」。創刊頭兩三天的報紙，大部分是附着《星島晚報》送的，當年《星晚》是最暢銷的報紙之一，讀者以中產居多，因此《快報》很快有了一定的讀者群，日銷四萬份上下。從開辦的第一個月到我離開那一天，實際上沒有虧本過。

梁：你是哪一年離開的？

潘：一九八八年一月底。

梁：哪一年由《新生》去了《快報》任職？

潘：我在一九六九年四月進入《快報》，但還不是全職。那得從三月説起，有一家報紙要改版，請了易金先生去當總編輯，易老與報老總都請我去當要聞版主編，條件雖然不錯，但是需要「日做夜做」非我所欲，想要推卻又找不出充份理由。說來巧，我在廿七日路遇《時報》舊同事，時任《快報》編譯主任羅萬聖兄，便一起去喝咖啡。在交談中，他說已談妥要去《紐約時報》香港分社正式上班，在知道我的情況後，便問我要不要去《快報》，這樣就可解我之圍。我說可以一試，他便說晚上回報館後問問鄺老總。是夜十時左右，萬聖兄打電話給我，問我第二天晚上有沒有空，鄺生要請我吃飯。在晚餐上，萬聖兄表示想早點離職，既然我答應接他的位，鄺生叫我三十一日上班。

梁：哪一年由《新生晚報》轉到《快報》做全職呢？

潘：那是幾年後的事了。我剛才說過，梁小中離開《新生》那天，我因家父病危沒上班，第二天家父便謝世。在廿日舉殯那天，陳社長也有來弔唁，並問我幾時可以上班。我答以二十二號，他說不必太急，那晚先吃餐飯。二十二日晚，他在順德同鄉會餐廳擺了兩圍，都是《新生》同事。在席上，他便宣佈請我當總編輯。

飯後，我對他說，現在我須負起養家之責，所以要繼續在《快報》做，在《新生》我只負責編務，其他事項一概不管，他也答應了。不過，從那天起一直到我離去之時，在有他人之時，他都以「老總」稱呼我。

梁：你在同一時間也在《快報》工作？

潘：對。我在《快報》的工作時間不長，通常九點半上班，十二時半下班，當年廣告多，沒有甚麼新聞之日，我甚至十二點就可以走了。

在《新生晚報》這一方面，與過去略有不同的是，我有時對採訪提點意見，想些專訪題材，以及與副刊編輯溝通。至於副刊版樣，我是在去《快報》上班途中，跑到《新生》字房看的。也就是說，沒有增加太多工作量，我們還是如梁生在任時一樣，一週茶敍二次左右，不過這時有兩個單身同事有車，所以有時會到較遠的地方茶敍，我是在這個時候，第一次到香港仔吃魚蛋，去落馬洲遠眺深圳。

《新生》編輯部一向很多是兼職的，在這段期間有幾個兼職，如潘振良、包雲龍與梁儒盛，後來都成為傳媒界「獨當一面」的人物。

梁：你在甚麼時候全身而退呢？

潘：七五年我離開《新生晚報》。自從有了電視之後，香港經濟開始起飛，市民也較忙碌，中午看報的人少了。這種趨勢愈來愈明顯。

梁：所以《新生晚報》就經營不了？

潘：在七十年代初，還是可以的。在七二年，《南華早報》扔了（賣了）《德臣西報》後，想買一份中文報紙，曾跟《新生》洽談，購買百分五十之股份，其後雙方再增資發展，這應是《新生》最好的出路。從當時形勢看，午報，不論是正午還是午後出版的，市場已愈來愈小了，下午四時出版的晚報尚有可為。於是我贊成雙方合作，借助《南早》的人力物力，可先辦晚報，再及其他。但是陳社長因本身財力不足，恐被「吃掉」，因此這項洽談便告吹。

在這一年年底，我應承做一件我從來沒有想過的事情。我從來不想「為人師表」，但是在聖誕節過後，余也魯大哥叫我幫忙，要我一個多月後到浸會書院傳理系教授中文編輯學一課。原來這門課開了二年都辦得不好，余大哥就聘請中央總社副總編輯胡傳厚來教一年，胡先生是老報人，在大學教過課，所寫有關編輯的書籍為台灣新聞系的教材，當然勝任有餘。然而，當年十二月台灣進行議會選舉，中央社總編輯當選為監察委員，按例不能兼職（立委則可以），胡先生經過一番考慮，接任總編輯一職，不能來香港了。而此時距離開課只有一個月左右，余大哥說無論如何要我幫幫忙，教一個學期再說，我想起六年多前在總統號郵輪上，送他去美國攻讀傳理碩士學位的情景，便答應了下來。但是心中還是忐忑不安，好在我雖然不是讀這一科的，但在出道之初，受到「正宗」的在職訓練，於是在請教了幾個老行尊，又看了美國報人寫的編輯學，心中便有了底，上課時也就能講出一些道理。除了每週一個下午三節課外，我也協助學生編輯學生報《新報人》。此前兩年，這張實習報每年都只出一次，我任教的第一個學期，是三年級的下半學期，他們自行規劃這一學期先出四期，卻對製作過程以及如何編報都沒有經驗，故得從頭學起，除了植字須由專人負責外，從編輯文稿到貼版都是學生自己去摸索，由於以前沒有做過，因此做起來比較艱難，而我也得花一些時間去指導他們。

一個學期很快過去了，《新報人》也出了四期。余大哥對我說，我很受學生歡迎，所以又開了一門中文「高級編輯學」，要我繼續教。由於我知道時代已變，沒有幾個學生會以新聞業為終身職志，因此我教授的重點在於啟發，就是要他們多動腦筋，譬如一則新聞從不同角度去看，重點就可能不一樣，養成這種習慣後，不論投身甚麼行業都是用得着的。果然，我前後四年教了三十多個學生，其中投身傳播領域的只有六人，可堪告慰的，其中兩人分別在香港、新加坡當過廣播處長，而其他學生，除了做全職主婦或早年移民之外，都有相當成就。

在《新報人》方面，第一批學生已升上大四，擔起編輯之責，出題目給二年級學生去採訪。經過暑假到報館的實習，他們更熟悉編採的工作，我這位顧問也就輕鬆得多。我看看經他們審核的稿件以及所起的標題外，便在完版之前，去學校看看大樣，由高年級的學生教導低年級的學生，如此「薪火相傳」，《新報人》目前還在出版，算起來已有四十多個年頭了。

梁：《新生晚報》在甚麼時候經營不下呢？

潘：那是在一九七五年。午報市場愈來愈狹窄，到七五年，《新生》的經營愈形困難。陳社長有意出售，洽購的有好幾個，第一個是甄燊港，後來又有二、三個，都因他堅持要任董事長或社長甚麼的而傾不成。我認為這樣拖下去沒有意思，又因開始在《星島晚報》編輯「新聞眼」副刊，感到身心有些疲態，便於五月悄然離去。

梁：《新生晚報》也堅持不了多久吧？

潘：幾個月後，在七五年十一月結業。《新生》停刊，又有人要請我。《華僑》的何建章，請我去做執行總編輯，負責晚班，《信報》的駱友梅則邀我與他們夫婦「共同奮鬥」。我因這需要長時間工作，恐力有不勝，便都婉辭了。

梁：《南華早報》賣了《China Mail》後，TVB原本想找施祖賢來辦的？

潘：這個我不清楚，也不記得施生那時是否仍在《星島》。不過我還記得無綫行政要員李雪廬的「豪言壯語」：「我們辦報，點會虧呢？」我當時就覺得不妙。《德臣西報》很快就沒了，無綫開辦了一間中文出版社，施祖賢出任總編輯。

梁：說回六十年代的報紙，當時是相當興盛的。五九年有《明報》，跟着是《新報》，六零年又有《天天》，六三年有《快報》，六九年有《東方日報》。你怎樣形容那個時候的報紙呢？《天天》在一九六零年就有了，是香港第一張用柯式印刷，是首張有彩色的報紙。這對報紙來說，是一項創舉。當時香港人口多了，經濟開始穩定了。那是否只有《新生晚報》受到影響，其他報紙都沒有出現經濟問題？

潘：金庸辦《明報》，起初也是慘淡經營的，雖然金庸當時的武俠小說很多人看，由於整張報紙的內容貧乏，能銷一萬份已算不錯了。至於《天天》或《新報》，由於它們底子較厚，辦張中型報不算難事，雖收支不一定平穩，也可維持下去。在六十年代中期，午報開始經營不易，而「文革」與其引發的六七暴動，則使午報又有了生機。

梁：《明報》在六十年代的大逃亡潮期間已在起紙了，之後的文化大革命令它增加銷量。

潘：沒錯，逃亡潮期間，《明報》受到較多讀者注意，其後就出紙兩大張，不過《明報》的名氣大增，歸功於金庸著文反駁當時中共外長陳毅的「核褲論」。他寫了一篇題為〈要褲子不要核子〉的社評，反對在「一窮二白」的情況下造原子彈。從今日來看，當時的國際局勢，中蘇共經已勢成水火，大陸陷於「四面楚歌」，因此陳毅所說的「不管中國有多窮，我當了褲子也要造核子」的話並沒有錯。但是在一個反共非共的社會，左派報章的圍攻，金庸獨力應戰，贏得廣大市民的好感，很多人就是在這個時候開始買《明報》。

不過，報紙得有廣告才能賺錢，在七十年代以前，本港中文報章的廣告以本地產品為主，到了七十年代，香港經濟起飛，外國廣告公司紛紛來港發展。那時，《星島晚報》不但最暢銷，而且讀者群以中上階層為主，因此外國廣告商就以《星晚》為刊登廣告的首選，然而《星晚》的廣告，由幾家與報社廣告組有關的人員把持，外商要想登廣告，不透過他們就幾乎無法刊登。於是，外國廣告商便約幾家大報洽商，主要對象是《星晚》。當時外國廣告商提出他們向報社直接訂購廣告位，願付八五折廣告費，這比一般廣告商交給報社的折扣高出一折半至三折。《星島》報系由當時的老總施祖賢為代表，他認為可行，回報社後向老闆建議接受。然而廣告組人員極力反對，此事便告吹了。外國廣告商開始杯葛星系報紙包括《快報》在內，不在這些報紙登廣告。在七十年代初期，本地廣告很多，《快報》因為是給《星島》印的，不能隨便加版，廣告一多還要抽掉，所以不覺得甚麼。

但是在七十年代中期，外國廣告多了起來，本地有些廣告則減少，《星島日報》此時因在地產小廣告上幾乎是「唯我獨尊」，還不感到甚麼，《快報》已受到壓力了。至於《明報》，隨着金庸成為國際報壇所關注的人物，而《明報》的讀者這時已多是中產階級及專業人士，同時金庸又把他的社論譯成英文，進一步建立他在國際上的名氣，加上沈寶新的長袖善舞，《明報》多了外國高價品的廣告。

梁：說到當時《快報》的老總，主要是由你負責的呢？

潘：不是。《快報》是這樣的。鄺蔭泉一直是常務董事暨社長兼總編輯。我做老總已是一九八四年。在胡仙買回《快報》前，只有兩個「總編」，就是登記在華民處（政務署、今天的民政事務總署）上的兩個。還有一個暫代老總就是陳子龍，是在鄺蔭泉被人刺傷養病時，由他暫代。

梁：那麼「總編」就只有你和他？

潘：對，鄺蔭泉由六三年就做了，所以在報館內的人一直叫鄺生做老總。

梁：《明報》呢？《明報》的老總又是誰？

潘：《明報》老總早年是查良鏞，（**梁：**潘粵生也有做過？）對，潘粵生是很後的了（他先去新加坡《新明日報》當老總），梁小中做過，後來是張續良。（**梁：**王世瑜呢？）王世瑜六十年代是《華人夜報》老總。（**梁：**他後來也有做過。）那是在八十年代，王世瑜一直跟查良鏞，在六九年查老闆要改革《華人夜報》，他就跟查良鏞鬧翻了。王世瑜說《華人夜報》辦得成功，但查生認為《華人夜報》太過低級了，「鹹濕」內容太多。這是可以了解的，因為此時他在世界中文報業的名氣很響，不想人家把他與風月報聯在一起。王世瑜出去辦《今夜報》，而改版後的《華人夜報》辦了幾個月便辦不下去了。查良鏞將之結束，又創辦了一張晚報，即《明報晚報》。

王世瑜任老總應是一九八六年之事了，當時《明報》要改革，金庸就請王世瑜出任總編輯，但沒有免去原老總潘粵生之職，潘生照樣坐在他的座位上，編輯照樣把大樣交給他看。如此過了一年多，應該是到潘生移民加拿大，王世瑜才正式「擔正」。

梁：《華人夜報》初期不是金庸夫人朱玫打骰的嗎？她所寫的「鹹古」比男士寫的更好看。

潘：是嗎？我可沒看。他太太「珠女」（朱玫）以前是他的讀者，她父親是中華民國年代的廣州社會局局長。

梁：五十年代的《紅綠日報》，任護花也做得很成功，但它是小報，到了六十年代就走下坡了，為甚麼？

潘：《紅綠日報》走下坡的原因，我不清楚，不過，一般而言，報紙市場就像一塊餅，切成大小不一的幾塊，各有讀者。六十年代在通俗小報的這一塊上，除了剛創刊的《明報》之外，還有好幾家。這是因為中下階層的市民，已沒有五十年代那麼窮，有點消費能力。另一方面，小報的經費有限，規模小，以初辦《明報》為例，整個編輯部大約只有四、五人，連職工也不過十來人，而有些小報就更少人了。

當時本土派通俗報紙，銷路最好的是《成報》，不過它興用「三及第」的文字，又沒有標點符號，外省人看不懂。雖然如此，它在「廣東式」報章中獨佔鰲頭，任護花被它壓住，而同類報紙又多了，吸走了一部分讀者，如此一來，自然走下坡了。

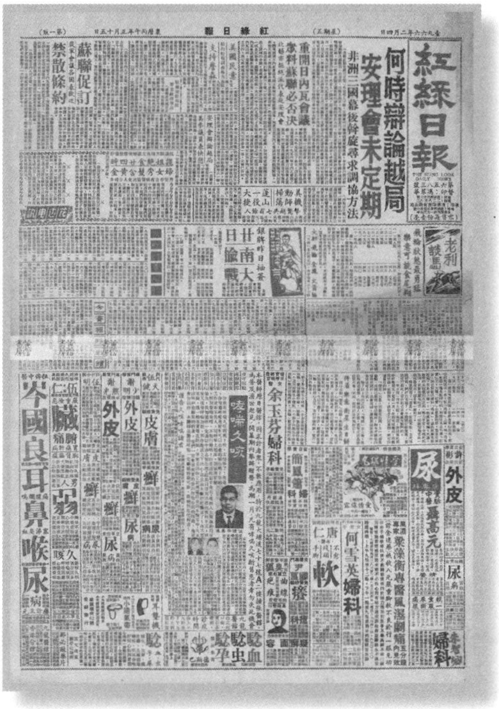
紅綠日報
何時辯論越局
安理會未定期

任護花辦的《紅綠日報》。

《快報》則不同，讀者群的知識水準比較高，不單有本地人，而且多外省人。在電視未出現前，中產階級的消遣是看電影，尤其華語電影，《快報》的娛樂版做得很好，所以吸引了許多讀者。

梁： 娛樂版是靠鄺蔭泉吧？

潘： 可以這樣說，當時「邵氏三雄」鄒文懷、何冠昌與梁風都是從報紙跳過去的。吳嘉棠將鄒文懷介紹給邵逸夫，得到重用後，他又將當時在《時報》的何、梁兩人帶進去。鄺生不但與他們都很熟悉，與其他影界人士也有交往。

吳嘉棠可以説是中國報壇的傳奇人物，值得講一講。他好像在聖約翰大學還沒有畢業時，便在英文《大陸報》工作，寫了幾篇獨有報道，為「師兄」沈劍虹賞識，兩人一起去密蘇里新聞學院進修，吳生在畢業後更娶了一個美國姑娘，密州是南部，不准異族通婚，吳便攜未婚妻去北部註冊結婚，然後帶她回大陸。在抗戰勝利後，這位美國女人攜子返美。吳的這個兒子吳惠連後來在美國普立茲報系的主報擔任總編輯，成為非普立茲家族人擔任「老總」的第一人。他也十分關心香港的新聞自由問題，幾次來港調查，並曾任港大新聞及傳媒研究中心的客座教授。吳嘉棠在戰後的上海更是新聞界的風雲人物，身兼英文報老總、中文《申報》採訪主任，以及聖約翰新聞系系主任三職。他交遊廣闊，達官貴人認識的不少，而他與「第一女記者」謝寶珠的交遊更成為當日小報爭相報道的新聞。

梁： 有説胡仙很賞識他，所以游説他加盟《星島》的，是不是？

潘： 胡老闆賞識他不假。不過他一早就在《虎報》工作。他當了《虎報》老總幾年後過檔到《德臣西報》當總編輯，所撰寫的有關香港工業的文章，引起政府與商界的重視，便聘請他擔任貿易發展局第一任駐美國代表。他「花錢」花得很厲害，當時南海紗廠老闆唐炳源（即唐星海、唐英年的遠房叔祖），對我的一個友人説：「他一年超支十多萬元，只好由我支付了。」

梁：他花錢很厲害？

潘：對，聽說他的隨員中，有廚師，還有擦背洗腳的上海師傅。不過，花費大，卻很有功效，他對香港拓展美國貿易有很大的貢獻。吳嘉棠於六九年任滿，便在美國一家「互惠基金」公司擔任亞太區副總裁，返港拓展業務。然而就在他回港不久，整個互惠基金行業崩潰。他有一天在路上碰見鄺蔭泉，叫鄺生代問一下胡老闆，有沒有甚麼工作可做。鄺生回去一問，胡老闆說，「好，我有許多事用得着他。」

梁：之後，吳嘉棠就去了《星島》？

潘：是的，正式職銜我不清楚，《星島》一向不大講這一套，應是主席特別助理，因為很多人都說他是胡老闆的「基辛格」，他一面負起改革編輯部之責，另一面應是參與《星島》上市的工作，《星島》的幾位董事如「船王」董浩雲，顯然是他邀請加入的。

梁：一直做到退休嗎？

潘：他做到病故。他返港後在渣甸山購入一座小洋房，胡仙知道他的用錢習慣，所以特地吩咐會計部扣下他工資的一部分，代付房金。

梁：六十年代有不少新報紙湧現，為甚麼《東方》能冒起得這麼快呢？

潘：《東方》是在六九年由馬氏兄弟創辦的，在創刊初期，由周石打理，《新生晚報》的編採人員王紹漢等幾個去兼職，後來馬松柏因需負責馬經版，便辭去《新生》之職。周石擅長處理本地新聞及辦副刊，同類報紙有甚麼新東西，他立即跟上；王紹漢終能搞成電單車記者組，在採訪突發新聞時佔了很多便宜。

《東方》也是捱了幾年才興起的。七五年農曆新年，它創下了銷紙五十二萬份的紀錄。這得由香港的報紙習慣說起，在農曆新年那天，除了幾家大報及左右派報紙之外，本地報紙一向都是照常出版的，但是在七五年，《成報》決定是日休假一天，這使《東方》便成了「搶手貨」，印刷機由晚到晨都在開動，到上午八時多才停，印了五十多萬份，如此銷量前所未有，也使很多市民知道《東方》這報紙了。

梁：印象中有個口號，叫「有東方無窮人」。

潘：對，《東方》的狗、馬經命中率很高，過了七五年農曆新年這一天，幾乎是人人皆知《東方》的狗馬經。

梁：《東方》的成功與它網羅到有才幹的報人不無關係，比如繆騫人的父親（繆雨）就是其中之一。他在《東方》的專欄很受歡迎的。

潘：對，那是在七八年以後的事了。不過，在此之前，馬惜珍廣交友人，建立人脈關係，對《東方》的興起，打下了很好的基礎。

《東方》到七八年增版，使之成為全面性報紙，銷路蒸蒸日上，廣告也一路增加。在這次增版，馬惜珍尊稱為「師父」的高雄策劃一個有格調的文化副刊「龍門陣」。到這時候，《東方》的國際與兩岸新聞很少，他們有意請我去開版，我婉拒了，只建議他們怎樣做，一是電訊新聞要多加說明，當時國際新聞多與非洲有關，一般讀者只知其然；二是多闢新聞專欄，我也提及「舊人」繆雨寫大陸問題不錯。他們後來大致上照我的建議辦了。三個新聞專欄中有關兩岸的兩個，分別是繆雨寫大陸，劉念真（孔言）寫台灣問題。這兩人都是王紹漢舊同事，好像是他致函去約稿的。

梁：繆雨就這樣出名的？

潘：是的。繆雨也是《時報》出身的。他也是聖約翰的，不過後來新聞系好像併入了復旦。他在五十年代來港，寄居在親戚家，投稿給《時報》的「鐵幕版」。

老總李秋生認為他寫得不錯，有一次到鑽石山去探老友左舜生，順道去找他一談。在知道他會英文翻譯，便請他來做翻譯，並讓他早點下班，使他有時間乘搭渡輪返回九龍。大約五八年，國際版主編病了，由他代編，當主編病癒復職，報館特地安排他改任翻譯主任，然而在《時報》翻譯主任並沒有選稿權，他感到很不舒暢，與各編輯有意見，憤而辭職不幹。之後，他進過《華僑》、《新生》等報紙，到六三年《快報》創刊，他出任編譯主任。

繆雨在《快報》時，於副刊以「田雪」筆名寫一個新聞專欄。這樣過了幾年，他的友人請他到美新處辦的《今日世界》當編輯。不過他的專欄並沒有停，而且由於這時他能接觸到美國有關大陸情勢研判的內部資料，所以內容更豐富。

到七三年，他在鄺生推介下，去《星島》擔任國際版編輯兼翻譯主任，就是傳統的編譯主任，吳嘉棠怕有的人不清楚，所以用了如此長的職銜。

梁：他是在百德新街住所心臟病發去世的，真可惜。

潘：是的。他身材魁梧，不過實際上並不如他外表那樣健碩。他在《東方》寫專欄，正值大陸開放改革之始，所以他名氣愈來愈響，馬惜珍還特地安排他去金門訪問，後來又聘請他出任第一副總編輯。

梁：說起六十年代，冒起的報紙像《天天》和《新報》，在七十年代都辦得不錯，特別是《天天》，為甚麼會有這種現象呢？

潘：《新報》的情況我不是很清楚。《天天》則是在八十年代初才銷量大增。韋基舜在七六年將《天天》賣給「妙麗」手袋的劉天就，由羅治平打理。羅改了原本方針，以「馬經」為主，設計了一些因應馬迷需要的內容，因此銷路日增，到了原做廣告的韋建邦接手後，則更進一步，大量增加風月版篇幅，又天天刊一整版彩色美女畫，這些內容對新移民特別有吸引力，所以在八四年的時候，銷路直逼《東方》，但是還是沒有賺錢，倒是他們辦的那份《龍虎豹》風月雜誌，賺了很多錢。

梁：它賣得那麼多紙，也賺不到錢呢？

潘：早年，很多報出一張紙，有過萬份，就有錢賺。到了七十年代，日報出版二、三張紙，印刷成本及紙價加起來，所賺的就不多，賺不賺錢就要看有沒有廣告了。以《星島》來說，《星日》出紙較多，在五十年代初就賺不到多少錢，倒是出一張紙的《星晚》銷路、廣告皆有，年年賺錢，但是到了七十年代中期，《星日》在「分類小廣告」中遠超出其他報紙，尤以地產類小廣告為甚，造成的連鎖反應，是地產類大廣告也多了，收入自然大增。

梁：《天天》就是有銷路，卻未能賺錢。

潘：銷路好之外，還要看報紙的讀者群，以及在同類報的位置。我說過，本地商人不願在《時報》登廣告，但是我在《時報》之時，卻發現有兩個國際名牌產品不時會登廣告，一是奧米茄錶，另一是萬寶龍鋼筆。這是因為《時報》可進入台灣，而這兩種外國高檔產品是以《時報》台灣讀者群為推銷對象的。由此便可看出各類廣告都有其特定的對象。簡單來說，高品質的產品是不會在風月報紙登廣告。

此外，廣告量早已定了，到七十年代，比例上以電視佔最多，其次應是報紙，再其次是電台、雜誌。也因此，有兩家免費電視台，其中一家賺大錢，另一家必然很難有利可圖。報紙亦然，此之所以《明報》社評譯成英文，既增加它在國際的知名度，也可引來了外國高品質產品的廣告。

梁：《快報》和《天天》也曾經辦得很成功，但最終卻不行了，是不是與年代不同，營辦人不同和人才不同有關。你會不會覺得很可惜呢？

潘：我想情況各有不同。先以晚報為例，社會由量到質的變化，使晚報被淘汰，就如曾經盛極一時的周刊，遲早也幾乎會「絕跡」，這是不可避免的。再過二、三十年，平面媒體（紙媒體）可能只剩下免費報紙也不出奇了。

梁：為甚麼《天天》會不行的呢？

潘：是這樣的，《天天》屬於大眾化的報紙，到八六年銷路還很不錯，但在同類型報紙中卻只是第三，而且讀者較多普羅大眾，所以吸引不到足夠的廣告收入。

梁：《快報》呢？

潘：一句話，就是不能「與時俱進」，在胡仙全面收購之後，營辦的人又不在行。《快報》創刊後的十多年，年年賺大錢，股東年年分紅，卻只留小量儲備金。到了一九七六年，當時柯式印刷已相當普及，而有彩色印刷的《天天》求售，鄺生就建議向韋基舜購買，因有股東反對而買不成。《天天》後來賣給劉天就。再過兩年，報紙不用柯式印刷已不行了。董事會終同意改用柯式印刷，不過胡仙要求在《星島》換新的柯式印刷機後，《快報》才改。

《星島》向美國訂購了當年最新式的柯式印刷機，廠方原想派一位工程師來協辦裝機與開機工程，但《星島》派去美國觀察的人員，看到人家按幾個鈕，機器就能轉動了，以為如此輕而易舉的事，何必要請美方工程師，自己動手便可以。怎知回來自己做了，試了好久都不行，胡老闆幾次催促，印刷機還是未能開動。有一天，胡老闆終於按捺不住，質問總負責的胡爵坤，為何搞了一年多還不能開機，胡生支支吾吾。此時，剛好打理《星報》的洪希得來向她請示，胡老闆便問：「洪希得，你得唔得？」洪答說可以，胡老闆便叫他去做。《星報》已用柯式印刷多年，於是洪希得調了幾個版房工人，又高薪在外頭挖了兩位老手，當晚印刷機就能運行了，洪希得也就成了《星島》紅人。

《快報》柯式印刷機。

梁：羅斌的《新報》你又怎樣看？

潘：我很少看，羅斌是「環球出版社」起家，他辦的這份報紙，也是走大眾化路線，在這類型報紙中又不算突出，所以一直不能「脱穎而出」。

在這裏，我又要説回《快報》。到八二年，《快報》終於用柯式印刷了，卻是有規模報紙中最遲的一家。這六年的等待，使銷量與廣告均下跌不少，幸而在這期間負責採訪的梁儒盛與彭熾，都較喜歡做「政治新聞」，在軟性新聞已做不過人家的時候，正巧八十年代出現香港前途問題，使得在這方面可以發揮。

《快報》開始柯式印刷時，《星島》搬去九龍，《快報》便「自立門戶」，編輯部搬到原先購置的鰂魚涌工廈的單位。有一次，我要去台灣旅遊，在下班時向鄺生請假，他説好，並要送我回家。到了我家附近，他就同我談及報館的情況，表示他今後將主要對外拓展業務，他原先打理的內部事務由我負責，叫我考慮考慮。我去了台灣旅遊約一週，深覺悠閒自在生活之難得，不想挑太重的擔子，因此一回到報館，便婉謝他的好意。過了幾個月，他的健康已不如前，八三年還到醫院住了幾天，晚上到報館最多只逗留二、三小時。到八四年四月底，他又「舊事重提」，我也不好意思再推辭了。他在介紹我給機房、版房等工房主管時說，「潘生代表我，我不在報館的時候就是他話事。」於是我就做了他的「代理人」，這才發現各部門互不協調，因此便開始做些公關工作，請各工房主管消夜，促進他們之間的溝通。我又發現雖然此《快報》停滯不前，看似「暮氣沉沉」，但此時，又有好多個關心政事的大專教授對我說，「我們現在不看《明報》了，轉看《信報》，同埋你哋。」在中產階級的報紙中，《明報》是男讀者居多，而《快報》則是女讀者為多，只要男知識分子的讀者群多了些，聲勢就會大不相同。另一方面，《快報》的讀者群之所以多女性，最大原因是娛樂版辦得出色，然而在電視興起之後，《快報》未能跟上潮流，在這方面的報道顯有不足之處。到九月底，在北京採訪的《快報》記者曾慧燕，在草簽前取得一份初稿，連夜傳來報館，使《快報》成為全球獨家刊登《中英聯合聲明》的報章，這使我興奮不已。雖然《快報》要改進的地方還很多，但是我們相信量力而為，先搞好這兩方面，尤其是政情評論，便可以重新起步。

此時，鄺生正在美國動心臟搭橋手術，他在回港後不久，便向董事局提出增資計劃，按股份給款，因有人反對而不果。之後，他又提議董事暫不月支袍金，又不獲全體接受。《快報》股東原本每年分紅，到七六年，因為收入大不如前，便改為每月支袍金。如此一來，只好再拖下去，而報紙內容也只能「小修小補」。反之，《信報》在是年十一月份，增闢了好幾個政情專欄，增加了政治報道，林行止所寫的社論更成為非共知識分子「每日必讀」之物。

如是這般，中文報紙又加價，從每份一元增至一元半。過去每逢加價，《快報》銷量就下跌百分之十。這一次卻只跌了百分之三不到，鄺生大為興奮，更相信《快報》尚有可為。於是，去向胡仙借了一百萬元購買一架半新不舊的彩色印刷機，主要是印娛樂版，對員工的工資又略加調整。借貸要分期還，支付的工資又多了，加價所得已所剩無幾，而紙價卻在這時又漲了，使得經營愈加不易。那幾年通脹厲害，報紙接連加價，到九三年已每份四元。

鄺生的一位女婿，堅成影業關家的後裔，知悉《快報》的情況，便向鄺生說，他與幾個「富二代」願意出資買下《快報》，並實行《大公報》的經營模式，而且更進一步，不參與報館運作，一切由鄺生說了算。鄺生向我說了這件事，又叫我一定要做下去。之後，他去找胡老闆商量，此時胡老闆因尖沙咀「太陽廣場」的融資問題還解決不了，所以願售出她與兄嫂陳秀容的股份。

與此同時，《快報》的政治報道又有了改進，受到兩岸政府的相當重視，只要政治評論辦得好，到有重大事件時，一定能吸收新讀者。至於廣告，由於投資者代表一些歐洲品牌產品，《快報》又適合登這類廣告，因此短期而言，廣告收益必可增加，長遠而言，由於黃錫照有意加入，有利於拓展業務。然而，到了約定簽署意向書的那一天，鄺生帶着他的另一個女婿羅律師上胡仙辦公室，但胡仙忽然改口說「不賣了」。當鄺生問她為何反悔，她答稱：「買棵菜都要諗吓。」原來，在這幾個月期間，日本資金大量東來，日商以八億元買下「太陽廣場」，而她不但擺脫了困境，而且「有利可圖」。這次賺錢以及隨後幾次地產投資得利，使她對地產投資更有信心，轉而到海外各地大量投資，終造成丟失整個《星島報業》的結果。

鄺生買不成《快報》，心灰意冷。到八七年九月，新華社社長許家屯請了報界代表遊長江三峽，他與周融都有參加，在船上談起《快報》，鄺生就請周融回去問問胡老闆是否買回《快報》。周融回港後一問，胡仙立即答應，在短短一個月內就成交。

梁：周融是怎樣加入《星島》的？

潘：周融在英文《星報》出身，後來去了廉署公關組做了幾年，約滿後，他拿了離職酬金辦了一份馬經。他的那些馬迷朋友都叫他，馬經本子應是小型的，但是他卻堅持要如《明報周刊》那樣的八開本，好像出了幾期便把本虧了。他在其後幾年的情況我不清楚，只知在八十年代初，他有一次在《虎報》搞了個與《星島日報》合作每週一次的聯合小廣告，《虎報》叫「Job Market」，《星島》叫「求職廣場」。這個聯合小廣告很成功，他逢人便說，他負責之後，使《虎報》第一次賺錢。我一問才知道，這個聯合廣告的收入全歸《虎報》，而紙張開支則全由《星島》出。（**梁：**那麼《星島》不是要蝕吧？）那只是「數字遊戲」，《星島》那時賺錢，多付紙錢不算甚麼。周融好像也兼管編輯部，但寫的第一篇社論被報裏外籍編輯在文中用紅筆畫了好幾處，貼在佈告板上。之後不久，《虎報》有了一個外籍老總。就在此時，《星島集團》請了前《南早》第一把手當行政總裁。中外經營與管理方式有別，洋行政總裁要權力一把抓，但中國人公司不是這樣，職權因人而異，常有職、權不相符的情況，習以為常。因此，《星島》各部門反對洋行政總裁的作法是不難了解的，於是整個集團的十個部門的頭頭，都成為「聯合總經理」，如此一來，行政總裁便成了「光棍司令」。周融也就在此時出任中文報聯合總經理，但好像管不了日晚報的運作，只是負責小小出版社。

梁：胡仙買下《快報》，就交由他經營？

潘：胡老闆在八七年底買下《快報》，周融便到報館了解情況，與編輯部人員見個面。他有次在夜晚於我家對面的維園，與我長談，提及他的發展大計劃。我從他的言中之意聽出如果我想做下去，就得聽他的。對我來說這很刺耳，從來沒有人叫我要「聽聽話話」，就想一下頂回去。不過鄺生一再勸我做下去，以免他創辦的報紙「散了」，所以我再耐着心聽他說下去。周融說他要全攻型改革，我一聽就覺得不行，並舉八六年巴西足球隊大敗為例，中國有句古話：「創業難，守成更難」，用諸於報紙再貼切不過。辦張新報紙，找對了讀者對象，有足夠資金以及人才，辦成功的機會很大，後來的《經濟日報》、《蘋果日報》就辦得很好。而處於沒落階段的報紙有如逆水行舟，是不能進行「全攻型」大改，主持者必須知道已失去的讀者群短期內很難回頭，而改動太大又有可能使舊讀者棄之而去，絕不能太主觀。從《華僑》被《南早》收購後大改特改，沒有幾年便關門便可看到。所以，我勸他應先「穩守突擊」，不能急於求成，這也是我與鄺生想做的。我見他聽不進耳，便說「在你找到適當人手，我就改寫社論」，他也同意了，不過叫我先不要說出來。後來由於鄺生與編輯部人員對他所聘的人有意見等等，我與他起了爭執，故意設想出「過渡期」，在此期間不讓新人上編輯部。之後，他應允改善舊人的福利，我不為已甚，便於一月底離去。在向他辭職時，他還問我兩個問題：一是「好多人想做，你為甚麼不做？」我不好意思說「為人作嫁」有個限度，只答以「人各有志」。他又問我：「還寫不寫社論？」，我回說「不寫了。」

在這個期間，駱友梅又請戴天叫我去為他們開版，而我離職佈告貼出的第二天，周石又請我去《東方》，負責他正在做的副刊及出版社業務，因為他要調回「總部」再次負責編務。對去《信報》開版，我倒有興趣，但是三年多的勞心勞力，已感心力交瘁，恐力有不逮便婉辭了。

梁：後來，周石與《東方》搞得很不愉快？

潘：周石在八八年中又再打理《東方》編輯部，作出一些改善，然而第二年大陸發生「六四事件」，而處理政治新聞不是他的強項，所以遭人批評，他也鬱鬱寡歡，過了兩年便因癌症辭世。

梁：周融做《快報》做了多久？

潘：大約兩年多。他一開始就「走錯棋」，請了名練馬師吳志林評馬，又在亞視大賣廣告宣傳，結果在三次賽馬中，貼士大都不中。《快報》過去逢賽馬日銷路略跌一、二百份，到八四年鄺生請《天皇馬經》老闆許培櫻策劃，由《中文星報》馬經原班人馬，替《快報》開了一版新馬經。

這一招起了作用，大賽馬日動輒多賣一萬份，要是印刷機負荷得來，再多銷幾千份應不成問題。但是我們並沒有要「催谷」馬經，因為平日，這些馬經讀者是不買《快報》的。周融接手後，又請人設計了版面，又擴大經濟版，表面上看來，這都是應該的，只是他把「先後緩急」搞錯了，刪改幾個舊版，因而趕走了不少老讀者，顯然又未能吸收大量新讀者。我聽說最初一年的銷路比過去還少。

到了胡仙財政遭遇困難時，《快報》賣給「南華集團」的吳鴻生，就如《華僑》一樣，不會支持太久的。

梁：羅斌那份《新報》，你又怎樣看呢？

潘：《新報》是一份較大眾化的報紙，在羅斌時代，同類、同規模的報紙較少，所以有生存空間，《東方》、《天天》的崛起，顯然威脅着其生存。其後數易其主，也未能起到大作用。事實上，在七十年代，出紙一張的報紙，除馬經外，已無法生存。而中英報紙合計，最多只有六家能賺錢，一兩家不賺也不虧。隨着社會變遷，閱讀習慣的改變，能賺錢的報紙必然愈來愈少。

梁：但在七十年代，先有《信報》出現，到了八十年代，又多了一份《經濟日報》，為甚麼他們會成功呢？

潘：這兩張經濟報紙，都是以「小眾」為對象，有一定的讀者群，但其銷路與收入也會受到經濟起落所左右。《信報》是由有「股市大俠」之稱的香植球與林山木夫婦合辦的，然而在創刊之時，正值股市大跌，從千七點跌到百七點，《信報》沒有多少讀者是可想而知的。「香大俠」因自顧不暇而退出，並將所持股份贈與林氏夫婦，當時林行止專欄有交代。林山木一介書生，幸而夫人駱友梅善於打理業務，兩人苦苦支撐，一度將報館設備包括彩印機幾乎變賣一空，自己又外出打工賺錢，終於渡過難關。隨着股市的回升，到七六、七七年已站穩腳跟，而在港人愈來愈關注政治前途之時，《信報》也從純經濟報紙演變成政經並重的專業報紙，林行止的立論，符合大多數港人的意願，所以很受歡迎，在知識分子圈，取《明報》而代之。

梁：曹仁超後來就好了。

潘：是的。曹仁超自《明晚》起就是林山木的助手。《信報》愈成功，他的「投資者日記」也愈多人知曉、欣賞。不過，這個日記有其他人寫，也有林氏夫婦的手筆。

梁：《經濟日報》又如何呢？

潘：《經濟》在八八年才創刊，如《信報》一樣，是一份政經報紙，所不同的是它們的文字較通俗，版面較活潑，故能吸引到一部分專業人士。傳媒的文字應以「深入淺出」為主，文字愈深奧，看得懂的人愈少，《信報》有些專欄就犯了這毛病。

梁：說到報人，你最尊敬誰呢？

潘：我敬重的報人，真正的也有很多。就在我所曾接觸的而言，是大陸出來的報人，因為他們是以「富國強民」為己任，選擇新聞工作為職志的。他們又保持中國的重「士」傳統，做老闆懂得「禮賢下士」，老一輩愛才、護才，喜歡提攜後進。就以台灣兩大報老闆為例《聯合報》的王惕吾雖是「政戰」體系出身，初時不免有軍人作風，但他很快就改掉了，對人對事都表現出中國的優良傳統。而余紀忠……（**梁：**《中國時報》的余紀忠嗎？）是，余紀忠是「倫敦經濟學院」畢業生，也許是早年「鍍過金」，所以不那麼「虛懷若谷」，但是他對員工也很好，對他賞識的人近乎「放縱」。

梁：他們的子女是否有那麼能幹？

潘：我不清楚。不過時移世易，台灣解除報禁，主攻時事的小電視台如雨後春筍，過去的大報已不能「獨霸」大眾傳媒了。傳統大報需要改變經營方式。但余紀忠臨終遺言，要他的兒子好好照顧《時報》員工，不要裁員。余建新在掌舵後，不論怎樣盤算，也找不到出路，於是索性將整個《時報》集團出售。買方雖承諾不裁員，卻是結束了好幾個部門，節省了許多開支。如此這般，報紙終於能維持下去。

梁：香港的報人呢？

潘：早期的報人，都還有文人作風，比如《華僑》的岑維休，就很少炒員工魷魚。《工商》的何世禮，雖喜歡用軍人那一套來管理，但對員工也常「殷殷垂詢」。總之，老一輩完全不像現代有些報老闆，把「社會公器」當做「私器」，視員工如「奴才」或更不如，動輒炒魷魚，在開會時污言穢語似「黑社會」多一點。

梁：我印象中，當年香港出現了不少文人啊，像葉靈鳳、曹聚仁等人也在香港。

潘：這些人都是從大陸來的，早期文人來港與當時局勢有關，有的與《星島》的創辦有關。戴望舒應是「星座」副刊的第一任主編，後來葉靈鳳也編過。大名鼎鼎的喬冠華，來港時在《周末報》工作，也在《星島》寫了「國際述評」。《星島》初辦時還是很不錯的，但是由於風格與本土派報紙有別，未為香港人接受。曹聚仁是在五十年代才來港。

梁：那時還出了一個舒巷城，他是土生土長的香港人啊！

潘：對啊！他是寫新詩及小說的，不是做新聞的，而葉靈鳳在《星島》編副刊有二十多年，也可算是香港人了，劉以鬯也是，他的傑作都是在香港寫的，六十年來一直在編報紙副刊及文藝刊物。（**梁：**羅孚不也是嗎？）羅孚是多面手，不能算是純文人了。

梁：現在我覺得人才不繼了。

潘：這應是許多因素造成的，以文學或新聞業為職志的，已不太多了。另一方面，社會在變，潮流在變，沒有多少香港人有深厚的國家民族感情，而社會上好的工作機會不少，只要有才肯做必有機遇。其實，在七十年代這種情況已很普遍，我教出的三十二個學生中，只有十個左右做過記者，而終身做傳媒工作的，只有五人，而其中無一人是做報紙的。不過話說回來，在報館實習或做一個時期也是不錯的，認識社會多一點，有利於事業的起步。

梁：《星島晚報》是誰結束的？

潘：晚報的結束是遲早的事。七十年代是午報，八十年代是午後報，到九十年代，只剩下《星晚》與《新晚》了。《星晚》是在宋淑慧當總編輯之時。

梁：香樹輝為甚麼離開呢？

潘：香樹輝在九二年到《星島》，出任「中文報業總經理」之職，初來時在每日黃昏與編輯部開個會，但主要工作顯然是放在處理財務上。由於九二年《星島》業績很好，老闆認為他幹得好，又叫他物色總編輯。他介紹新亞師弟陸錦榮擔任《星島日、晚報》老總。過了一年多，老闆見陸生一直未能提出晚報的改革方案，乃任命駐美記者何鼎文擔任晚報老總，陸生專責日報。大概胡老闆事前沒有與他們商量，在宣佈這一決定時，陸生立即辭職不幹，香樹輝則思量了一天之後，第二天也提出辭職。兩人頭巾氣過重，而香樹輝的離去，對他本人與報社都是一種損失。

梁：你做過《快報》、《星島日晚報》，和《新生晚報》，你最喜歡哪一份呢？

潘：在《星島》寫社論。我先後在《新生》、《快報》負責編務，算起來近十年。做老總所遭遇的問題，很多時不是你個人之力所能解決的，所以有時會很煩。寫社論，若能暢所欲言，又能引起共鳴，還是挺稱心的。如九三年，我有感於李登輝數典忘祖，棄華僑於不顧，乃於華僑節為文，歷數華僑愛國之心，得前僑委會委員長毛松年在台北大會上誦讀。我後來聽了，有「吾道不孤」之感。

梁：寫社論有沒有受到干涉呢？

潘：那是少不免的，所以《大公報》訂下的原則最好，可以齊心對付外來的干涉。「三巨頭」吳鼎昌、胡政之與張季鸞共同決定如何立論，以少數服從多數，三人意見各異，則以執筆的張季鸞的立論為準。不過，我不知道有多少報紙是這樣做。一般來說，老闆身兼主筆，最能暢所欲言，在香港如《明報》的金庸或《信報》的林行止。而像我們這種「打工」的主筆，則需要有老闆的支持。過去民營報紙的老闆，是定了一個原則便不干預，但是今日有許多老闆多有「指示」，有的甚至是把主筆當成「錄事」，代寫他們的論點。

我在《星島》寫社論的時候，也有受到外面的干涉，幸而有人替我擋住了。起初是香樹輝，後來胡老闆派了主席辦公室主任傅超賢來主理《星島》、《虎報》社論。我們每天與他開次會，完稿後傳真給他看。他偶而會說有的用字不太妥，要我們修改一下，外來的干涉也由他去應付了。

梁：我很不明白為甚麼好像潘振良這類人才，在《星島》正在冒升期間，突然去了澳洲，他是被逼的嗎？

潘：怎樣說呢！振良從台灣讀書回來，就在《星島》工作。在八五年他擔任《星晚》老總時移民澳洲，也是在《星島》分社工作，到九一年老闆叫他回來當《星日》副總編輯。然而他剛來港上班，便傳來《星島》與胡老闆在海外投資大失利，欠債二十多億元，所以，公司給他的津貼只夠他貸屋，而這時澳洲也不景氣，他在雪梨的房子賣不出去，無法填補家用之不足。就因這樣，他又回去澳洲工作。胡老闆當時因投資失利搞到頭昏腦脹，也沒有多想此事。到九二年大陸樓市很好，港人很多開始北上置業，《星島》的大陸樓盤廣告特多，這一年，公司盈利超過三億元。此外，又將一些資產出售，這樣一來，欠下銀行的貸款，分十年攤還。（**梁：**後來胡老闆也不行了吧？）她自己的債務一直解決不了。也不知道是甚麼人教的，海外的大型投資總是《星島》集團佔百分之七十五，胡仙女士佔百分之二十五。如此，賺錢的時候對胡老闆有利，但一虧本就不妙了。

梁：因此《星島》就被何生何柱國拿去？

潘：事情是這樣的。她向何伯（何英傑）借錢……

梁：是不是她在海外各地投資失敗呢？

潘：是的，她的錢全投在海外發展上。她借了何伯的錢，而九三年《星島》又賺錢，使香樹輝得以運用他擅長的財技，得到美國一家投資基金以三億元購入胡仙手持的《星島》股票的一部分，從而紓緩她的財政困境。然而，她還是無力償還何伯的債款，到了九八年，何伯臥在病榻多時，業務已交由大孫何柱國打理。何柱國催債不果，向法庭申請胡仙破產，一面迫胡老闆將股份售予美國投資公司Lazard Asia。過了幾年，何生向該投資公司以較高的價格收購《星島》股票，而他才正式入主。《星島》易手後，政治立場有變，不再是中間略偏右的報紙，我也在此時離開。

莫光

無才無財《晶報》難捱

莫光（一九三一——二零一七），一九三一年出生，二零一七年逝世。少年於澳門就學，一九五六年《晶報》創刊後隨即加入，任總務，及後轉任攝影記者、文字記者等多個職位。後得陳霞子賞識，再升遷至編輯主任，最後升至總編輯。《晶報》結束後，轉投《文匯報》，任副總經理兼新豐廣告公司董事長。退休後任香港資深傳媒人員聯誼會理事、顧問。

訪問時間：二零一二年一月三日

訪問地點：北角寶馬山樹仁大學新傳系錄影室

梁：《晶報》在一九五六年五月六日創刊，一九九一年終結。莫先生看着《晶報》從開辦到結束。請説一下《晶報》的源起，它跟左報的關係怎樣？

莫：創刊時，香港報紙數量實在不少。社長陳霞子先生是一個非常有經驗的老報人，他稱低下階層的人為「屐板階層」，用今日的話來説，就是草根階層，甚至還不如草根階層。因為他們是穿木屐的，所以叫「屐板階層」。這階層比較貧困，大多是販夫走卒。陳霞子先生開辦《晶報》，就以他們作讀者對象。

當時的人手，不像現在這樣可從大學、中學生中選出來。幾乎可以説是大雜燴。有的人曾經做過這一行，或在指揮、文章整理、新聞選材上有點經驗，就找他們來「揸 fit」（做主管）。因此當時人手比較雜亂。

那年代的報紙，很多都是人手雜亂的，而且人手不多。我們《晶報》的人手是逐步增多的。原因是銷路愈來愈好，但工作量卻很重。

當年的報紙沒有很多版面、內容，例如沒有娛樂版，體育版也未必有。馬經版後來才增加，通常由社會、國際新聞這兩大版組成。所以當年記者人手很少，但報紙逐漸發展壯大，版面也愈來愈多，人手才密密增加。

梁：老闆是誰？

莫：老闆是一個華僑，他對辦報有興趣，四處找人，結果找到陳霞子。

梁：當時陳霞子在《成報》嗎？

莫：對！他當時很受《成報》老闆的重用。我覺得他不計較名、亦不計較利益，只要有得做就好了。他甚麼也不管，只要可以做合乎興趣的東西。他在廣州入行。年紀大一點的，應該知道廣州有一份《七十二行商報》。為甚麼他從《七十二行商報》入行？好像說《七十二行商報》當年徵稿，他十多歲就投稿。說來奇怪，以前老一代提筆寫文章，「麼、了、的」等白話文助詞極少，「之乎者也」居多。他年紀輕輕，居然能提筆寫一些近乎詩詞的東西。

梁：那應是四十年代的事？《成報》何文法也是同期在廣州文壇出現。

莫：何文法在香港才辦報紙。《七十二行商報》的老闆見他文章那麼好，約他見面。那個老闆以為他是中年人，誰知一見面，才知道他只是個小夥子。老闆感到奇哉怪也，就聘請他，看他寫作的功夫如何，果然厲害！之後，他在廣州這家報紙漸漸高升，後來才轉來香港。來港後，就在《成報》工作。《晶報》的老闆四處找人辦報，有人欣賞陳霞子的功力，也就是對低下層社會的影響力，所以請他去辦《晶報》。那時，他不是《晶報》的社長，是總編輯，每日寫一篇社

廣東七十二行商報

陳霞子投稿的《七十二行商報》，開啟報人生涯。

論。那時他的社論在社會中很有影響力，直到今天仍為人津津樂道。我一說起自己在《晶報》工作，其他人就會說：「陳霞子的社論寫得很好！」很多人欣賞他。他的文章屬「三及第」。所謂「三及第」是指文言文、白話文、廣東話混雜而成，讀者很喜歡。他就用這種語言寫稿。

梁：因此《晶報》得以冒起。

莫：《晶報》冒起有幾個原因。社論寫得好未必是主因，最重要的是整體品質優良，選材恰當。剛好《晶報》開張時接連發生幾宗大新聞。例如在西環有一家老小，開着車一起衝進海裏，全家死了！（**梁**：好像是五七、五八年的事？）是，我還有點印象。那時剛入行，當然是採訪鉅細無遺，回去才刪減。這篇新聞大受讀者歡迎，當然就會起紙。社長和經理發現，這一方向大有可為，讓大家努力寫這類新聞。

於是，我們報紙在這短時間裏，銷量愈來愈好。當年全港銷路最好的報紙，不是幾張大報，而是《成報》。陳霞子是《成報》出身，《成報》的老闆何文法當然會有害怕，心想：「要是把《成報》的精華，都搬到《晶報》，《成報》還能賺錢嗎？」

那時，何文法每天舉行會議，要採主、編輯、記者一起參考其他報紙，特別是《晶報》。若《晶報》有的內容《成報》沒有，就會質問。如果做得比《晶報》好，就大加鼓勵。《晶報》亦拼老命做社會新聞。社會新聞那時是非常重要的據點。

梁：當時鍾平先生的角色又是怎樣？

莫：鍾平只是督印人。他沒有擔任專職，只是督印人。

梁：他有沒有其他賺錢的方法，如找廣告等等？

莫：在外和別人打交道還是有的，但不是他的專職。

梁： 你自己的角色呢？

莫： 我的角色？別人聽起來會覺得我「車大炮」。我初進去的時候，只是做些閒職。（**梁：** 打雜嗎？）甚至連指揮飯堂買甚麼食材，我也做過！（**梁：** 黑手黨呢？）那倒沒有。因為我懂沖曬，黑房工作就交給我。後來人手不足，他們問我可不可以出外勤拍攝。當然好！這是我恨之不得的工作，工作算是記者的任務。

但攝影記者這個位置，我覺得做得太久不行。為甚麼？因為氣力不足。你帶着器材爬上爬下。我說：「文字記者，我也不太行，但其他工作，我可以試試看。」例如交通失事、火警、自殺案，為情自殺、寫了遺書的自殺案，這些都比較簡單，所以我開始做這方面的新聞。開始時很慘，我的第一篇稿是火警。編輯看了一眼，就將稿扔進垃圾桶！這激發了我的鬥志，下決心要寫得過關。所以，努力學習別人的寫法、改進。後來可以過關了，做了文字記者，漸漸成熟，做些更複雜的新聞，如「三狼案」、「林黛自殺」等等。

梁： 當時你的工資多少？

莫： 最初當攝記時是九十元。我要讚一下我們社長陳霞子！他對員工生活問題非常關注，總想着：「記者工資這樣微薄，怎樣生活？」於是他開了不同欄目給記者寫稿，目的是讓我們鍛煉，其次是讓記者增加收入。收入多了，寫稿寫多了，文筆也精進了。

陳霞子先生教人寫稿必須有「三多」。第一，多讀，就是多讀書、讀報；第二，多寫；第三，多發表。多發表要有平台發表，總不能貿然寫稿讓人幫你發表！因此，發表了也要再看，即使是你自己發表的也要多看，看看哪個地方字寫得不好，這才會有進步。其次，稿件經編輯處理後，看看哪裏改得好，你又會有進步。於是我們的記者，遵從他的教導，寫作愈來愈好。

梁： 《晶報》給我們的印象是一張左報，或是一張愛國的報紙，你們跟左派或新華社的關係怎樣？

他們有沒有資助你們？

莫：我不太清楚。那是經理部負責。無論辦報紙、雜誌，只要你是愛國、支持新中國的，總會有些愛國人士跟你友好。

梁：你說《晶報》冒起，是因為倚重社會新聞，除此以外，國內跟台灣的形勢和新聞有沒有幫助？如國內「三反五反」，你們有獨家消息嗎？當時，台北又有「反攻大陸」一說。

莫：大陸消息，也叫內地消息。我覺得「內地」是對的，那是周恩來說的。他說：「內地、外地，這是對的，把內地叫國內，你在的地方不就成了國外嗎？」如果報紙有愛國傾向，你去旅行時也會受到招待，這是友好來往。

梁：台灣因素呢？

莫：如果你熱烈擁護新中國，就會拉遠距離。

梁：當時，香港報紙壁壘分明。《工商》其實已變成右報，《華僑》、《星島》算是中間。《香港時報》更是右報，直屬中央社，有點像《文匯》、《大公》。你們《晶報》、《商報》算是外圍報紙。

莫：有人將我們列入左報。實際上我們叫自己做「側面報紙」。所謂「側面報紙」，就是我們不站左邊，但又不站右邊，這就是「側面報紙」。

梁：大逃亡潮時，你們的立場取向怎樣？

莫：其實，我們也覺得那時不太好。為甚麼？當時從梧桐山走過來的人，其實真的很多，很多報紙也有報道。如果你的報紙沒有報道，就像「不夠料」一樣，我們不能說沒有刊載，只是沒有像其他的一樣「詳盡」。

梁：你沒有去拍攝？

莫：初期有，後來人手不足，加上政策改變，所以不再讓我去，就沒有去了，讓《明報》從中得利。

梁：六十年代，你們跟《商報》競爭得很厲害。你們的定位怎樣，區別在哪？

莫：對啊，有競爭，會爭新聞的。其實每一張報紙都選擇讀者對象，你說你針對「屐板階層」，卻在賣弄詩詞歌賦、吟詩作對，讀者怎會覺得有趣？因此，你必須根據讀者對象去選擇用語。

梁：你們的副刊有甚麼特色？

莫：我們副刊最成功的，就是〈通天曉〉。這名是社長改的，主理的是劉以鬯，應該是容若編的，最初是一個姓李的編，之後他不做，才讓容若去編。

梁：「通天曉」是問甚麼就答甚麼，每事必答。如果沒有問題，是否要自己作出來？

莫：你不能在沒有資料的情況下寫這種專欄，不然一定會碰壁。因此，要選擇一些冷門又有很多人想知道的事物。《十萬個為甚麼》那種東西就不太值得參考。當年副刊有很多名作者，但因為稿費很低，所以都走了。

梁：早期有哪幾位有名的？

莫：林嘉鴻，是光頭的。馮鳳三，還有很多，我記不起了。

梁：說回五、六十年代。一九五九年《明報》和《新報》創刊，有沒有影響你們的銷路？一九六三年《快報》創刊，對你們的衝擊如何？

莫：我們走得較快，幾乎是在跑步了。這幾份新報紙，對我們沒有甚麼威脅。原因是甚麼？第一，我們已有固定的讀者群。我們在辦報時，定位已經很清楚，將社會新聞放在第一位。現在所有銷量好的報紙，都注重社會新聞。只要有甚麼大新聞，翌日一定會起紙，以前有一句「開槍打劫了不起。」，我們的發行主任在報販還沒訂紙時，就已叫印刷廠加印了。我們的社會新聞受到讀者的歡迎。《商報》跟我們取向不同。

其實，這不是取向問題，而是有不同的讀者定位。我們的對象就是販夫走卒、低下階層；《商報》以工人為主。我們的社論也愈來愈受到社會大眾歡迎。

梁：當年報紙售價是？

莫：最初我們賣斗零（五仙），（**梁：**何時增至一毫？）忘了，後來才賣一毫的，然後才增至兩毫、三毫。

梁：剛才提到梧桐山大逃亡潮時，你們的報道不太如實反映現象，以致流失不少讀者。（**莫：**對，有的。）文革對你們打擊更大？文革時，你們站在北京的立場，「抗暴反英」，不像《工商》、《華僑》、商台的做法。你們怎樣面對這樣的影響？

莫：文革時，我們已跟《文匯》、《大公》、《新晚》有些距離，跟《商報》差不多。但對香港的讀者來說，還是不受歡迎的。

梁：當時是否不准出馬經？當時左報都不能出版馬經。

莫：對，不能出版馬經、狗經。

梁：狗、馬兩經也不能出版，讀者流失量真的很大。便宜了《明報》、《快報》。

莫：所以《東方》崛起時說過：「我們的讀者，是《晶報》、《商報》送來的！」還說：「香港不應有這樣多報紙，一、兩張就夠了！」將來留下的報紙，也會有《東方》。

梁：其實說得沒錯！

莫：對吧，現在幾乎沒有辦法辦報。

梁：說回六十年代，你們文革時流失了這麼多讀者，銷路又下降，怎生存下去？

莫：那時要制定一個「開源節流」計劃。

梁：怎樣做呢？

莫：就是不加人工，但不加人工就「要命」了。夥計做了這樣久，當然有不同想法。大家想待遇好一點的，雖然也有一點不同，但是似乎只是幻想而已。讀者流失引致收入微薄，然後釀致更多惡劣現象。

第一，收入愈來愈少；第二，人力愈來愈不足。當過記者的都知道，記者不以人數取勝，而是要看地位、「才力」，也就是人才！那時，《東方》的外派記者有三十多個！若你也請三十多人，能否與《東方》相比？未必。因為一是勤力，二是才力。你有人力，無勤力又不行，有勤力沒才力也不行。記者去採訪，取得重要消息，然後寫成新聞，讀者會知道重點、選材好不好，這些很重要。就是說，關鍵在於你有沒有料，而不是人數。

例如，我們去採訪時，曾經有某報的人說：「喂，待會不要出聲好不好？」如果從新聞自由角度看，為何不能出聲呢？那時，記者接受了，為甚麼？因為工作分秒必爭，見到主角時，問兩句他就走了，一走了就沒了。

那些沒料的記者，問兩句閒話，甚麼也沒有，怎能成為新聞呢？

那個記者接受了甚麼呢？就是那些資料整理好後，也分一份給他，他只要不出聲就好。（**梁**：我入行時已不是這樣了！）有些人就是這樣做。人家能幫你問問題就好，技不如人的，不會去跟人鬥。

以前《晶報》當紅時，受訪者會問：「《晶報》來了沒有？」來了才開聲。（**梁**：對，跟 TVB 一樣。）這表示受訪者喜歡這份報紙，第二，接受明星報紙訪問，比其他二、三流的要好得多。

梁：在暴動後，你們這些報紙的銷路全都沒了！

莫：對，這是很難的，人力不足已讓採訪有困難；人才不足，讓工作更困難！

梁：你們自六十年代開始，已經在苦撐了？之後一直走下坡？

莫：對，那時經營已經很勉強、很節儉。我們用的人力很少，不足一百人。最後結束時，也只有一百多人。

梁：所以，我替你們不值，原來很好的，結果六十年代風潮來的時候，讀者都轉看《天天》、《快報》。

莫：他們也沒甚麼甜頭！如《新報》也是很多原因，人、財不足，一直以來平平穩穩，沒甚麼特別。（**梁：**《天天》呢？）也是一般般，不像我們大起大落。

梁：《快報》呢？他們咬着文革風潮而上的。

莫：可以這樣說，文革時，很多報紙如《明報》，都很突出。以《明報》為例，它的社論以批評為多，很多人喜歡。（**梁：**就如當年的「核褲論」？）對，那是查良鏞之作。其實《快報》、《新報》、《天天》不是站得很穩。

梁：一九六九年，《東方》創刊，銷量馬上彈起。

莫：薪資是很大的因素！若果被解僱了，即使再找到，也找不到同樣的人工，當然會拚命工作！

梁：所以馬老先生在這方面很厲害，他請了一大堆人手，如梁小中等人去幫忙。其他報紙就慘了……

莫：其他報紙確實是難熬。特別在廣告方面，報紙要靠廣告養活。廣告就是商品，小廣告在後來愈來愈少，更別說其他。我舉個例，那些中國成藥廣告，是《晶報》、《商報》很重要的收入來源。但那些成藥廣告愈來愈少，我們的收入也愈來愈少。當然，《東方》還沒出版時，我們的薪水雖然較低一點……

梁：六十年代時是多少？你加入時是九十元。

莫：不，後來升得很快，我們社長做得很好。

梁：六零年代末工資又是多少？

莫：夠不夠三百呢，好像是二百多。

梁：記得我加入麗的時，是六百元，《工商》是三百到四百多元。你們應該差不多？七十年代末才是一千多元，記得我剛從美國回來，加入商台時，只有一千五百元，之後加得很快。其實，我們這一行在九十年代工資最高，《壹周刊》跟《蘋果》將人工拉高了。千禧年代，經歷沙士等事件，又開始回落。

莫：整個報業的薪水中，銷量最大那幾份報紙，我們肯定追不上，記者分分鐘被挖走。挖角肯定是成功的。

第二，留不住人的，像許友明就是明顯的例子。他先去電台再去TVB，我跟他很好的，但也留不住。那時，將他的工資提高一倍。或許增至一萬，就可留住他，但我做不到。結果，很多夥計都是這樣。

梁：你們有沒有像《文匯》、《大公》一樣有福利？左派的糧油機構會以很優惠的價錢售給員工，滿足員工的生活所需。

莫：沒有，就算是《文匯》、《大公》也很低薪的。（**梁：**津貼呢？）所謂津貼，就是記者看病，會按你的病情申報幾成醫藥費，那我們算是有的。（**梁：**但食物呢？）沒有，你要自己處理。（**梁：**宿舍呢？）《文匯》、《大公》有，我們以前有！後來租金飛漲，要開源節流，才沒有的。

梁：你們最早的社址是在中環？

莫：不是，初時是在修頓球場對面，之後搬到中環威靈頓街，那是買下來的。（**梁：**從修頓搬到中環，就在任護花《紅綠》那邊？）對，任護花在上面，我們就在下面。

梁：你們何時搬回灣仔？

莫：因為地方不好用，所以搬回灣仔。（**梁：**灣仔是買的？）不，那是從一位商人手上，用很便宜的租金租回來的。（**梁：**好像是《循環日報》大廈，有《晶報》、《正午報》、《田豐日報》吧？）對！有很多愛國事業，業主認為我們是愛國事業，所以便宜一點租給我們。

梁：七十年代，面對這樣多的報紙競爭，你們怎樣生存下去？

莫：真的很慘，跟《商報》一樣，連《商報》都不行，也賣盤了。

梁：《晶報》為甚麼能存活那樣久？你是陳霞子的女婿，接手他的業務。除此之外，還有沒有甚麼人物，讓《晶報》可以持續這樣久？

莫：沒有，都是靠讀者支持。後來，香港發生「五月風暴」（六七暴動的一部分），之後是文革，因此影響了報紙的銷路。唉，每日上班，總有人辭職，我要去挽留。我的工作竟然是做這些事！

梁：你當老總，沒辦法。回過頭來看，你入行時，報業很發達，還沒有政治干預。《紅綠》的任護花可以說是一個怪傑，經營得很成功，你怎樣看？《真報》的陸海安，你怎樣看？

莫：報紙的讀者各色各樣，現在還有張棋報。（**梁：**還有嗎？是不是《天下日報》？）好像是。總有讀者願意花六元，買張這樣的報紙。

梁：《紅綠》好像有不少情色小說？

莫：《紅綠》的特色，與眾不同。例如昔日的插圖通常是畫的，任先生的插圖則是照片，他找來一些舞女，在床上拍攝。不是說拍裸照，是一男一女在床上聊天，那是真人真相！任護花的影評非常中肯，因為《紅綠》不登戲院廣告，不用刻意為他們說好話。任護花的文字很「抵死」，比如「某部電影不好看，觀眾頻頻上廁所」！

梁：陸海安的《真報》呢？

莫：他們靠甚麼不得而知了，人力非常少，只有十個八個。

梁：你們另外一份《田豐日報》又怎樣？

莫：靠馬經的！

梁：《正午報》呢？

莫：狗經囉！

梁：原來是這樣，王世瑜的《今夜報》呢？

莫：不知為何當年很多人對辦報有興趣，所以出了一堆新報章，王世瑜出了沒多久就不行了。

梁：但他的第一桶金就是從那裏來的。

莫：只有他能這樣賺錢。他這個人有很多「噱頭」的，光是「氣功」就能騙倒一堆人了！那個「氣功」是放一枝火柴在口中，一口氣吞下去！（**梁**：他也拜狐仙？）對，那些只是魔術。你看着沒理由的，就是魔術了。好像說他是第一個會氣功的，可將查良鏞的名片，傳給北京的「氣功師」，最後失敗了。那人就是張寶勝！那時，很多人信他！兩人串聯起來弄魔術。當年，「氣功」已風行全中國，很多人靠它賺錢。曾經有讀者問張寶勝：「我生了幾個女兒，我下一胎可否生兒子呢？」他說：「行！生男生女都可以。」後來那讀者更給他送雪櫃、電視，但最後，又生了個女兒！這讀者向我們投訴，卻不敢找他，她說：「他會氣功，讓他弄得我半生不死，那我還得了！」這怎麼可能呢？她竟如此迷信。

梁：說回來，你們跟左報的關係也很熟絡吧？你跟張初（《商報》）他們關係很好，張初怎樣出身？

莫：張初是《文匯》出身。

梁：你在哪裏讀書？

莫：我在澳門讀書，出來就入報行了。

梁：李子誦是怪人，那張初是不是？

莫：沒有啊，陳霞子不認識張初。後來也是屬「掛名朋友」，沒有很深交情。說李子誦是怪人，是因為他的樣子怪。

梁：陳霞子怎會將女兒嫁給你？

莫：陳霞子將女兒嫁給我的最重要原因是……我很勤力，聘請我應該是件好事，舉例來說，陳霞子過身後，我當了編輯主任，背起整個報館，六年無休，週日無休，大假無休，公眾假期也沒休息。我跟人開玩笑說：「我跟你不同，我要貼錢打工。」說起來好像很「得意」，要貼錢上班，但只是說笑而已，指的是坐車上班要花錢。陳霞子喜歡勤力的人，他覺得我這個年輕人勤快，可能就是這樣。我很感激他，但他的決定對他的女兒和我來說可能不是最好的安排，因為她不能嫁個如意郎君了啊。

梁：你們在七十年代怎樣經營？

莫：很辛苦的。

梁：你們沒有左派的資助，廣告又不多。

莫：剛才說到開源節流，真的很重要。廣告部很拚命……

梁：你們銷路不足，很難拿廣告？

莫：所以，我們的工資跟別人相差太遠。某報出世後，我的工資才加了一倍。不是因為我們風光而加一倍，也不是記者厲害而加一倍，而是人才一直在流失。就算工資加倍以後，跟人家比還差一倍不止，那你怎樣熬呢？例如你是三千元，人家已經是一萬二、一萬三元了！

梁：現在的左報最成功的，是《商報》。為甚麼它會成功？它的成功不在香港，而是在內地。深圳那邊，現在的銷路很不錯，又變回大企業，你怎看《商報》的轉變呢？

莫：它的那些措施，我是不會做的。它不是靠內容在內地推銷，而是靠狗經、馬經、六合彩。現在的人買報看甚麼？大概仍是六合彩、狗經、馬經、波經。（**梁：**但它不是在深圳變成大企業嗎？）只是大企業內的附屬品，他們不能作主的。

梁：對！這企業不是他們的。現在《商報》在香港的銷量不多。

莫：是深圳特區報集團的。深圳《特區報》開辦初期，派記者來我們報館。來做甚麼？來找些香港新聞回去，我們出勤時，他們也會跟着出勤。我們有而他們沒有的東西，就讓他們拿回《特區報》。現在《商報》基本上只靠馬經、六合彩。

梁：你怎樣看那一班大學生在左報的角色？七十年代最多大學生在左報工作，像麥華章、程翔、劉敏儀、陳南等等，大學畢業就進左報工作了。「六四」之後，《文匯》將所有大學生都辭退。（**莫：**有些是自己飛走的。）那時，大學生都是一腔熱血進去，但到「六四」之後，甚麼都沒有了。你怎樣看這個現象？

莫：現時不是不要大學生，樹仁的畢業生還是有的。

梁：你那一輩的報人，大都已經老去了。讓你印象最深刻的有哪幾位？除了你欣賞的陳霞子外，還有誰呢？查良鏞、張初？

莫：張初很好，筆名金依，很會寫，但身體不好。那時候，他沒有想過離開《文匯報》，只是受邀去創辦一張新報紙。我們也一樣，創刊初期，經驗極少。以前我們的採訪主任雷潤泉是《華僑報》的記者。那時有幾人從其他報紙過來幫忙。

梁：韓中旋也是一個怪傑？

莫：韓中旋來港後先在《明報》當記者。有人說他在我們這邊出身，因為我們幾個人來自澳門，而他又在我們這邊編過馬經。

我記得他編馬經時不夠稿，那怎辦？找我幫手？若是相信他的貼士，就輸到「仆街」了！哈！

我不會看狗、馬經這兩大版，我只看有沒錯字而已。他度了一條「橋」。以前報紙要執字，一版有十七條字，上面兩條字，他將「馬經貼士」字樣弄得很大。我記得有一匹馬叫「美國生菜」，他又用毛筆寫出來作貼士，全都給他寫中了！哈！全中以後，一傳十、十傳百，讀者都說《晶報》厲害，中了多少場。

梁：張寬義是否《晶報》出身？

莫：張寬義《超然報》出身，然後才過來我們《晶報》。還有許奎，把他拉了過來……（**梁：**許奎後來去了《成報》？）對，結果心臟病死了。他值夜班，其實許奎在報館中不受重視。他寫稿不是很好，採訪又不太行。這兩樣不行，怎樣做記者呢？

他從《超然》過來我們這裏，其實是他跟某個記者發生爭執，他認為高層處理不當。《成報》把他拉了過去，他就發達了！（**梁：**張寬義還是許奎？）許奎。張寬義後來去了電台，後來又去了電視，也有去《天天》。（**梁：**最後去了《信報》幫駱友梅？）張寬義的老婆是我的同學。

梁：張寬義死後，他老婆不太開心，因為發現他有個情人。

莫：對，他老婆也這樣跟我說，一直都不知道，出殯那天才在靈堂上出現。張寬義這種人很少有，是個怪人。

他喜歡我女同學時，我跟他說：「我給你介紹吧！」介紹時，用一種「粵語殘片橋段」。甚麼是「粵語殘片橋段」？就是我約同學去飲茶時，一併叫張寬義過來！聊了一會兒，就說：「我突然有點事要忙，你們慢慢聊。」這不就是「粵語殘片橋段」嗎？

梁：你怎看何文法？

莫：他很熱心。（**梁：**聽韓中旋說，他滿有老闆的風度吧？跟夥計的關係很好。）何文法在廣州跟陳霞子、李子誦、吳楚帆、任護花等認識，所以才來港辦報。他本來只是校對，怎料他來港後能辦得這樣成功！他每日都拿着《晶報》、《商報》和稍有地位的報紙，叫採訪主任和編輯飲茶，看到好的就讚，不好的就彈，鼓勵士氣。何文法很勤力，他辦《成報》時，陳霞子既不是老總，也不是老闆。（**梁：**不是編輯主任嗎？）不是，就是沒頭銜的主筆。（**梁：**主筆也是很高級的。）對！主筆負責寫最重要的文章。以前每年過春節，都有職員拿着紅簿找報館高層簽花紅，讓他們拿出部分工資，作為對員工的鼓勵。那些夥計很狡猾，讓陳霞子第一個簽。他這個「懵佬」沒有「錢」的概念，有時候他一簽，就送出了一整個月的人工！為何要找他先簽？有道理的，陳霞子簽完，再找何文法。陳霞子簽了五百元，何文法可不可以只簽五百五十元呢？老闆要簽更多才行。

梁：當年報行老闆真的很刻薄？老闆都能賺錢，但又把工資扣了。

莫：他有雙糧出，獎金是多餘的！你沒聽過《真報》如何出糧吧？（**梁：**不知道。）那真是怪事！有一段時期，《真報》會在每個記者桌面上，放大約七元。那代表甚麼？意思是：「麻煩你，就這樣袋着七元去開工吧！」這就是人工，每天七元！任護花那份《紅綠》，會分發獎金。例如有少女自殺時，廿六歲以上的有五元，廿六歲以下的就有十元！

梁：那是五十年代？

莫：六十年代初。（**梁：**為甚麼要這樣做呢？）是任護花的弟弟任達年發放的，看頭條來發放鼓勵性質的獎金。

梁：在那年代，十元、五元已是很厲害了！

莫：但不至於每天都能寫到頭條。你寫頭條才有獎金。

梁：記得當年報紙還是國際新聞為主，不是港聞為主的。《商報》改以港聞先行，你們也是，但其他報紙卻沒有。

莫：對，我入行時，很多報紙開始改以本地突發新聞作為主要新聞，這的確是有市場的。

梁：好了，你怎看現在的報紙？全部都口語化、粵語化、本地化了。

莫：我看《成報》也是在「玩完」的路上。（**梁：**其他報紙呢？）其他的也很難捱。

梁：你不覺得現在的報紙也很政治性嗎？很奇怪，香港的報章老闆，幾乎一定是政協！是不是因為要政治本錢，現在的人才去辦報呢？

莫：這個未必。但在我看來，有可能是因為給了你政協的名銜之後，你日後就會想：「有些事要小心點。也有些事可以幫他們推銷一下。」

梁：像《南華》的郭先生（郭鶴年）、《新報》的楊先生（楊受成）、《明報》的張曉卿先生，甚至《星島》的何先生（何柱國），他們在內地也有很多生意來往？好像是很多東西結合在一起吧，不是這樣簡單。甚至李澤楷也有這樣的身分，可能他不搞這些就沒有這種身分了吧，你怎樣看呢？

莫：我看這些可能只佔少數，很難說。可能有這樣的意向，例如說現時的《東方》與《蘋果》，他們的廣告費貴得很。但不收這樣貴，報紙又怎樣出糧呢？我最記得我們在鰂魚涌時，樓上的公司給我們看過名單，那時還沒出《壹周刊》，他們的組織大約有五十人，工資總共二百五十萬。我一算，嘩！平均每人五萬元，我們怎樣捱呢？

梁：但這又不能帶動加薪潮？

莫：對！甚至說：「掃街的工資，也要比外面的高！」（**梁：**高百分之廿五！）無論跟政府還是私人公司相比，都非常高。

梁：那時《壹周刊》二十四小時都在工作，我們不會離開辦公室。現在的員工一到下班時間，就雞飛狗走，完全不會留下。創刊那三個月，大家很投入。

莫： 對！很簡單，菲律賓的生力啤酒請報界人士去參觀，他說如果你在生力啤酒廠打工也做不下去，就沒人請了。為甚麼呢？因為啤酒廠的人工是全菲律賓最高薪的。若你做不下去，證明你對老闆不住，以後也沒有人會再請你。因為你人工這樣高也不做好，就是這個道理。

梁： 免費報紙會不會將所有收費的報紙都打倒？

莫： 現時免費報的潛力真的很大，如《爽報》，早、午、晚三版。真真正正看報紙的，是沒上年紀的人；上了年紀的，一份免費報紙就夠了。一份免費報紙，有狗經、馬經、股票、新聞，樣樣齊全，一般的老人家只掃兩眼，看到在哪裏撞車，死了多少人就拉倒。年輕讀者可能會覺得「不夠喉」。現時有些報紙，例如《爽報》，看到之後會讓人感嘆：「嘩，內容這樣豐富，又不用錢！」所以，收費報紙都危在旦夕了。好像《成報》這樣，怎能捱下去？《快報》也早就倒閉了。《新報》只是楊生在支持，換作別的老闆，早就收攤了。

梁： 左報怎樣呢？

莫： 左報仍然依靠津貼。

梁： 《文匯》、《大公》、《中國日報》等……

莫： 其實《中國日報》是多餘的，我認為，買它的人是「戇居」！不是說笑的！它有甚麼特色？（**梁：** 但它有很多人力物力。）對啊！但他們這樣怎能做下去呢？

梁： 左報理論上就是沒前途吧？（**莫：** 你所謂的前途……）我指沒有銷路、讀者群，你拿錢印報紙給自己看嗎？沒讀者群那要來做甚麼？為甚麼要這樣做？

莫：現在的報紙進步了，不像以前那樣八股，不像以前那樣有明顯立場傾向，但是新聞比例，先不說港聞，說國際的，哪樣佔重？以前《大公報》社長是東北人，他從東北回來以後，一連幾個頭條都是東北的新聞，連東北有家金舖開店，他也賣廣告。這對讀者來說，絕無好處。對那家金行也沒好處，難道讀者要去東北買金嗎？對那金行的推銷也沒效果，只是你收到廣告費而已。另外，新聞都是報道社長去哪、跟誰握手甚麼的……鬼才會看吧。只能將這幾份寄回東北，讓幾個東北人說：「《大公》做得好啊！」

梁：你怎樣評價費彝民？

莫：費彝民這人真的不錯，他又是報人，又有外交家身分，他本來就是負責外交的，也很會團結人。

梁：但是，今日的《大公》、《文匯》……

莫：今時怎會跟往日一樣呢？本地報紙要本地化，這事要想辦法處理好。

梁：現在他們偏安一隅。我不知他們發生甚麼事，像將北京搬來香港一樣。

莫：我說，你辦報再怎樣正確、不正確也沒有用。最重要的是，你受不受讀者歡迎。陳霞子有句話很有用，將來辦報的也可拿去參考。他說：「報紙內容，不要全都放在宣傳上。」不管是宣傳左還是右，都一樣。辦報是要講手段的。

現在的人喜歡看突發、八卦新聞，你就要以此拉攏讀者，這叫手段。報紙宣傳新中國甚麼的，讀者看得多，就可能潛移默化，這就要看手段了。

如果沒有手段的，「雲吞麵靚都無人知」！賣廣告也是手段。要讓人覺得：「呢間嘢試下都好喎！」這樣你就成功了。

梁：一九七八年，改革開放，中國在很多方面都有新的一頁。為甚麼左派報紙不能以這個勢頭去打開新的局面呢？你們為甚麼不這樣做？

莫：這很複雜。我認為最緊要的是主管人。（**梁：**當時是你吧？為甚麼你沒有去做？）對，我是，但我着重港聞，我們沒人力，沒財力，沒能力，那怎樣做呢？是你主管，那又如何呢？

梁：改革開放後，不是有更多國企將廣告放回左派的報紙嗎？

莫：我也曾以為是。別說改革開放，香港回歸，我也以為機會來了，想着外國商人、想接近中國的商人都會給點面子。原來不是，完全達不到效果。

梁：所以你們跟《商報》也……

莫：對，很難的。我們跟《商報》，關鍵是沒有人力。就好像採訪，要有三種「力」才行。一，人力；二，才力，就是才華；第三，還要有財力，就是錢。例如，坐的士肯定比巴士要快。你全都輸了！曾經有人問我：「假如現在做報館，你還行不行？」我不敢說行，但是整體運作我是懂的。

梁：你這代報人，只有胡棣周發達了？好像沒第二個了。

莫：對，發達的人，不會靠報紙發達的，是靠其他的事情。

梁：他的人脈關係，讓他可以搞核電廠。

莫：碰巧有這樣的機會，我就沒有發達的命了，因為要面對鬼佬才行。

梁：不能說是坎坷，但是真的不太順。報人不應如此的！

莫：不過要知道，很多人都這樣說：「假若你要害一個人，很簡單，叫他辦報就好！」辦報的，十個有九個失敗！

梁：但林行止、查良鏞、羅斌都靠辦報發達了。

莫：羅斌是個商人！他不是辦報，他會計數、找廣告，很節儉。

梁：《華僑》跟胡仙也不錯啊！

莫：《華僑》賣得早嘛，賣遲一點也蝕到「仆街」！現在岑才生也不管報紙了！

梁：左派報人的晚境不太順。（**莫：**沒法子。）國家又不理他們了，有點傷感。

莫：做報紙的，嚴格說一句，做過才知道。不過它比很多行業要好了。好在哪？做報紙不像其他行業，並不刻板。就以自殺案為例，自殺的人，也不會相同吧！有些年紀大，有些較年輕，有些為情，有些為錢！

梁：我跟學生說，工作超過三年的，也很難再轉行了。我也試過，真的轉不了。因為根本坐不下來，要走來走去，過慣了快節奏的生活。案頭工作，你怎樣捱得過？做久了，得罪的人多，又怎樣當公關呢？我們的脾氣是很耿直的，一來就發火，做不了！我很佩服「大班」（鄭經翰），他去做「Spin Doctor」（政治化妝師），周融也發大達了。他們的性格很不同，但左派很難出這種人。

莫：正如我剛才所說，主事人很重要，因為始終要開放，否則你再能幹也沒有用。好像鄧小平一樣，剛好領導層只剩下他，他的聲譽最高，說的話有人聽，你看看如果是別人來說，還有人聽嗎？

梁：九十年代初，改革開放差點半途而廢，幸好他發表「南巡講話」，一錘定音，否則不會有今天這樣的生活。

莫：對！所以說老總很重要，他有權力決定今日的要聞。

梁：你當年有權力決定嗎？

莫：算是有的。

梁：但廣告沒有起色，是不是經理部的問題呢？

莫：他們也很難做，我很體諒他們，他們說：「要找廣告，首先銷路要高一點。」在商言商，賣廣告的，見到你賣這樣少紙……

梁： 現時，好像只有兩份報紙可以吧。不是一就是二，第三份已經不行了。我說廣告，好像《成報》行，另一份也可以。第二份之後就不行，《文匯》、《星島》、《工商》都很一般，只有《成報》一枝獨秀。印象中好像是《星島晚報》吧？之後，就是《東方》跟《成報》了。九十年代，只有《蘋果》跟《東方》，其他全都在下面，賺不了錢的。

莫： 我覺得《東方》、《蘋果》這兩份報紙鬥得很厲害。

梁： 對！免費報也只有《頭條》賺錢，其他幾份也是僅堪餬口。免費報會不會只剩下兩份呢？

莫： 我這樣看，不知你會不會早起。搭地鐵時，乘客十有八九都會拿免費報去看。我說，你年紀大時，拿一份免費報看就可以了。這樣已經能滿足你的需要了！

梁： 對！這樣就足夠了。

張初、許燊

《商報》雙傑

張初（左）與許燊。

張初（一九二六—二零一六），原名張燮雄，筆名金依，一九二六年於廣東中山出生。一九五一年加入《文匯報》為校對，翌年調任《香港商報》，任校對組組長，歷任編輯、副刊主任、編輯主任，一九八九年升任總編輯，至一九九一年退休。張初於《香港商報》任職副刊主任時，曾邀請梁羽生、金庸撰寫小說，開創武俠小說先河。張初亦著有多部文學作品如《少女日記》、《怒海同舟》、《同心詩》、《香港水上一家人》、《樓下樓》、《錯失》、《金依小說選》等。

許燊，一九三四年出生，一九五二年聖保羅男女中學肄業，隨即加入《香港商報》成為外事記者，主力跟進立法局、新聞處、法庭、工商署、社團等新聞，一九六一年兼任社論作者，一九九三年升為常務副總編輯。一九九六年轉至《天天日報》，任職主筆。一九九零年代至二零零五年期間兼任香港協進聯盟研究中心主席。

訪問時間：二零一二年一月三日

訪問地點：北角寶馬山樹仁大學新傳系錄影室

梁：張初是第二任總編輯吧？

張：是。

許：《商報》在轉手前只有兩個總編輯。第一個是張學孔，第二個就是張初。

梁：許燊你呢？

許：在《商報》的工作是我第一份工，幾十年，甚麼都做過，初時做記者，隨後做翻譯、編輯、常務副總編輯、主筆，未滿二十歲，做到六十一歲離開，一口氣做了四十餘年。

梁：你很早就入《商報》了嗎？

張：他是出了報紙之後幾天才加入的。

許：對，《商報》原定十月十日出版創刊號，因為十月十日台灣慶祝雙十節，所以改為十月十一日出版。十月十四日晚，張學孔老總親自到我家，通知我明天上班。所以我是在《商報》出版了四天後才上班的。

梁：我希望你們兩位說一下《商報》的源起。《商報》是於一九五二年創辦的，為甚麼要選那年、那天創刊，當時的環境又是怎樣的呢？

張：《商報》於一九五二年十月十一日創刊，為甚麼要辦《商報》呢？大家都記得當年發生歷史性的「三一」事件吧，《大公報》、《文匯報》遭到嚴重迫害，兩報負責人費彝民、李子誦同被拘捕，《大公》甚至被迫一度停刊。在港的愛國力量擔憂，若《大公》、《文匯》都被封，愛國力量再沒有發聲的喉舌了。在當時的嚴峻形勢下，要註冊辦一家新的報紙不可能，於是便決定利用《經濟導報》屬下的《標準行情》改一下，變成《香港商報》。《標準行情》原是商品的報價單張，當時正值朝鮮戰爭，內地很多商品，特別西藥，要在港採購，《標準行情》因此很吃香，聽説還賺了不少錢，將它改為《商報》在技術上也簡單，改頭換面便是，結果港英的出版關卡還是順利闖過了。但為了適應當時的形勢，強調要屬「灰色」性質，要低調，不像《大公》、《文匯》那樣旗幟鮮明。

梁：所以就順理成章創辦了《香港商報》？

張：對了！

梁：當時《經濟導報》的員工是不是跟了過去？

張：《經濟導報》的人手……他們編輯部的人，全都來幫忙了，因為他們人少，如記者甚麼的……（**梁**：他們是辦期刊的嗎？）對，他們是期刊，他們除了《經濟導報》以外，還要做我們《商報》。《標準行情》的主編李少雄也成了《商報》的督印人。至於經理部，初時是分不開的，只有一個。

梁：《經濟導報》又有甚麼背景？

張：《經濟導報》的來頭可不小。它是著名經濟學家、周恩來總理的經濟顧問許滌新戰後在港創辦的，是香港最早的親共報刊之一。四九年大陸解放後，它的主要人員都回內地做官了，許滌新當上全國工商業管理局第一任局長，蔡北華、孫瑜等分別當上上海、廣州等大城市的工商業管理局局長，留下來的，陳陌軍做總編輯，陳展模做經理。他們的社址是上環乍畏街一零二號四樓一層樓，容不下《商報》。《商報》的第一個社址是干諾道中一四五至一四六號（即一四五號地下全層、二樓前半層，以及一四六號二樓全層）。那是民生輪船公司撤回內地後空下來的辦事處。

梁：除了《導報》，聽説《大公》、《文匯》也調了人一起辦啊。

張：對！《文匯》、《大公》都調了人來。《大公》就派張學孔去當老總。他很有資歷了，燕京大學新聞系畢業。（**許：**也讀過有國民黨中央黨校之稱的中央大學）。對，他讀過好幾家著名大學。他在重慶加入《大公報》，因為寫文章得罪當局，曾被抓去坐牢，出獄後立即逃港。此外，《大公》還派了一位資深記者俞安本當採訪主任。

《文匯》方面呢，也調來了資深高層李沙威。是搞副刊（**許：**那就是副刊主任），後來做了編輯主任、執行副總編。曾就讀過達德學院的

俞安本（前右一）。

楊毅，也是《文匯》調來的，當經濟記者。我也是從《文匯》調到《商報》的，主要是主持校對部門，教一班人去做校對工作。就是這樣。排字房的兩個領班，也是《文匯》的人，都是上海佬；因為字盤是上海盤，要他們訓練一班人去排字，所以他們比我更早去。訓練排字的時間很長。我訓練校對的時間就很快而已。

許：除友報之外，南洋煙草公司集團也讓它屬下永發印刷公司調來一位高管吳子安，出任經理，他原是胡文虎的夥計，約五十歲，已是全報館年紀最長的了。他來了以後，社委會就由總編輯張學孔、經理吳子安，發行人李少雄、副總編李沙威四人組成。

梁：聽你這樣說，當時只有幾十人吧？

張、許：對，其實都是幾十人。

張：最多人就是排字房了。

許：字房除了由《大公》、《文匯》抽調一部人來之外，還有一些是經工會介紹由《華僑日報》等轉來的，此外，也有多個勞校學生加入做學徒。

梁：還有沒有其他人手加入？

許：有，黎草田是其中一位，他是很有名氣的愛國音樂家，精通英文，也擅長俄文、日文，戰時曾率團到內地前線勞軍。他到《商報》做翻譯，全屬捱義氣的支援性質。他不僅全身投入，還把產後不久的太太楊莉君也帶來，參加工作，而他們的兒子黎小田有時也跟着來玩，很開心。草田本人做了半年，就被電影公司召回去，但他太太仍留在《商報》，主持娛樂版，多年後，才轉到《大公》去。此外，左派電影界頭頭廖一原也讓他的太太汪雲到《商報》幫手，而當時擔任國泰戲院經理的劇作家、原《星島日報》老編歐昶，後來也不辭辛勞，來《商報》為我們編港聞。大概由於這些關係，我們同電影界的關係很好，《商報》舉辦的讀

黎草田

者活動，如小球賽開球禮、讀者茶會等，大明星吳楚帆、張活游、李清、張瑛、白燕、黃曼梨、梅綺、紫羅蘭等也經常光臨，記得當時剛大學畢業的楚原，也和他爸爸張活游一齊來。我們有機會與大明星一起飲茶，想起來，真是很愉快的回憶。

必須一提的是，《商報》出版後一個半月，即五二年十二月一日，又來了多位生力軍，他們主要是培僑、漢華、香島等左校應屆高中畢業生，他們上廣州參加升大聯考，我和他們一同住在知用中學的考生招待所，多少是認識的，突然間，多人不見了，原來他們是被招攬去《大公》、《文匯》在廣州辦事處臨時開設的「新聞班」，接受兩三個月的培訓，再調回港，分配到《大公》、《文匯》、《商報》等幾家報館工作。其中漢華生李欽漢初時做記者，後來長期主編港聞，寫文章一流。還有個女生何潤娥做校對主任，後來嫁給李欽漢，成為佳話。

張：整個來說，《商報》初期的人事就是這樣。

梁：你們在五二年創刊，五四至五六年已起紙起得很快，是靠甚麼呢？除了是行情表、經濟行情和新聞之外，副刊又是不是一個因素呢？

張：那就是，初初都不好賣的，開工展會時，要去派、去送報紙的。工友回來說，「他們不要！把報紙塞回來。」就是這種連送也不要的慘況。

梁：後來怎樣突破？

張：不好賣！當時是在「慎記」印刷的。他們的人跟我們說：「若果慢一點去按『STOP』（停印）

那個掣，已經印多了！」

許：那時《自然日報》也是在「慎記」印的。（**張：**《大公》也是在「慎記」印的。《新生晚報》也是。）《自然日報》的人曾譏笑我們，説我們的印數也不及他們「零頭」。

張：重大改革應該是從五三年元旦開始。我們經過深入檢討，覺得在內容版面上都要作出大變革。老行家們提出很多寶貴意見，其中陳霞子老先生的指點，最難能可貴。霞老原是《成報》主筆，《成報》面向大眾風格，深受讀者歡迎，它成為當時本港最暢銷報紙，霞老功不可沒。而最難得的是霞老在當時的政治環境下，同我們建立起親密關係，無所顧忌，《商報》創刊，他就為我們寫連載《大話西遊》，很大篇。但那時《商報》整個版面仍以商情為主，銷路不易打開，經濟也開始出現困難。記得另一位著名作家高雄曾主張我們執掉，另起爐灶。

梁：後來呢？

張：在此關鍵時刻，霞老對我們：「不用執，改一下版就會好很多的了」。他主張我們緊貼《成報》去做，例如副刊，《成報》有「談天」、「説地」；那你《商報》就開一版叫「談風」、一版叫「説月」。「談風」，就是小品、散文為主；「説月」，就是登一個月

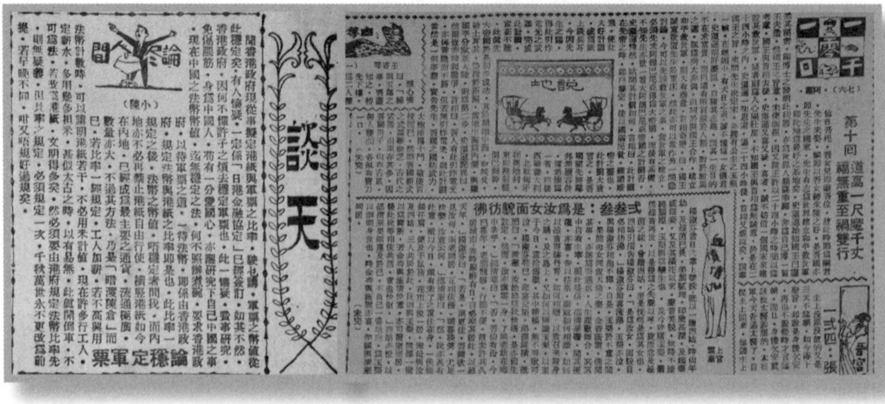

《成報》兩大副刊：「談天」、「説地」。

的連載小說。他說：「我找些作家給你們《商報》就好了。《成報》的作家我全都可以給你介紹一下，但你就要付《成報》的稿費，十元一千字。」十元一千字，當然出得起吧！於是王香琴、靈簫生就跟我們寫了。那就增加篇幅了。

梁：陳霞子有去過《商報》做嗎？

許：沒有，他當時已離開《成報》，是義務幫助我們的。他叫我們學足《成報》。那時《成報》、《商報》都只有四版，學起來不太難，搞到樣子差不多了。《成報》老闆何文法很生氣，曾想控告我們，不管怎樣，改版的確成功，銷紙「嘭嘭聲」上升，後來也是一直好環境。在發行上升的同時，收入也隨着增加，遇着大新聞時，曾有報販爭着出紙而發生爭吵的情況。而廣告方面，也好到要預先訂位，此情此景，同事們都大為振奮。去年找到一張圖片，是一九六五年我們在金龍酒家擺酒。

張：就是國民黨雙十暴動那年。我們叫「九龍暴動」那個事件。我們「包起」酒家，想大宴群臣，宴請那些老作家，誰料沒有一人到！因為當時暴動戒嚴，誰也不能走出來赴宴。那酒家也不肯退錢，要我們「飲晒」。後來我們經理就帶我們分幾個星期去飲囉！這件事讓人很懷念。

梁：那時還只出一張紙嗎？

許、張：對啊，一大張紙四版而已，之後才加紙。

梁：加到六版吧？

張：對，之後再加一張紙。加了甚麼內容？就是體育版了。（**梁：**足球

經陳霞子指點，《商報》仿傚《成報》，開辦副刊〈談風〉、〈說月〉。

今天足球賽
傑志戰東方
空軍出擊中華
馬與波
本港食物一批
宣佈取銷限價

創刊初期不設體育版，僅有〈馬與波〉一欄。（《香港商報》，一九五二年十月十一日，第一版。）

對不對？）在一張紙那時，有了一個叫「馬與波」一個欄而已，當天有甚麼賽事啊那一種。後來將「馬與波」分拆，就將其擴大成為一版；狗經又一版，娛樂又搞一個版出來。起初我在校對部做了幾個月，就調我出去編體育版。那年代沒體記啊！當時左報全都是沒有體育記者。體育界的傳媒人全都被《香港時報》那班人霸着。我們就找了報壇名宿潘劍農，請他包了這個版。他是《大公》的人，也在《華僑》做過。他手下有一批人，他就叫了幾個人幫手，其中一個叫梁楓，是體壇第一個女記者，她甚麼也不怕，她是……（**梁**：她是不是後來去了娛樂版？）不，一直也是體育的。（**許**：後來才有甚麼也搞。）還有個是《華僑》的李治華、《大公》岑子剛（《新晚》採主岑碧泉的弟弟）等，他們就包起一個版。晚飯之後不久，就送稿來了。他們是先寫我們的，之後才寫《華僑》的，兼職得不得了吧。梁楓真的很「生猛」，後來體育版出名了。出名後，就直接在球場上拆開去賣，叫《商報體育》。版頭跟報頭是差不多。當年星島對南華等大場波，《商報》一般起二至三萬紙。

梁：那是在五十年代末期？

許：應該是更早一點。五四至五五年我們開始感到改版的成果。大家很高興，而最重要的是增加了信心，全報館上下拚勁十足，各盡所能，除了繼續加強傳統的副刊、體育、娛樂版之外，也創出了服務版的新風格。

張：我們增加了體育版後，又先後增加馬經、狗經版、娛樂版，跟着再增加服務版。金堯如（《文匯》前老總）後來在《天天》上寫文章，說《商報》服務版是他提出的。

許：《商報》有幾個值得稱道的理念。服務精神是《商報》的特徵，而最突出的兩點：一是「尋人」，二是「溫暖人間」，其中「尋人」，更可說是全國出名。

梁：在五十年代末期嗎？

許：應該是五十年代中期。

張：還未搬往永樂街新址，應是更早一點的。那「尋人」欄，是在改版時，出現了服務版，當時還沒有「尋人」。此外，還有幾個類似「診室」那種醫療信箱。當年出現很多寄生蟲、肺癆那些病。我們要為讀者解答問題。

梁：對，醫藥信箱，那是很正常的。而且那時剛好打完仗，尋人又是必要的。好多人走來走去。

張：「尋人」這個欄又怎樣呢？就是有一天廣告

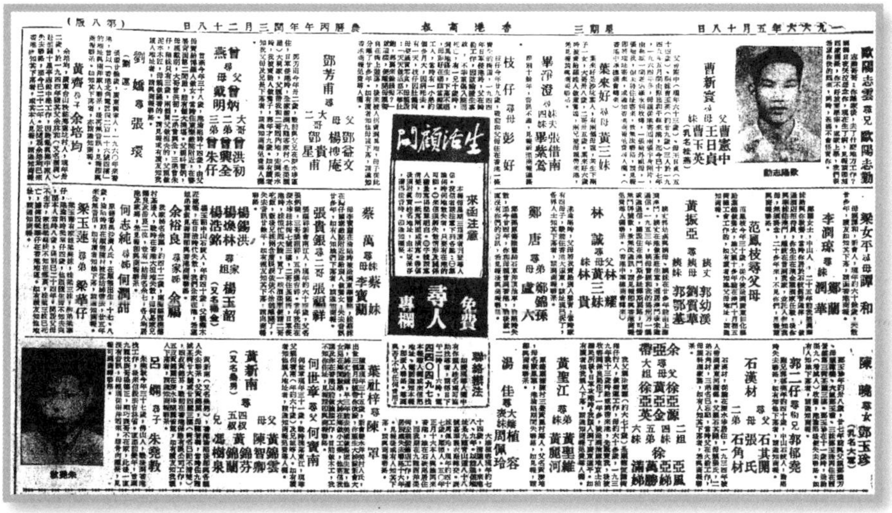

《香港商報》自五十年代起創立〈尋人〉專欄，幫助不少失散人士破鏡重圓。（《香港商報》，一九六六年五月十九日，第八版。）

部找我下去，說有人想見服務版的人。我當時也編生活版那幾條字，所以就去廣告部吧。那時有個年輕人，說想找父母，因為打仗關係走散了，在報紙登了幾日小廣告不果，而且打工仔沒有很多收入，廣告又沒有甚麼效用，就問我可不可以在服務版上刊登尋人消息。我就一言驚醒了。那時尋人廣告不多，也不太影響生意。那就幫他登了。後來又真的幫他尋回了！我們就這樣寫個報告，說大團圓結局！那之後就信多了。

許：在大團圓以後，重聚那個場面，父親跟兒子在《商報》報社內相逢。他們相擁而泣，真的很感動。

張：後來就是說要集中處理「尋人」這一項目。所以就不是再有人前來就即時刊登，而是集中搞一個免費專欄，並訂在星期六、日刊登。好像是星期六、日刊登幾條字。後來也愈來愈多人尋人，找到人的機會也多了很多。那是很有趣的。（**許：**大陸那些人也轉來尋人的。）當然找到很多！我們大概找到數以百計家庭，讓他們團聚。每找到一家，整版刊出。那很「煞食」的，也很動容的。（**許：**特別相見場面真的很感動。）例如，有個年輕人來找母親。他說「小時候的甚麼也不太記得，只是記得我媽說的那一聲」那你怎樣找？他說他記得小時候的居住環境，就像有條斜路，又有個滅火筒的。那我們按他所說的都寫了出來。居然又有人來認，說「我住的那裏就是這樣子了。那我媽現在在深圳，看看你要不要來深圳，讓我媽看看你吧？」他們兄弟就一行人去了深圳，那媽看到那個人以後，就叫了一聲，「真是我生的」，他們就相認，抱頭痛哭。那場面又是很感人的。

還有兩兄弟，哥哥找弟弟，弟弟來相認。那你憑甚麼去認人家是你弟弟呢？哥哥就說：「你不用說甚麼，只脫衣服讓我看看。」我驚問，「甚麼事吖？」他回應說：「我們兄弟之間胸口是有執毛的。」那就看他胸是不是有毛，是不是相似的。真的笑死我們了。不過大家都是男人，沒所謂吧！那就脫了。又真的有執毛！這樣的事真的很多，但還有真的差不多樣子的，你不能不認吧！

這樣的事真的很多，但也有很多相認不了的。認不到又想認，也會有的。因為他們說認來認去也認不到，不如隨便認一個也好吧。也有這種人的。那有些好，也有不好。好像有個「芽菜佬」就是專門「發」芽菜去賣的，很好生意，也很賺錢。他想找回兒子，因為又是因打仗失散，賣了給人。於是跟我們說了他兒子的特徵。登了幾期後，有個年輕人走來，就叫他父親出來相認。他一看就說是啊，我問他怎知道是。他只說，「係啦，就係佢啦。」他全心想要個兒子，就不管一切，認為合眼緣的，就認他回去。那年輕人又肯，兩情相願的，就不阻止他們吧。後來那年輕人認了以後，逢過年過節都送禮給報館，有送月餅甚麼的。我們也跟他說不用了，我們分文不受的。但他說他很開心，我問他那陣子怎樣，他就說跟老爸做生意，也做得不錯。

但有個豬肉佬就不幸了。認了個兒子回去，幫手賣豬肉，卻將他的錢都滾走了。這我們也不贊成他們相認的，因為沒有憑據。但他說是就是吧，他這樣健碩。就跟他回去，阻止不了。

當然也有些不肯相認的，例如有個女生二十歲，阿姨代母親由廣州來找她。登了幾期以後，那女生來找我，就跟我說：「你不要再登了。」我問「為甚麼？」她說，「沒錯，她登的都沒有錯，我是她的女兒。但我現是別人的女兒了。她狠心把我賣去現在這母親處。我為甚麼要再認她呢？而且這個養母供我去美國讀書，我快將出國了。若我認這個生母，那養母不會喜歡，不讓我去美國了。你再登的話，讓我現在的母親知道了，我就不能去美國了。」她死也不肯認。

那個阿姨聯繫我們說，「讓我看一下也好，證實了這人在，可以死心了。」那我再約她，跟她阿姨說：「現在在編輯部裏面，沒出來。不要跟她說你是她的阿姨，要不然搞垮了場面，我就難做了。」她也應承了。於是，我再約那女生出來，那女生再三說，「不要登報！」那阿姨就在報館看了她一下。我說，「你真的這樣狠心？」她就說，「不是我，是我媽狠心在先。」她到死也不肯認，就走了。阿姨之後出來，跟我說她認得她的那幾粒痘皮，是那個女兒了。

許：那就算了。

張：五十年代初，戰爭結束不久，家庭失散的悲慘故事很多，我們「尋人欄」為他們找回親人，不少成功感人的例子，很受歡迎。本港不少官方機構、社團把有關信件轉給我們刊載，有關事例甚至在內地也廣泛流傳，以至內地不少公安機構、社團都把有關尋人的信件轉給我們，真是名噪一時啊！

梁：「溫暖人間」又是怎樣的呢？

張：服務版的「溫暖人間」也很有特色。在我們刊登的社會新聞中有不少個人、家庭遭遇不幸的故事，在讀者當中引起相當大的反應，不少熱心讀者親自把錢送到我們報社，叮囑交給有關的不幸的人，我們都盡快派記者親自送上，並把受助人的謝意回覆善心捐助者。這個「溫暖人間」，可說名副其實，也增強讀者對我們的信任。

梁：我想問當年除了服務版外，副刊、小說也是很成功。好像金庸的小說也曾在你們《商報》上刊登過，也很成功。是不是因為他的小說讓你們銷路大增，而他不寫，你們又跌。是不是有這種事呢？

張、許：不是。

張：有人叫我將這事寫出來。有雜誌叫我寫出來。但我就暫時不去惹是非吧。梁羽

（第四版）
丙午年三月十一日
熱心讀者雪中送炭
余家孤寡終生難忘
非讀有大批讀者救助可憐十孤寡

《商報》設立溫暖人間專欄，呼籲讀者捐助有需要人士。（《香港商報》，一九六六年四月一日，第四版。）

梁羽生

生、金庸都跟我們很熟，何況他們還是我們張老總等的舊同事，他們工作的《大公》、《新晚》報社在干諾道中一二三號，我們《商報》在一四五號，相距幾步之遙，那時本港有個象棋熱潮，棋壇名將黎子健為我們撰寫棋壇動態，梁羽生也是棋迷，常到我們報館向黎子健「挑戰」。梁羽生當時也寫棋譜，寫得不錯，但實戰功夫就麻麻，黎子健讓他隻馬，他多數難以招架，我們都引為笑柄。至於寫武俠小說的梁羽生、金庸；公認為新派武俠小說的「祖師爺」，其實他們都不是寫武俠小說出身的，甚至都不是學文學的，梁羽生是在廣州嶺南大學讀經濟史，而金庸則是在國民黨中央黨校中央大學讀國際法。他們一個共同之處，都出自書香世家，學識淵博，不容置疑，而他們之能成為大俠，又都有一段離奇、曲折的有趣過程。

許： 講到這一層，《大公》真是「人才煉爐」，它培養出很多全國聞名的政論家、記者，其中有的有很高學歷，也有的只讀過中學而已，但經過在工作中一番磨煉，個個IQ爆棚，成了名家，令人佩服。

梁： 梁羽生是怎樣開始寫武俠小說的呢？

許： 梁羽生原名陳文統，廣西蒙山縣人。初進《大公》的是做翻譯的，不久，李俠文總編輯對他說，你的中文比英文好得多，不要浪費，就這樣調他主編《大公》唯一的副刊「大公園」。五四至五五年間，武術名人陳克夫、吳公儀論戰，最後真的擺擂台要一決雌雄。因香港政府不批准，他們只有搬到澳門打起來，這麼一來，便激起一股武俠熱潮。梁羽生就在《新晚》羅孚總編輯慫恿下，開始撰寫他的第一部武俠小說《龍虎鬥京華》。

張：《龍虎鬥京華》一刊出，大受歡迎，反應出乎意外的好，我們隨即邀梁羽生多寫一篇。梁羽生笑笑說，「我們不是搞馬列的嗎？那羅孚要我寫武俠是『夾硬來』的！怎能寫這樣多！」（**梁：**當時他在《大公報》？）對！在《新晚》那邊。那就不肯寫囉，所以金庸就肯來寫了。

梁：當時金庸也是在《新晚》寫的嗎？

張：都是。他寫「書劍恩仇錄」，在《新晚》登。《商報》當年已經有了一個規模，銷路不錯了。

許：說起金庸，他之成為「大俠」，也頗為意外。他出身浙江名門，原名查良鏞，他的兄弟輩查良鑑、查良釗先後在台灣當過司法部長、教育部長，金庸大學畢業後加入《大公報》，這被認為這是登上仕途的好「路數」。解放後金庸曾到北京，見過曾任新華社香港分社社長、周總理的外交顧問喬冠華，喬冠華邀他加入外交工作。那時新政府剛成立，外交幹部都得先參加一個臨時學習班，金庸考慮一下，覺得還是做報紙佬自由自在好，便婉謝喬冠華的盛意返回香港《大公》工作。至於他後來成為「大俠」，那是經歷過一個曲折有趣的過程。他畢竟是個江南才子，除政治法律之外，對歷史、文學以至戲曲藝術，都很有修養。他廣交藝術界的朋友，業餘之時，做過編劇、副

新晚報

下午四時出版

本報增刊武俠小說

南韓準備武力取俘

漢城一片火藥氣

南韓駐美大使說釋俘受阻就攻打印軍

聯軍司令霍爾今天飛往朝鮮座鎮指揮

美國堅持要釋戰俘

英國表示不充分同意

朝鮮一年戰費五六百億美元

新加坡百萬富翁林京進神秘失踪

印度要求復會函被壓一週才轉交

八國贊成聯大復會

〈龍虎鬥京華〉預告。

導演。金庸的大名先後有四個，除了真名查良鏞之外，第二個叫姚馥蘭，第三個叫林歡，最後才是金庸，其中第二、第三個名字都與電影有關，年青的老記們都笑他，那是為了追女仔的。他用姚馥蘭的筆名在《新晚》寫影評，是為了追夏夢的。（**梁**：他能追到嗎？）可惜沒有成功！後來又用林歡的筆名寫芭蕾舞，那是為了追毛妹，不幸又失敗了。那時，他還是一個年青力壯的單身漢，追女仔也屬常情，當然，那是題外話了。這個時候，梁羽生寫武俠小說紅起來，金庸不認輸，決定從「軟實力」轉向「硬實力」，《商報》張學孔老總邀請他為《商報》寫武俠小說，他欣然答應，這就為他成為「大俠」奠定了基礎。

梁：他那個時候是寫甚麼的？

許：《碧血劍》、《射鵰》……

梁：都是在《商報》刊登？

張：對，第一篇寫《碧血劍》。那天我很記得，我和李沙威主編同他三人在一起走出來，他拿一張紙給我看，就是寫《碧血劍》。他不滿意這題目，但是開了首就沒回頭吧！就開始寫《碧血劍》。寫了一年，反應甚佳。改版以後就開始寫《射鵰英雄傳》，那是他的成名作。當時《商報》銷量很大，《射鵰英雄傳》推廣力強，而難得的是，《射鵰》文字通俗、優雅兼而有之，在社會中下階層，甚至在中學大學師生中，也大受歡迎，簡直轟動一時。而最料不到的是流傳至台灣，以致不少台灣報販託人來港訂購《商報》，走私入台。台灣當局發現後，竟驚呼「中共武俠統戰」，竭力制止。

梁：聽說在東南亞華人社區也有響應。

許：是的，這是第一個我們始料不及的事態發展。武俠之風也很快吹到東南亞各地，新加坡、馬來西亞、泰國、印尼、緬甸的僑報競相轉載，其中星馬泰僑報為了搶先登前，還託我們字房工友打「小樣」，速寄回去。金庸知道，認為是個大好機會，便約有關報紙的代表洽談，講明：第一，可以同時發稿給他們，讓他們與《商報》同時刊出；第二，他們依法依理都應付稿費。有人因此說，這為金庸積累了「第一桶金」，也促動他興起創辦《明報》的念頭。

梁：你們還有那些有影響力的作家？

張：陳霞子在五六年創辦《晶報》之前，也繼續為我們寫。此外，葉靈鳳、高雄、莊綺都很有名氣。葉靈鳳是《星島》的老臣子，他也在《成報》寫那些性的東西，很「煞食」。《成報》一跌紙，就會把他推出來。這樣翻來覆去的。葉靈鳳跟我們寫世界各地的性風俗，有很多料的，也很多讀者。後來我將它剪了出來，讓潘耀明（現《明報周刊》老總）拿去出版，他又拿給天地圖書公司出版，當然也很成功。葉靈鳳跟我們很有交情，見我們作風正派，就推薦他的兒子葉中健（《大公》副老總葉中敏的哥哥）到《商報》工作，叫我們「睇實佢」。小葉初時做翻譯，這個後生仔很聰明，也頗野性，對馬經甚為熟悉，我們老總認為他是難得專才，就調他搞馬經，想不到他不久就到外間，自立門戶。至於高雄，曾對我們沒有信心，主張我們執掉，另起爐灶，其實他對我們也很好。

梁：高雄當時不是在《成報》的嗎？

張、許：不，是在《新生晚報》的，不是老總，但已是很高層的了。

張：他在《新生晚報》寫怪論寫「買辦香」（筆名）那些「鹹濕嘢」，就是舊橋翻來覆去的去用！後來又在《新晚報》寫〈石狗公〉（專欄），還有甚麼的也忘記了。不管怎樣，他當時也是很流行的作者，因寫稿寫得多，一般都是由他口述錄音，由助手代筆。他對我們莎翁說，「只有給《商報》的稿，每個字都是我親筆寫的。」他一直同我們維持良好關係，後來他的妹妹高寶也為我們寫雜文。

梁：莊綺又是甚麼人？

張：我們副刊有個很受歡迎的專欄，叫〈莊綺信箱〉。它原在《星島》刊登，後來轉到《商報》。讀者以為莊綺是位小姐，其實他是個大漢，原名任真漢，青年時到日本學醫，回國後做軍醫，不幸在前線作戰時被砲火震聾雙耳，朋友們習慣叫他做「聾佬」。但他更突出之處，是對國畫造詣甚深，中央文化部早年經常邀請他到內地各名山大川寫生，星馬華僑也多次邀請前往舉行畫展，他在港還開設畫室授徒。至於他為我們主持〈莊綺信箱〉，只能說是他的業餘嗜好。有次我跟蔡瀾去旅行，蔡瀾把陶傑叫來。陶傑早就認到我，我跟他在英國見過！他說，「我是看《商報》大的！」我就問他，「你看哪個專欄。他回應說，『莊綺信箱』！」當時「莊綺信箱」幫到很多人，特別是婦女讀者，問些性問題、婦女病那些問題、青年男女與發育有關的問題，莊綺都一一在〈信箱〉中回答。他的文字簡潔，讀者很易接受，每過一段時間，我們就把他的文章編成為書出版。

許：後來我們還有一個〈韋濟醫藥信箱〉，是韋金耀醫生主持的。他是內地江蘇來的醫生，在港考了醫生牌後，在瑪麗醫院工作，他作為《商報》的長期讀者，也是《商報》的熱心支持者，他主動找上門，要為我們寫醫藥稿，解答讀者的醫藥問題。後來他自己掛牌執業，也成為我們的顧問醫生，我們職工看病，都十分優待。他的水平是很高的，聽說一位很有名氣的老醫生，每接到外科手術，都請他代為操刀。他同我們一直保持親密關係，後來還成為我們張老總的親家。老總的女兒張紅是著名婦科專家，韋醫生的兒子韋霖，是港大醫學院教授、著名的鼻淵癌專家。這都可說是《商報》廣結善緣的結果吧！

梁：聽說還有一位李凡夫？

許：他不是我們作者。他是《成報》股東之一，也是漫畫家，以在《成報》創作《大官》出名。

張：陳霞子叫我們學足《成報》時，還介紹一位漫畫家為我們創作一幅題為《大珠》的漫畫，與李凡夫的《大官》爭擁躉，《大官》、《大珠》竟一模一樣，前面說到何文法想控告我們，這無疑是原因之一。

梁：還有哪些名作家？

張：還有一位邵慎之，他是《文匯》主筆之一。《商報》創刊時，他以高旅筆名為我們撰寫《山東響馬新傳》，當時武俠小說還未有大盛，而他又不是新派的武俠小說作家，他是比較傳統的，但寫得很好，後來他與張高麗出修訂版，找我們再登一次時，我們也有心準備幫他再登一次，但當時已經被李祖（李祖澤）他們接手了，我不再能夠話事，就說「我不行了」。我就把稿件放在《商報》那裏。退休時忘了拿出來。後來他問我拿回時，我就拿不出來還給他了，很對他不住。應該被丟了！

梁：對於《商報》，除了副刊外，你們的新聞稿也很不錯的，特別是那些社會新聞。

張：當時陳霞子給我們意見，說港聞要調去第一版，電訊改去第四版，以社會新聞為主。正好那個時候就有幾個案件，三狼案，架仔紅媚案，吳旭堅案。這些案件當時老鄧……（**梁：**鄧甚麼呢？）鄧子晨採訪的。他原籍台山，是個華僑仔，解放後由紐約返廣州讀書，五二年暑期被招攬入二聯（《大公》、《文匯》廣州聯合辦事處）新聞班，他是新聞班中少數非左校出來的青年之一。新聞班結業後，他也調派來港，被分配到《商報》做記者，第一份工是負責跑突發新聞。他同法庭的人關係很好，探長們如呂樂等關係也搞得很好。他將法庭上的供詞整篇抄下來，很詳盡的。《成報》就不同了，他們是簡短為主。所以他們的讀者不滿足，就去看我們《商報》了。《商報》大版殺出，甚麼有味的鹹濕內容，我們個個照登無誤。因為都是法庭上的供詞，非常安全，不怕收到「告票」，而讀者讀起來非常過癮。他們爭着買《商報》，並繼續買下去，如今常聽到的一些「口頭禪」，如「大鑊」、「出出入入」等，都是在《商報》原文照錄的法庭供詞中首先出現，並流行起來的，原來很有鹹味，隨着時光流轉，已變得相當中性的了。

梁：你們除了搞大球，大場波之外，小球也搞得不錯。

張：我們剛才談到《商報》服務精神，我們搞「小球世界」，也是從服務精神出發的。雖然只有幾行字，但都是圍繞着少年讀者搞的，當時小球很流行，那些「約賽」，像「少××（隊名）對球××（隊名）甚麼時間有空對賽」，那對方又覆「球××覆少××，甚麼時麼有空去吧」。那是他們很重要的通訊方式。我們免費為他們服務。

梁：不止青少年，霍英東當年也打小球啊！

張：霍英東當年也經常到修頓球場踢小球，不少大球星如姚卓然、莫振華等，相陪到場搏殺，場場觀眾爆棚、熱鬧非常。《商報》體記肥沈（沈啟林）、朱仔（朱錦添）也必然到場捧場。完場後，霍老細請大家吃戰飯，他們也奉陪到底，並因此與霍英東建立了深厚情誼。《商報》搞讀者聚會講球經，霍英東也常來參加。一九八四年洛杉磯奧運，中國相隔多年後首次恢復參賽，霍英東騰空他屬下的珠城酒樓全層，招待《商報》讀者，並親臨暢談觀感。至於他的企業發廣告，對《商報》特別優厚，更不在話下了。

梁：你們還為霍英東寫過傳記，後來有沒有出版？

張：我們的確曾為「梅州大俠」梅文鼎和本港名醫、工聯會工人醫療所創辦人之一李崧的好人好事，登過連載，隨後編成傳記專書出版，社會反應很好，很賣得。我們也邀請過霍英東讓我們為他寫連載，他初時很高興的答應了，每晚派他的羅斯勞斯座駕到北角《商報》，接肥沈到他的沙宣道住宅，一同吃消夜兼錄音。他興致勃勃的講述，在朝鮮戰爭時期，每當深夜，他就乘着港英海關交班的空檔，着令他的快艇全速衝關，將急需的藥品等運到內地，過程既緊張，也很有趣，非常之動聽。豈料過了一段時間，他突然叫停了，他說，「我不是梅州大俠、李崧醫生那類濟世為懷的人，還是不要登了。」是怎麼一回事？原來他當上了全國人大常委會委員，成了國家級官員，不久又被選為全國政協副主席，處身於「黨和國家領導人」之列，他是「自我審查」了。這可讓我們失去了刊載一個富有傳奇性、多姿多彩故事的機會。

許：不僅如此，霍老細還有一個重要決定，是放棄他持有的澳門賭場股權。澳門賭業易主後，他成了重組後的澳門賭業的最大股東，他竟要把他持有的股份通通賣掉。幸好一些有份量的朋友及時發現，立即勸止，他們說，中央領導人說過，香港馬照跑、舞照跳，澳門賭場照開嘛！據說霍英東原佔澳門賭業公司股權百分之三十六，比其他股東鄭裕彤、何鴻燊等要多得多，到了他接受勸告時已賣出一部分，只剩下約百分之三十左右。他表示，這些股權以後的收益，全撥歸公益。大約兩年前，他的兒女索性把這些市值上百億的股權，全數無償送給澳門政府了。

梁：後來《晶報》、《明報》、《東方》、《快報》、《天天》、《新報》又先後創刊，對你們有甚麼影響？

張：影響不大。當時主管港澳事務的廖承志對陳霞子的為人、品格，尤其是他作為報業奇才，十分賞識。行家們也說，霞公這樣叻人閒着，太浪費了。廖公也有此感，在各方鼓勵下，陳霞子決定再度出山，創辦《晶報》，並親自掛帥，親力親為，主持編務，而且每天親自撰寫社評。他的大眾化語言、三及第文采（即文言、白話和廣東話融合），以及深入淺出的說理，深受讀者歡迎。聽說周恩來總理也常予拜讀，表示欣賞。

但在行家來說，《晶報》最大特色一九五六年創刊後賣「斗零」（五分）。那時全港報紙都賣一毫（一角），《晶報》此舉予人一種新鮮感，起碼收到宣傳推廣之效。我們李少雄經理說，《商報》搞得這麼辛苦才達到十萬紙，他們賣「斗零」，這麼快就達到十萬了。

梁：那麼《明報》又如何？

張：隨着武俠小説風行，金庸的積蓄上升，自信心也相應增強，於是興起了自立門戶的念頭，終於離開他多年工作的《大公》，創辦《明報》。我說：「繼續為我們寫吧！」但《明報》也靠武俠小説招徠，他不願意，我們也理解。《明報》創刊之際，在《商報》最後刊登〈射鵰英雄傳〉的那一天，在文末後登了一條字，「〈射鵰英雄傳〉的後傳，在明天出版的《明報》刊出，敬請讀者留意！」我們照登！他開了《明報》，〈射鵰〉後傳出來了。後來有一個意想不到的機遇。六一至六二年間，大陸經濟出現困難，在相當短的一段時間內，開放邊境，大批人由深圳湧港，有「逃亡潮」之稱，有關新聞左報不登，《明報》則天天大版殺出，又連續發表社評，大罵共產黨，他們就這樣起紙了。

梁：《晶報》、《明報》起紙，你們多少受影響吧？

許：影響不大，《晶報》起紙，《商報》同樣起紙，而且一直領先，至於《明報》，它的銷量畢竟有限。《商報》不僅沒跌紙，廣告也不斷增加，我們收入相當可觀。一九五九年由於業務擴展需要，我們搬到永樂街新館址。那原是大陸公司五豐行租用的，它搬走後，成座轉租給我們，連天台共五層，樓面相當寬闊，而最重要的是地下可安裝機器。我們要自行印報了，先是向上海訂購一台捲筒機，不久，因銷路增加，不夠用，又要多買一台。過了一段時間，又應付不了，只好找尋新的地方，安裝新機器。那年，貫通德輔道、干諾道的大中華旅店結業，物業的業主曾向我們洽售。以《商報》當年的財務狀況，加上我們同銀行的關係，我們作為自置物業買下來，是有能力做到的，但我們這些報紙佬知識分子出身窮慣，銀紙多起來就手騰腳震，哪有膽置業那麼大想頭啊！最後還是把大中華旅店大廈數千呎樓下租下來便是了，我們繼續向上海訂置新機器，一台不夠，又加一台，共添了三台，連同永樂街報社的兩台，共五台之多，那時報紙出紙仍不斷上升，要五台機齊開，才能應付。

梁：那是甚麼時候，高峰銷數有多少？

許：那是六十年代，可以說初期、中期以至後期，都一直保持升勢吧，銷數平穩的維持在十多萬，高峰期應是一九六六年底澳門風潮時期，每日銷紙十四萬五千，比當時全港銷售最大的《成報》只差少許而已。

梁：那時文革已開始，你們受影響嗎？

張：文革初期，以及隨之而來的「反英抗暴」，不但沒有顯著影響，反而有點促銷作用。但在以後的日子，影響就愈來愈明顯了。最初也是最大的影響，是北京叫我們不要再搞狗經、馬經了。這可說是唯一眾所共知的影響。這類影響，過去絕無僅有，就是「逃亡潮」，也沒有人理我們。這種事，金堯如（《文匯》原老總）都寫得好清楚，他在《天天》寫過。實際上是同一個系統的，不過《商報》的待遇與他們的不同。我們是好一點，放鬆很多的。但是在緊要的關頭時，就會抓得緊了。例如反英抗暴，無論如何也要幫忙做這類事情，那是沒有得傾的。

梁：說得具體些，你們受到的影響是哪些方面？

許：最大影響當然是奉命斬了狗經、馬經，沒有狗馬經，就沒有大半張紙（即兩大版），發行、廣告都不斷下降。此外，極「左」思想影響部分員工，掀起一股「自我審查」風潮，影響也很大。〈莊綺信箱〉解答青年男女的發育問題，被批「鹹濕」，又如有一篇特寫，講述一個青年掙扎求存，克服困難，終於能恢復正常生活，這樣的文章，有勵志作用，竟然也被批鼓吹「自我奮鬥」，不「依靠群眾」，不行，只能說那些無產階級才行。初哥的副刊出現一兩句這類事情，就會被人抽秤，被人逐個字來算的。孫南生後來透露，還不斷有人向他們打小報告。

梁：連你們編輯部也有？

張：有這種人啊。那時真是很狼的，連娛樂版也想斬了，因為那是封資修的東西嘛，真難頂！

梁：我真的不太明白，你們的財政不是獨立的嗎？為甚麼自己不能作主？

許：有些就是自己人嘛，是自我感覺「進步」的一群。

張：是文革那幫人傳到下來，文革這樣大的一件事你不得不去跟？後來就差不多要鬥你了，壓力很大。

梁：有同事因為這樣心理不太平衡呢？

張：當時文革是搞這種鬥爭的。好像有個女同事，每日上班也在公司門前唱《大海航行靠舵手》，她唱的很好。她邊唱邊上樓，上到三樓就剛好唱完了，每天也是這樣。那時批評領導人，好像現時的議員們逐個捉政府領導的不足，並逐個科去打聽，常說你們科的情況怎樣……就是類似這樣的。她很窩心。對啊！她真的是傻瓜來的。如副刊，有人說《大公》、《文匯》那邊也在反對封資修那些東西嘛！你副刊也應該有所作為啊！我們就受壓力了。因為他們都一直在吵吵鬧鬧，一些稿就換了。有次我真的看不過眼，就把那些自己人寫的稿子，都劃紅了。差不多一片紅。就說，「都不用找作家寫了！你們全都寫了吧！」讀者怎會看你，你都變質了。

梁：到了文革後期，你們的情況有改善嗎？

許：在《商報》發展歷程中，兩個「九」字相當有意思：一是一九五九年從干諾道搬到永樂街，一是一九七九年從永樂街搬到北角。因業務擴充，一九五九年搬到永樂街新社址，在永樂街的廿個年頭，我們有過一段相當動盪的浮沉經歷，其後雨過天晴，文革期間的困難總算捱了過去，發行有所收縮，但仍維持在七萬以上的水平。重要的是財務情況還相當不錯，永樂街館址的業主曾主動向我們洽售整個館物業，要價一百萬元。李少雄經理也心動，他一口氣還價九十六萬元。要是再加二萬便成交了。在此關鍵時刻，突然殺出一位「程咬金」，這位仁兄就是中國銀行和新華社合資擁有的僑光置業公司頭頭梁燊，他來頭可不小，他出生於佛山首富之家（全國名園的佛山梁園園主），清華大學畢業後留美，回流即參加工作，與我們一起捱世界。他同我們關係很好，得悉館址的交易，立即找我們說，「你們這個地方雖然裝得下兩台捲筒機，但深度不夠，新訂購的葛羅斯柯色印刷機很長，是安裝不下的；還有一點，你們這個地方正好在中上環最熱鬧之處，通宵開機，鄰居投訴多了，政府會找你們麻煩，你們還是搬吧。李嘉誠的北角工業大廈剛落成，你們最好搬到那裏去。」於是我們便洽購北角工廈，包括工業大廈地下全層以及二樓半層，比以前干諾道、永樂街兩個館址都要大得多。李嘉誠後來對人說，《商報》、《成報》都爭着買這個地方，《商報》搶先一步，只好賣給《商報》了。於是我們一九五九年搬到永樂街，相隔廿年，一九七九年又搬到北角開始一段新的歷程。此時《商報》整體情況還是不錯，發行保住七萬多水平，那在本港是相當高的；財政方面，我們還有相當多積蓄，由美國訂購的柯色印報機要五十多萬元，我們一筆付清。這台機器相當不錯，在以後十多年，它獨擔印報大旗，沒有「跪低」過，也算夠運。至於新館址樓價約四百萬，以我們當時的財力，加上銀行的融資，我們還可以買得起。此時，梁燊又來了，他說，物業管理很煩，還是由我們買下來，租給你們吧，你們現在交多少租，以後照交便是，你們專心搞報紙好了。我們在永樂街當時每月交租不足一萬，我們商量，覺得不錯，便答應了。

梁：以後真是沒有加租？

許：梁燊是我們老朋友，為人很好，雖是一家大物業公司的頭頭，連一個住宅小單位也租不起，要同《經導》經理兩家人合租一個四百多呎的小單位，兩家人同住。他在位時候，的確沒有加租，但不久他調走了，中銀建新大廈，他調去主持整個工程項目，隨後又當上中華總商會會長，成了大名流。僑光置業來了一個新頭頭，他上任不久，就寫封律師信給我們，要將租金提升至十萬，即一下子加十多倍，我們李少雄經理簡直被氣壞了，他說：「難道要迫我們執理？」我們一於少理，這位新頭頭也無符，無法下逐客令將我們趕走。

梁：你們五、六十年代辦得很成功，在文革以後再改版時，有沒有挽回讀者的信心？將銷量提升呢？

張：有樣事情大家也知道的。那時候是廖承志管港澳，對宣傳也是相當重視的。久不久就找各報老總們上去（北京）聊聊。（**梁：**那時是你上去嗎？）不，是張學孔去的。那時很多東西也找他上去，給點意見給你們。《商報》、《晶報》是另外對待的，不像《大公》、《文匯》那樣，做峨眉關公，是各有各做，自己去調節的。他們《大公》、《文匯》一有甚麼問題，上面就打電話下來。我們不同，我們的自由度大很多，他們不常常管你。文革結束後，張學孔老總他們又上去，他就打電話回來，狗經、馬經可以恢復了。當時，文革的餘熱還沒有完全消除，在各方面，尤其是版面方面的影響仍有反覆，但發行數量初步穩下來了，保持在六至七萬份之間，遇着大新聞，如翁美玲自殺等，也會起一至二萬紙。但時勢畢竟有了變化，報壇競爭混戰加劇了，當時經濟又不大好，而國企又由左轉向右，廣告多給外面的報紙，不給左報。新華社社長許家屯也有意見，他曾對中國廣告公司說，「你們分一些廣告給我們的報紙，所需廣告費由我支付便是。」即使如此，我們的財政情況還是可以的，李經理在搬遷後曾說，「要不是搬遷，又支付新印刷機的數，去年（一九七九年）我們還是有錢賺的。」但始終是沒有以前那麼寬裕，好日子不再了。

梁：你們如何應付？

張：我們都不是善於搵錢的人，但總得想點辦法，從生意的角度來講「反英抗暴」的影響可能比文革更大些。「反英抗暴」後，連小廣告也不再來了，兩大半版都沒有。搞副刊又要用錢；新聞又不是這麼多，不能寫兩大版吧。我們建議反正都沒有小廣告收入，就登免費小廣告吧。竟然又成功了！那廣告甚麼的，都同時間送稿來。就是不用錢嘛！香港人不用錢他就肯的吧！（大笑！）就搞滿兩個版，我就跟楊毅兩人做，每日搞那兩版的事。當然有效果吧，弄了兩個月，廣告就漸漸多了。多到登不完，就開始收錢，一元一位。就找那些因「反英抗暴」之後少人幫襯的銀行來幫我們收錢；新華和國華銀行也就幫我們收錢，一元也收。這就便民吧！人家不用走到你報館去，慢慢小廣告多了，才回復了版面吧。還有一個既為讀者服務又搵到多少錢的財路，就是代書店賣書。我們作為新聞界，同出版界、同書店都很熟，我自己跟聯合出版的李祖算是老友嘛，我們有版讀書版作書籍介紹，也幫讀者買書，有很多書也是他們集團出版的。我們為他們的書作推介，讀者沒時間去買書，我們就幫他們去買，結果買了很多，跟書店差不多，買了書就寄給讀者，郵寄甚麼的，都從讀者的書錢中支付。錢從何來？是從買書折扣中來，來貨只六折、七折，當中有錢賺。賺到的錢用來做甚麼呢？就搞活動，像跟作者、讀者們去旅行，跟他們溝通、聊天，就是搞這類推廣活動。以前做區議員的那個梁耀忠，（**許：**街工那個。）我也資助過他的。他當時搞工人文學獎，請我去當評判。他想將那個得獎作品出書，但沒錢，我跟李少雄商量，從那些買書服務中贊助他幾千元，就出了那本書了。我跟他滿熟的。我覺得他這個民主派是很務實，不是那種亂叫的。我試過去葵涌區，見他搞調查報告。我一見，就發現他搞的一套跟共產黨的一樣，都是這樣做的。我也在想他是不是臥底呢！我不知道了。

梁：《商報》經濟有所好轉嗎？

許：很難説是好轉，那時報業的大氣候是市場競爭日趨激烈，《東方》、《新報》、《天天》、《快報》這幾家大眾化的報紙相繼出現，與《商報》比較，他們財政都較好，不斷增加篇幅充實內容，對《商報》有影響可以理解。

梁：你們還沒有談及《東方日報》出現，對你們的具體影響。

許：初時沒有甚麼明顯影響，《東方》出版，不能說為了爭生意、撬牆腳，《東方》馬氏兄弟是很聰明的人，他們看到《商報》的走勢，竟連狗經、馬經都取消，認為是個好機遇，他們便決心創辦《東方》，以收「填補真空」之效。《東方》創刊時，設在軒尼詩道《大公》隔鄰鴻業大廈一個單位，規模不大，馬氏兄弟是潮州人，和我們的李少雄經理有同鄉之誼。他們很謙虛，經常請李少雄飲茶向他請教，而李少雄也毫無保留講出他的心得。經過李少雄一番指點，《東方》拿定主意，走《商報》路線，着重本地新聞，以廣大基層市民為對象，正如當年《商報》學《成報》一樣。他們不僅有狗經、馬經，還加料增添了「字花」。他們的「字花貼士」，也很受歡迎。《商報》的「溫暖人間」是一個獨創特色，他們也照搞，而且加上一句口號，「有東方，冇窮人！」到了這個時候，對《商報》不能說沒有受影響了。

梁：隨後出現甚麼變化？

許：講實在些，影響我們的，不止是《東方》而已。《新報》、《天天》、《快報》等對我們也有影響。與此同時，以知識界為主要對象的《明報》也追上來了。值得一提的是，以報道財經新聞為主的《信報》、《經濟日報》也先後創刊加入角逐，甚至世界著名的報業大王梅鐸也殺到，從英資滙豐手中收購了英文《南華早報》和《遠東經濟評論》，跟着又向岑維休家族收購了本港歷史悠久的《華僑日報》。這些動態，哄動一時。在競爭白熱化的形勢下，不少行家比《商報》更難頂住這種壓力，台灣國民黨黨報《香港時報》，親台的何東家族《工商日報》、《工商晚報》先後執掉了。不久，梅鐸剛買下的《華僑日報》、《華僑晚報》也執了，傳統三大報中，繼續維持下去的，只有胡仙主持的《星島日報》，但屬下的《快報》、《星島晚報》也先後摺埋。親大陸的報紙方面，《循環日報》、《正午報》、《新晚報》也難逃關門的命運。至於《成報》、《新報》、《天天》、《信報》、《星島日報》後來也都換了老闆，有的還多次易手，其中《天天》後來也消失了。

梁：《商報》又如何？

許：《商報》至今能存在，相當夠運，它有困難可以理解，可幸是它發行、財務都較穩，發行跌了些，但仍保持三至四萬的數字；在經濟方面不寬裕，有時也稍有周轉困難，但開支少基本上可以維持。如果說影響，最大影響應是一九八九年的「六四」事件，因為整個經濟情況不好，廣告進一步收縮，我們迫得要縮減篇幅，由每日出紙四大張，縮減至兩張半，這對發行影響最大，不久就收縮至僅僅超過三萬了，財務上也開始有困難，我曾見到李經理對初哥說：「你們代讀者買書有錢剩嗎？有就先拿出來出糧吧。」初哥說，「有幾千元，你先拿去就是！」

梁：你們後來怎樣賣盤的呢？

許：《商報》財困的消息開始傳出去。當時正是內地開始改革開放，不少人開始打我們的主意。首先是北京《經濟日報》通過金堯如向我探盤，想收購我們，大概是想收購後把《商報》改為北京《經濟日報》香港版吧！新華社宣傳部楊奇部長說：「不要睬他們！」還有一個是剛與許家屯到任的新華社副社長陳達文，這位先生不簡單，抗戰期間曾是東江縱隊港九大隊政委，在港九新界參與日本鬼子周旋過，此次重臨香港，負責工會領導工作，他想把《商報》變為工會的喉舌。同任新華社副社長的祁烽對香港情況比較熟悉，他說，「開支好大，易放難收啊！」又告吹了。此外，準買家還有《經濟導報》，《商報》本來是《經濟導報》全力策劃、主持下創刊的，親兄弟般關係。隨着改革開放，內地經濟特區紛紛成立，《經導》同內地經濟關係很好，得益不少，而且他們有雄厚的銀行背景，實力不容置疑，但他們畢竟是周刊，也許覺得，還是做報紙，日日出版過癮吧！於是也興起收購《商報》的念頭。但最後還是談不成。我們雖有困難，主要屬「手緊」之類，收支且差少少便可平衡，維持下去，問題不大，所以對各方的好意，我們一一婉拒了。

梁：最後如何落入「聯合出版集團」之手？

張：這件事是我自作自受，引狼入室。我前面說過，我同「聯合出版」的李祖也算老友嘛，我們副刊給他地盤，讓他一再發表文章，我們的讀者版代賣他們的書，雖然我們也搵到些少錢幫補開支。主要還是為他們搞推銷的呀！最激氣的，是他們要我們為他們刊登「蛇稿」（即免費宣傳稿），有時發得很大，廣告則欠奉，他們的廣告都拿到《明報》刊登了，我打電話罵李祖，他竟說：「初哥，不要勞氣，我們飲茶傾傾吧！」他知道《商報》有困難，表示可以借錢給我的，還說可以幫助我們大發展，我以為都是「自己友」，沒有絲毫疑心，聽他這樣說，很高興，豈料就這樣落入他的圈套。最後「圖窮匕現」，他表明：「我有錢梗係我玩啦！」《商報》就這樣被吞掉了。

許：那是一九九一年初的事，李少雄經理說在此之前，我們去年（即一九九零年）最困難，也只蝕了二百七十萬，想不到這一來竟要把《商報》賣掉，而最難以想像的是：收購價錢只五元！

梁：那是甚麼一回事？

許：真的是五元，就那麼簡單。《商報》有五名社務委員，即張學孔、李少雄、張初、鄧子晨、許燊。《商報》轉為有限公司，即《香港商報有限公司》後，五個社委成為持股的股東，各佔兩成股份，交劃那天，我們都到中環街市旁邊的中商大廈聯合出版集團總部，完成有關手續。我們有沒有收到一元現金已忘記了，但記得很清楚，事後，李祖請我到附近大華國貨公司大樓頂樓的揚州飯店吃一頓飯，跟着就散檔了。

梁：聯合出版集團接管後，與《商報》原來的作風有所不同？

張：《商報》一九五二年由《經濟導報》主導創刊後，一直維持着兄弟般關係，沒有予人從屬之感，兩班領導人雖然不是民主派，作風民主，為人寬厚、包容。在《商報》本身，吳子安經理在我們走上正軌之後便撤離，返回他原屬的《永發印刷公司》。張學孔、李少雄實行無為而治，放手讓我們做，對職工出自內心的愛護，由於條件所限，工資待遇相當低，大家都很用心工作，所以《商報》的氣氛是很一家人的，大家真的以報為家，除了一兩個有特殊背景的「臥底」被請走之外，都沒有炒過人。李祖來之後不一樣了，他的親信馬仔羅志雄，以接收大員的姿態，君臨報館。他首道命令，是要李少雄經理在三天之內交數。李少雄説，「在星期五提出這樣的要求，根本是刁難，星期六是半天工作，星期日放假，我星期一怎能交數?!我工作了幾十年，從來沒有受到上頭這樣對待，如此不信任，莫非要我非走不可？」

許：易手初期，説是人事不變，李少雄留任經理，張初留任總編輯，豈料短短時間內一切都變了。張初老總的遭遇比李少雄更難堪。

張：我當時還是總編輯，但甚麼編務會議、編前會都要由羅志雄主持，這個人的口氣好大，在他的口中，他的老細就是港澳工委第一書記，而他作為他的代表，講甚麼都是權威的，你們不得有異議。具體些説，他就是要改變《商報》面向廣大基層讀者的基本路線。他覺得《商報》太「低格」了，他強調要突出政治，要「高檔」要高度政治化。他不惜以很高稿酬，邀大學教授、學者寫稿，大篇大篇的要在封面版刊出，以示權威。他最丟我臉，令我最難堪的是不讓我知道，不動聲色的把副刊全部改了。多年來為我們撰稿的作者都裁掉了，這些作者是我們的老朋友，他們知道《商報》有困難，稿酬較低，甚至拖數，他們從無怨言，如今遭到這樣對待，他們就激氣了。擁有頗多讀者的老作者卓林青，不知底細，罵我無情，我在震驚之餘，啞口無言。羅某人最後甚至公開揚言要「隊冧」（推倒）《大公》、《文匯》，氣焰之高，不可一世。老同事看在眼裏都心知肚明，他要將《商報》如此「抬高」，無非是要藉此抬高他的主子的「政治地位」而已。至於廖公多年來強調的面向基層讀者的精神，那算甚麼?!果然李祖不久就當上了全國政協委員了。聽説《文匯》的李子誦社長退休後空下的全國政協常委位置，李祖曾力爭填補，只是功虧一簣，至此止步，那是後話了。李少雄經理和我最後也終於退休了。我們仍有一個小房間，讓我們回去看看報紙，但我們總覺得，在當時的氣氛下，我們被視為絆腳石，不出所料，不久我們真的接到通知，限時搬走，交回小房間。

梁：你又是怎樣離開的呢？

許：我九三年年中退休後，主要職務為主筆，負責撰寫社評，豈料不久也出事了。有一天，寫台灣問題，「台局」被誤排為「台國」，我是親自校對的，發現後用紅筆畫出來，字房工友一時疏忽，沒有改正。報紙印出來仍是「台國」，這肯定是嚴重錯誤。當天在偶然機會見到新華社宣傳部部長孫南生，我當面表示歉意。他説：「報紙佬常有這樣那樣的錯啦！更正便是了。」李祖作為新老闆，反應可不一樣，他對一些同事説，我搞到他「一鑊泡」。他視為嚴重「政治事故」，召令主要編採人員到集團總部開會，進行「檢討」，但又不讓我知道，我只能從同事口中得知這一情況，自然有所領會。這是另類「隔離審查」嗎？我不由得又一次想起他的話：「我出錢，梗係我玩啦！」我只好自動告退了。不久就接一封信，內有未付的日薪，以及正式「解僱」通知。就這樣，我離開了工作四十多年的報館了。

梁：你們離開有何感想，以後又有何變化？

張：廖公在會見報紙老總時，一再強調要分工合作，他生動地以做大戲為例，不能都扮紅臉關公，也要有白臉書生，香港不僅是個多元化社會，還有點國際色彩，品流複雜，需求各異，你們也要有不同角色，才能適應啊。新老闆入主《商報》後，他們財大氣粗，哪管得那麼多，他們以

《大公》、《文匯》為對手，甚至揚言要「隊冧」他們，以確立自己的「共主」以至「霸主」地位，只是他們想頭大而不靈。《商報》發行、收入，反而更差，虧損大增。接手前虧蝕最大的一年只蝕了二百多萬，易手後一年就蝕幾千萬。誰都知道，聯合出版集團財力雄厚，它由中華、商務、三聯、新民主等幾家全國性出版社在港的分支機構組成，其中中華、商務更為突出，他們都有很大的廠房物業，中華在九龍土瓜灣的印刷廠是原國民政府的印鈔廠，專為國民政府印鈔票的。這些大廠房都在市區，發展物業後又在大埔建立全新的規模巨大的中商印刷廠。他們實力雄厚，銀紙之多，不言而喻。但實踐證明，他們無法當上左報的「共主」、「霸主」，反而是愈玩愈縮，玩了十年據説虧損五至六億元之鉅，要把中環鬧區一個很值錢的物業賣掉才夠找數。李祖終於要下台了，新總裁到任後，覺得如此搞法不好玩，索性把《商報》賣出去。於是《商報》又一次易手了，新老闆就是全國最富有的媒體企業——深圳特區報業集團。

梁：你們是怎樣看今天《商報》呢？《商報》發展到這地步是很可惜的，今天的《商報》根本就是深圳特區報。在香港是不大見到的，只有在香港一些辦公室才看到？

張：我有點憂心。我曾問他們老闆：「你們辦成這個模式，要不要顧香港市場呢？」他回我説：「有想過的！」但想還想，卻沒具體措施。那天我在7-11買了份《商報》，其實怎會有香港人看的！都沒甚麼好看！

許：《商報》再度易手後，講到變化，主要在經營方面，如果仍當它是香港報紙的福，它是唯一持有執照可以在內地公開發行的港報。可以説它是港報，也是深報。事實上，今天《商報》有相當多版是在香港編好，排好版，由電腦傳回深圳，印好後再運回香港銷售。

梁：內容方面又如何？

許：今天《商報》的問題重要在內容方面，不能做到面向廣大香港市民大眾，無論新聞副刊都是如此。前些年，甚至有自我審查的念頭，主動把馬經裁掉了，真是立竿見影，立即跌了五至六萬紙，只好又立即恢復了。單從生意的角度來看，目前的日子不錯。

梁：目前每日發行有多少？

許：我和初哥都退休多年，實際情況不大清楚。同一些仍在任職的舊同事飲茶閒聊時，聽説發行數量相當之大，頗為嚇人，每天在廣州印十萬，在深圳印十五至二十萬，即每日廿五至廿八萬之多。這數字可能有水份，仍相當可觀。論印數，在香港各報中，與《東方》不相伯仲，比《太陽》、《蘋果》，則超出很多。這一情況，是大家初時沒有料到的。

梁：原因是甚麼？

許：以個人睇法，原因可能有兩個方面，第一，如今《商報》的版面、內容無疑不能滿足本港廣大基層讀者的要求，但在廣大的珠江三角洲地區，在眾多的讀者眼中，它比當地原有的黨報、官報要精彩，生猛得多；第二，隨着改革開放，珠三角的港資企業大增，入內地工作的港人也相應大增，據粗略估計，僅成年人就有約三十萬，其中馬迷不少，他們在馬會開有戶口，習慣電話投注，非買《商報》不可，所以香港馬會對《商報》特別重視，發給《商報》的廣告也特別多，據説每年有數百萬之鉅。

梁：《商報》是不是搬到觀塘了？

許：對，這是《商報》第三次搬家。一九五九年由上環搬到北角時，北角工業大廈的館址是僑光置業公司買下的，至一九九一年易手時，聯合出版説，他們錢多，要把物業也一道買下。結果他們以高於原來約五倍的價錢，從僑光手中買下來了，深圳報業向聯合出版收購《商報》時，不包括物業部分，館址只能是租用，要交租的。幾年前，深圳大地產商「深圳新世界集團」（與香港新世界發展無關）入股《商報》，出錢買下觀塘區觀塘道一座七層工廈，作為《商報》新的自置館址，於是《商報》又搬到那裏去，據説，僅這項物業已賺了成倍。

梁：你們創刊時，本地親中力量同當時港英政府的關係還是不大順暢，你們能講講當年的情況嗎？

張：初時的確很不順當。我們創刊不久，所有電話都被切斷，電話公司説，這些電話是前租客（民生輪船公司）申請的，與你們無關，因此要收回。一家報館連電話都冇，困難之情不難想像。好在我們隔鄰是愛國商人莊成宗的東方醬油公司，莊老非常之支持我們，他親自跑上我們編輯部，叫我們盡量使用他們的電話。當時所有報館的新聞採訪都靠買「線」，其中最出名是《成報》老記關文禮（新馬仔的舅仔）的「差館線」。電話響起來，對方説，「彌敦道某某金舖有械劫傷人。係阿關打（電話）來的。」我們一接電話，立即派人出動跑新聞了。所以我們幾乎整天有人守住電話，莊老也非常之體諒。

梁：你初時是跑新聞的，你的感受如何？

許：初哥剛才講過，為形勢所限，我們格調要「淡」一點。張學孔老總，俞安本（採訪）主任一再吩咐我們，不要跟《大公》、《文匯》跟得太貼，對「友報」記者也要避忌。老實説，各報可能立場鮮明，我們記者行家一起工作，倒是不分彼此，相當融洽的，而且都很賣力，比如説，有某某年青貌美的舞女自殺，我們記者佬通常最先趕到，到後很合作的分工，有的上樓搜料，有的留在門口「睇水」，警車一趕到，立即喊話上面收手，有甚麼好料，特別是靚女的艷照，一定大家分享。有一次，我們的記者謝泉（原《經導》記者）搜到有關靚女一本日記，竟私藏起來，精彩內情翌日獨家刊出，這樣，立即出事了，有行家「通水」，説差佬指他影響調查，要抓他。報館領導只好讓他回廣州躲避，半年後才回來。

梁：你跑新聞處等官方機構，有困難嗎？

許：俞安本主任覺得我這個新仔有些特色，便吩咐我，有行家問起你的身世，你就説是讀聖保羅的，剛剛畢業出來搵份工打就是。我覺得整個環境，還是不錯，沒有初時想像的那麼「敵對」。我採訪英國商務專員，談中英貿易，他很友好，也許是想到《商報》同《經導》有點關係吧。他很耐心的跟我解說，還翻出有關資料讓我參考，多次都談上成個鐘頭。還有當時的工商署署長石智益，對我也很好。我敲敲門就可以進入他的辦公室，坐在他旁邊。他對我詢問的問題，都很耐心的解答。有一次，政府有些新措施要搞清楚，我不好意思又打擾他，到樓下向有關部門打聽一下，那位官員在回答後問我是哪家公司的，我說是《商報》記者，他立即打電話向署長報告，後來我離開工商署大廈（中環消防局大廈北翼），在門口被警衛截住，要我上樓見署長，署長說：「你有甚麼問題只能問我，他們（樓下官員）講得不準確，你們登出來就不好了。」我立刻連聲謝謝。有位工友長期坐在署長辦公室門外，我去得多，便跟他熟起來，我說，「你們署長真好人！」他說，「你知道為甚麼嗎？香港淪陷時，他由東江游擊隊協助，走入內地，否則他被日本仔抓入集中營，那就慘了。」

在以後的日子裏，政府方面對《商報》的態度也有所改變，電話公司再為我們安裝電話了。有一次，政府新聞處一個小型吹風會，也叫我參加，一些行家只見我到，不見《大公》、《文匯》的人，便問新聞官（英國人諾斯 Knowles），他回答說，「他們成日罵我們，不叫他們。」一九五三年元朗元旦農展會（即《商報》創刊後兩個多月），港督親往剪綵，以及隨後的大欖涌水塘工程開工典禮，新聞處都通知我們搭政府車去採訪。新聞處也開始發「記者證」（當年是由新聞處發）給我們，看來不再歧視我們了。

梁：你們同新華社的關係又是怎樣的呢？他們是老闆，還是合作關係？

張：肯定不是老闆關係，但我們親中、愛國報紙，說同新華社沒有合作關係，也講不通。

梁：最關鍵應該是文革與「逃亡潮」吧！那時北京有沒有影響你們？

張：「逃亡潮」都沒有人去理我們，文革時，北京就叫我們不要搞狗馬經，當然是通過新華社通知的，就只有這樣了。

梁：新華社的人有來跟你們開會的嗎？

許：沒有，這都是自己的事，平時沒這些的。

張：我們一向的待遇也不錯的，新華社向來不干涉我們的東西。

梁：孫南生作為新華社宣傳部部長，他會影響你們嗎？

許：如果說影響的話，記得只有一次。已是半夜三更時分，孫部長打電話來，那是有關許家屯出走一事的。這則新聞我們登得相當大，說許家屯不是出走，是出外旅遊而已。孫南生跟我們說，「不要登那麼大了，就這樣算了吧！」至於《商報》日常的新聞報道以至評論，新華社從來沒有甚麼指指點點，我在《商報》寫了廿多年社評，從來沒有甚麼人說一句話。如果說有的話，只有在中英談判開始後，張學孔老總說，「英國佬當年佔了香港，如今他們子孫雙手奉還了，不要再罵他們了。」這話可能是傳達上頭的意見，也可能是他自己的意見，可視為「干預」的就是這麼多了。

梁：新華社有沒有叫你們參加吹風會？

許：香港這個地方，吹風會是很尋常的，政府新聞處也常有，目的是讓你知道一些新聞背景而已，新華社有吹風會，可以理解。在我的經歷中，參加過大小兩次，相當有趣。大的一次是在一九八四年間，蘇軍入侵阿富汗，新華社社長李菊生一時興起，叫我們幾家報紙的編輯、記者，都到北角新光戲院聽他講話。他興高采烈的說，阿富汗是我們的鄰邦，阿富汗人民與我們中華民族有血統之親，獨立性很強，而且非常之強悍善戰，英國佬在佔領印度後一度揮軍北上，想把阿富汗也吞掉，豈知幾度交手，英國佬輸到仆街，狼狽逃返印度了。如今蘇修自以為比英國佬強，還恃着有接壤之利，公然揮軍南下，看來他們運氣也不會比英國佬好，你們不要擔憂，我可以預言他們『死緊』！」李社長是老資格外交家，不出他所料，經過多番交手，蘇軍同樣輸到仆直，落荒而逃。不久，連蘇聯也垮了。有說蘇聯解體與此也有一些關係，那是題外話了。最想不到的是相隔一段時間後，美國佬竟在阿富汗遭到同樣的命運。

至於另一次較小規模的吹風會，也是李菊生社長叫我們參加的，說來好笑，那叫「公開洩密」。也是在八十年代之初，中英有關香港回歸的談判開始不久，李菊生和港督尤德都是談判代表。雙方有個協議，就是會談話要保密，不得外洩。豈料每次會後，《信報》的評論和報道，都很詳盡準確，中方有意見，尤德回答說，「他們醒目，估中啫！」有一次，尤德從北京回來，《信報》林老闆循例趕去見他。尤督說，「對唔住，我今晚有應酬，你拿回去看吧！」說罷就把整份會談記錄交給他。林老闆寫社評時，為了省工夫，把關鍵的一段剪下來，照登無誤。第二天，中方代表們發現，如獲至寶：「連標點符號也一樣，證據確鑿，還想抵賴！」李菊生於是叫我們去見他，他說：「不向你們洩洩密，不公平了！」事實上，有關的這一次會談，也不是甚麼大不了的機密事情，只關乎國泰航空公司而已。會談開始，英方就提國泰航空問題，說國泰一年的生意幾十億，這個問題應先談，有個定案才好。中方代表暗地裏笑笑，原來英國佬對錢也這麼緊張啊！這也的確不是小事，只要中方說一聲：「好吧，香港回歸後，航空權也交還我們吧！」，只這麼一句話，國泰航空就要執掉了。中國人畢竟有大氣量，笑笑說：「一向是怎樣做，以後繼續做吧。」英國代表聽了，驚喜不已，連忙說：「這樣不好，我們兩份，一齊玩吧！」會後，滙豐立即把他們持有的國泰航空股份，轉售給中信泰富。從這次近乎笑料的、公開洩密的吹風會，我們多少領會中英都有包容，互諒互讓的精神。但李菊生也明告我們，在涉及香港主權、治權問題上，就不能講互諒互讓啦！

梁：你們的工資水平有沒有規定？有沒有像《新華社》、《大公》、《文匯》的福利呢？好像那些平價糧食、供應宿舍甚麼的？

張：有參考《大公》、《文匯》他們，工資都比他們低，但沒有其他。

許：我試用期（三個月）的工資是八十五元，轉正職後加至一百零五元。伙食是午、晚食自己，每餐七角，消夜吃報館的，我每月伙食大概扣四十二元五角，佔工資收入約一半。至於住宿方面，單身男女職工都住宿舍。正如前面説到，南洋商業銀行老闆莊世平很支持我們，他將南商搬遷後騰空下來的行址（先施公司旁邊一座唐樓的三、四樓），讓給我們做宿舍，環境不錯，而且分文不收。待遇雖然不高，因為沒有負擔，還是可以應付得過去。記得在最初十年，人手少，連一天正式假期也沒有。星期例假沒有，不用説，為了爭生意，春節也要上班，那時大家年青，捱得，但最重要的，是報館內上上下下關係都很好，如兄弟姊妹，日子過得非常之開心。

梁：聽説你們有平價糧食供應，也有家庭住所提供。

許：我成家之後，買米主要在工聯會的聯益公司買，我們打電話去，第二天就整包米送過來。他們是做生意的，不算福利。

梁：退休金呢？是自己儲出來的，還是中央政府或新華社撥款來搞的？

張：講到退休金，那是比較後期的事了，這些錢也是我們自己的，不是他們發的。做公積金也是自己搞的。如果我們有錢，就不用李祖來接辦了！

梁：總的來説，你們同新華社的關係不像《大公》、《文匯》那樣密切，尤其是錢銀方面。

張：也不能這樣説，中英談判結束之後，港澳辦副主任李後等一批京官也到我們報館探訪，給我們勉勵一番。其後國務院新聞辦主任朱穆之和他的助手李源潮（現任國家副主席）也到過我們報館探訪視察，見我們只有一台用了十幾年的印報機，怪可憐的，説是連內地報紙都不如，便主動表示給錢讓我們買一台新的，可惜那已是接近賣盤的時間了，新機器運到時，我們初期的老職工沒有機會看見了。

梁：上頭有資助你們甚麼福利嗎？

張：都沒有，連醫療福利那些也是我們自己定的，這是較低一點。

許：講到醫療福利方面，一些醫生對我們很好，我們非常感激，其中如李崧、黃雯、廖恩德、吳達表以及後來的韋金耀醫生，為我們職工看病，收得特別便宜，近乎義診。黃雯醫生是何東外甥，英國劍橋學醫，曾任廣州衛生局長，他對我們職工照顧非常的體貼，有一次，他對我們一位職工說：「你們沒有錢，我只收兩元，我收《大公》、《文匯》三元，不要告訴他們呀！」這番話聽來簡單，但充滿人情味啊！我有肺病，要到他那裏打針，他的診所是借他哥哥名醫黃錫滔的，只能早上用，我因上夜班，經常趕不及到醫務所。他吩咐護士一見我就帶我去見他，他說，「你經常不來打針，好危險的，肺病擴散就麻煩，我只收你一元，你有困難，我可以唔收㗎。」我聽了非常感動，我的肺病就是在黃醫生的醫理下痊癒的。

梁：張續良是不是你們那邊出身的？他後來在《明報》有個「醫療信箱」。

許：張續良我是認識的，他最初是在《香港時報》做記者，我們一道跑過新聞。他曾在大陸學醫，為人不錯，後來轉到《明報》，聽說曾任總編輯。他沒有為《商報》寫過稿，他在《明報》開醫藥信箱，可能是看到我們「莊綺信箱」（任真漢主持）、「韋濟信箱」（韋全耀醫生主持）很受讀者歡迎吧。

梁：其實我印象中，林真也好像是你們的，都是《商報》的。

張、許：對！

張：他是相當成功的相學家，很有名氣，他主編的《林真通勝》風行一時，收入可觀。

許：這位仁兄可真是位奇人、奇才。戰後初期，九龍平安戲院旁邊有一家很小的電影院，叫「廣智戲院」，它之出名是既小又老，連固定座位也沒有。林真初時就是在那裏工作的，晚上有空就出來在附近的廟街「照田雞」（睇相）。《商報》記者陳子鋒為他做了幾次專訪，跟着《麗的呼聲》（《亞視》前身）就請他開講座講風水，很受歡迎。他既幫人睇相、睇風水，他主編的《林真通勝》也十分暢銷，真不簡單。他沒有拿過甚麼碩士、博士學位，可能連正規學校也沒有讀過，但同他聊聊，他博古通今，學識淵博，令人佩服。而最可貴之處是念舊，他成了名人之後，很忙，仍堅持為《商報》寫稿。我們付的稿費很少，每篇幾元而已。他經常從九龍親自送稿來，他笑說：「我要七十元車費來的呢！」

梁：其實你們開始時那些人也有點背景吧？例如從國內讀完書後，就來香港搞《大公》、《新晚》，再轉去《商報》，初哥你呢？

張：我從《文匯》過來。

梁：你是怎樣入行的呢？

張：我入行？投稿去《文匯》。

梁：你是香港人還從是國內來的？

張：我是香港人！是這樣的。我小時候就在香港，我爺在中山。我在石岐出生，十一歲走難來香港，在香港讀書。打仗時，走回廣州讀書。林真就說我：「你條命好奇！打仗時個個也不行，我也要走江門，你就有飯食，有書讀。很奇怪的命！」那就很準！那時去公立學校，就是有食、有住那種。不然就餓死。戰後回香港，我去打工，我有個舅父開製衣的，我就去了。後來跟那個家屬合作，就派我去做售貨員，二十五元一個月。後來不做，就回去做工廠，我叔又在彌敦道有個店，是服飾店，就叫我去幫手，做售貨員，八十元一個月，很好的，可以養家，又可讓弟妹去上學。後來就投稿去《文匯報》。五個月沒稿費，我也繼續去寫，之後就一筆出稿費給我。

梁：那時是誰負責的？

張：負責人嗎？換了好幾個，我去的時候是李子誦。我還去訪問他呢。因為那時有個黑版報。說訪問老總吧。他當時四十歲，我廿五歲。

梁：當時他是名記者。（**張：**是總編輯）在建國大典上採訪的？

許：不是採訪，而是上京開會。徐四民是仰光代表，同毛主席握手時，周總理、李子誦在旁微笑，這張照片曾在《周末報》封面刊出，可惜找不到了。他是很大資格。李子誦自閩變就在參與革命，他是國民黨革命委員會的創黨成員。

張：《商報》創刊，也要找李子誦幫忙。李子誦就嘆說，「唉，開家新報又要找我來煩，排版、校對那甚麼的。」所以他就找我去那邊了。

梁：那你是先做校對？

張：對啊！當時很多人也是這樣，李子誦也是這樣出身的。那當時做校對，甚麼版也會熟悉。

梁：許生你呢？

張：他讀 St. Paul（聖保羅）的，是番書仔。

許：我可算是《商報》第一個由社會招聘的記者。當年就讀於「聖保羅男女中學」，會考後上廣州升學，因體檢發現肺病，不能投考，只好回港。羅怡基校長是個很開明的人，她讓我回校升讀第一班（Class 1）（即大學預科）。此時《商報》正在籌辦，想從外面招聘一些略懂英文的記者，同學的爸爸梁燦輝老伯問我有無興趣出來「玩下」，我就在梁伯的推薦下到上環乍畏街一零二號四樓《經濟導報》見工，由報社經理陳展謨接見。陳經理同我談了相當長時間，最後表示可以錄用，至於甚麼時間上班，要等待通知。過了一段相當長日子，一天晚上，《商報》張學孔老總終於來到我家，叫我翌日返工。十月十五日，我回校參加早禱後，便去見校長，對她說想退學，到外面打工。校長頗感愕然，她說：「咁大件事，你有無問過爸爸、媽媽呀？」我說父母都不在香港，校長以為我有經濟困難，便說：「你可以不交學費呀！」（這時學費是每月三十元，每月一號由李福逑班主任到課堂收繳。）我聽了非常感動。校長勸我還是好好的讀下去，又談了一會，她見我去意已決，只好說：「真冇你辦法，你在外面有甚麼困難，再回來找我啦！」我帶着深深的感激之情，同慈祥的校長握別，走出校門，離開我度過青少年時光的母校，告別至今念念不忘的老師和同學，從此踏上另一個充滿挑戰性、也充滿了憧憬的人生歷程。

我由麥當奴道走到干諾道中一四五號《商報》報社，在裏面做清潔的珍姐、英姐說是我「摸錯門」，不肯開門。她們說：「報館哪有這麼早上班呀！」我詳細解釋來意，她們才開門讓我進去。一直等到中午時分才開始有返工的人出現。最後見到了頂頭上司俞安本採訪主任。他安排的日常工作，包括跑立法局、新聞處、法庭、工商署、各國駐港商務專員、領事館等，因為人手少，有空還要幫手跑突發新聞。

我記得第一項工作是高院有關中資公司廣大華行一宗官司判詞交我處理。我把它譯了出來，當時一同上班的《經濟導報》陳陌軍老總看了，說是譯得不錯；後來陳展謨經理還問有無同學可介紹到報社工作。我覺得老細相當滿意，便想到這份工大概可以穩下來了。

我初期工作，相當有趣也有意義。有一天，俞安本說：「今天中環開始填海，你拿個相機去拍個照吧！」我記得中環填海第一車泥頭是倒在太古洋行總部（即今日的AIG大廈原址）對開、海軍船塢旁邊的海面。照片已找不到了，但是相當有價值。我父親一九一八年第一次世界大戰結束後，只十多歲便來港謀生，親眼看見大道中是填海填出來的，而我一九四六年第二次世界大戰後來港生活，也親眼看見香港戰後第一次填海，都是值得回憶的樂事。

梁：我印象中，報行有很多報人有參加東江游擊隊；初哥，你沒有吧？

張：沒有啊！那時我在廣州。

許：老一輩報人，不少是參加過的。我在戰後才來港，只能在行家口中略知一二而已。與報紙直接拉上關係的，最突出的應是楊奇，他曾任東江縱隊機關報《前進報》社長。一九四五年和平後第一批乘小艇回港，籌辦《華商報》，解放後《華商報》遷回廣州變成《南方日報》。楊奇社長後來又創辦《羊城晚報》。文革後，重臨香港，擔任新華社宣傳部長、秘書長，跟着擔任《大公報》社長，直至退休返廣州，他已九十多歲，年中有時也返港，與我們老朋友茶敍，很開心。還有廖一原，他是東縱香港大隊的，是香港《文匯報》創辦人之一，後轉投電影界，是左派電影界的頭頭，早年已離世。還有一位葉鴻輝，他是東江游擊隊的小鬼，來港後在《華商報》工作，曾任出版界利源書報社經理，算是這批老戰士中最年青一個，還經常參加老報人的活動。至於原新華社以前的頭頭黃作梅、梁威林、祁烽、陳達文、李沖等，不算是報紙佬，這裏就不提了。

梁：你們《商報》的舊同事也常見面嗎？

張：有，我們《商報》自創辦至今已六十多年了，老的退休，新的頂上，更換了好幾批了。回顧這段歷史，上頭對我們比較信任，放手讓我們去做，作風民主、寬容，上上下下相處得很好，相當融洽，所以待遇雖然不高，生活相當艱苦，大家都專心工作，氣氛很好像是一家人的，大家真的是以報為家的。有的舊同事說，到外面報紙工作，離開就算了，但《商報》的同事，對報館都有一種認受性，出去後都跟我們保持聯繫，令人感到一種親情。甚至到了英國、加拿大、美國的舊同事，也跟我們聯繫，而且聯繫得很好，還搞了一個 Facebook 群組！我們也參加，就是這樣來往的。至於他們耐不耐回港，我們都相約聚會，是很好的，這是我們《商報》的一大特點，其他報紙不是吧！

梁：許生，你又有甚麼感覺呢？

許：同事們聊天，有人提到：「你呢個書院仔，可以搵到份好些的工啊。」我説，這份工是梁燦輝老伯介紹的，我曾對他的兒女説，梁老伯介紹的這份工，不算「筍工」，但做下去，覺得很有意義。從一九五二年離開學校，到報館上班，一直做到一九九三年退休，四十一年來一直很開心，精神飽滿、愉快，從來無怨無悔。回顧大半個世紀的人生歷程，目睹以前國家、人民的苦難，今天國家繁榮強大，人民生活一天比一天好，幸福之感，油然而生，如果有第二個選擇機會的話，我還是作同樣的選擇。

許燊
《商報》有一百零八條好漢

許燊，一九三四年出生，一九五二年於聖保羅男女中學肄業，隨即加入《香港商報》成為外事記者，主力跟進立法局、新聞處、法庭、工商署、社團等新聞，一九六一年兼任社論作者，一九九三年升為常務副總編輯。一九九六年轉至《天天日報》，任職主筆。九十年代至二零零五年期間兼任香港協進聯盟研究中心主席。

訪問時間：二零一二年一月三日

訪問地點：北角寶馬山樹仁大學新傳系錄影室

梁：許棨先生是《商報》前副總編輯，他跟張初不同。張初參與籌辦《商報》時，在《文匯報》任職校對，後來轉至《商報》當校對領班，一直升至總編輯。而許棨先生沒有報館背景，加入《商報》當電訊版記者，應該是《商報》第一個香港僱員，然後編輯電訊版，最後升任副總編輯。你可否説説，為何不繼續讀書，而是加入《商報》當記者？那是一九五二年十月？

許：是一九五二年，我們當時不讀大學，多數是錢的問題。我打工時，月薪是八十五元，若考港大，肯定能考上，因為全班二十五人，基本上都能考上，我的成績雖然不是最好，但也不是最差。

梁：你當時讀聖保羅？

許：對，聖保羅，肯定能考上港大。

梁：是男校（聖保羅書院）？

許：男女校，那時還沒有男校（註：許棨就讀於聖保羅中學，由二戰後的聖保羅書院與聖保羅女書院合併而成，後來聖保羅書院於舊址復課，聖保羅中學更名為「聖保羅男女中學」）。那時考進去，多數都能考上大學。考上但不入讀港大的，都是因為財政問題。現在不讀大學，肯定是因為懶。那時沒有錢借。考上港大後，最怕被問到：「要不要寄宿？」

寄宿費每年三百元。我打工一個月只有八十五元，剛到《商報》時，那個頭頭跟我說：「小子，你不做的話，要預先一個月通知，不然要賠八十五元！」而寄宿費要三百元，不連學費。所以當時我不想入讀港大，跑去廣州考試。我當時患肺病，他們不讓我考，我失望而回。校長羅怡基非常好，她沒有為難我，還讓我重讀。後來有同學的父親見我會英文，問我要不要做工。

我當然去做，當時工資是八十五元，扣伙食費四十二塊半，何樂而不為？我跑去跟校長說：「校長，我不讀了。我要打工了。」她回道：「怎會這樣？這麼大的事情，有沒跟家人商討？」我說：「他們不在，我爸在廣州，我媽在鄉下，都不在香港，也沒錢交學費。」她跟我說，不用交學費。這真的讓我很感動。

她一直游說我留校讀書，說了一個多小時，最後她跟我說：「若要再讀書的話，回來找我。」我跟她鞠躬道別，回《商報》上班。

那時工友在清潔，不肯開門讓我進報館，以為我冒充職員。他們說：「哪有人這麼早回報館上班？」結果一直等到十二時多才有人來，那時是採訪主任叫我去……

梁： 當時是誰當採訪主任？張學孔是社長……老總？

許： 張學孔當老總，沒有社長。採訪主任是俞安本，《文匯報》過來的老記者。那時社委大致有三人，張學孔是老總，俞安本是採訪主任，李少雄是經理。還有一個編輯主任李沙威，也是從《文匯報》過來的。那時我聽聞，《文匯報》、《大公報》被封口，所以要弄一份《商報》出來。港英政府剛剛開始限制報紙註冊，要另外批准才能出版報紙。那時《經濟導報》……

梁： 有書號、報紙註冊號碼？

許： 不是，它應是香港最老的左派刊物、報刊，是許滌新辦的，他後來當上全國工商管理局局長。

後來上海、廣州的《經濟導報》也由他營辦，他還去當他們的政治顧問、經濟顧問。那時，正值朝鮮戰爭，一九五零、五一年左右，《經濟導報》會寫盤尼西林一打售價如何，就這樣寫，然後油印出來，有廣告，很能賺錢。

那時《經濟導報》想：「不用油印，用排字好不？」所以改用排字以後，改名為《商報》。當時《商報》是正式報紙，但實際上沒有人看。

梁：是十月嗎？我記得創刊日好像是十月十一日？一九五二年。

許：本來是十月十日，因為中華民國的國慶而推遲一天。

梁：十月十日？

許：對，十月十日正是「雙十節」，不能在當天出版。所以改成十一日創刊。其實我在九月已想上班，但他們到十月十四日才叫我去，我十月十五日正式報到，可說是最早的職工。

梁：當時《商報》採訪部有多少人？

許：那時的記者基本上是《經濟導報》的。

梁：你當時是新人，以「局外人」身分加入？

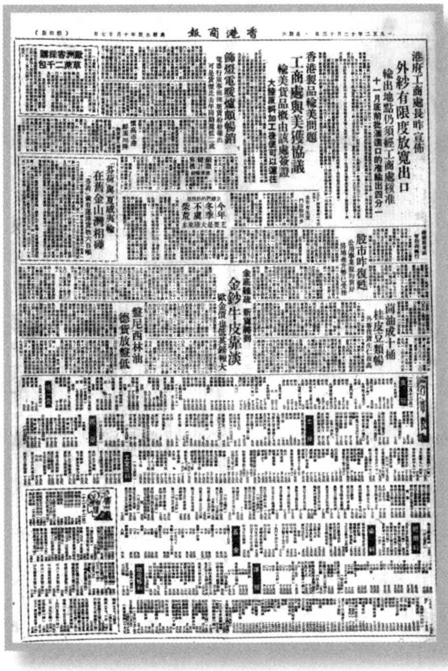
香港商報

港府工商處長昨宣佈
外紗有限度放寬出口

香港製品輸美問題
工商處與美獲協議

股市昨復甦

金鈔牛皮鼎談

《香港商報》行情、價格表。

許：對，我是唯一一位從外面加入的人。

梁：你跟《商報》有甚麼關係？或跟左報有甚麼關係？

許：其實我跟一個同學的父親相識。梁燦輝，他是南北行理事長、中華總商會副會長，我跟他的小孩相熟。他們說：「可以幫這個年輕人去找工作。」我心想：「有工做也不錯，很好玩。」我就這樣開始工作。因為當時很少人會英文，我又會幾句，所以第一件事就叫我……當時的記者基本上都是《經濟導報》的，《大公報》也來了幾位。因為記者難找，《文匯報》沒有分派記者給《商報》。

香港商報
Hong Kong Commercial Daily
四國集會日內瓦
討論關稅與貿易
日本請加入關稅貿易總協定
預料英聯邦各國將堅決反對
世界工業生產量減
去年英聯邦各國
出口貿易難展開
修辭立誠
通商惠工
工商導師
港督由英返港
於昨天起銷假視事
澳門當局公佈
六十種貨品
免領進口證
華安商會函工商署
秋季大賽馬今舉行
新富翁午後誕生
發刊詞
檸檬精
檸檬露
瑞興百貨有限公司
秋季大減價

為避免與「雙十節」衝突，《香港商報》將創刊日延後一天。（《香港商報》，一九五二年十月十一日創刊號第一版。）

梁：總共有多少人？

許：四個，加上我就是五個。採訪主任叫我去採訪立法、行政局、工商署法庭等等。

梁：所以你包辦所有英文採訪？

許：我有一次跑工商署的時候……

梁：所以你也跑機場線？那時還是啟德年代，機場線好像很重要？

許：對。機場線有一個問題，因為啟德只有一層……（**梁**：新聞處好像有個辦公室在裏面？）沒有。

那時一定要坐的士進機場禁區，走進去會被人拘捕，但入境的可以走出來。整個機場面積很小，記者會大多在同一個地方。

我經常跑工商署。工商署署長叫Sedgwick（石智益），他很好相與。我每次到訪，只需在他房門前敲敲門，就可以進去。我每次都跟他說：「大哥，每次都要麻煩你，真不好意思。」有一次到工商署，想查詢一條新條例。職員問我是甚麼來頭。我說：「報館的。」石智益知道後，馬上叫保安員帶我到他辦公室。他說：「你不要四處問，問我才行，說錯了是很麻煩的！」所以我覺得他很好相與，也很感激他的幫忙。自此以後，我就可以直接到他的房間去獲取消息。他參加過東江縱隊，所以對中國人很好。

梁：他不是英國人嗎？為甚麼會參加東江縱隊？是抗日戰爭的關係嗎？

許：對。當時東江縱隊曾救助他，撤回大陸（註：戰時石智益在馬來亞供職，其後調至重慶，偕英軍服務團協助港人逃離日據香港）。詳情我也不太清楚，總之他跟東江縱隊有關係，所以很好相與。當時我跑立法局，立法局新聞很簡單。

梁：每日要跑多少條新聞？

許：有新聞就要跑，其時人手不多，只有三、四人。全間報館只有⋯⋯（**梁：**二十多、三十人嗎？）對，很少人。其他人要負責跑其他新聞。

梁：那時只出紙一張？

許：一張紙四版，一版新聞，一版要聞，兩版副刊，就這樣。

梁：沒有很多廣告。

許：當時不多，後來才多。當時有少許西藥廣告。

每年元旦，我們都要跟港督跑大欖涌水塘，而且一定會訪問元朗的農展會。（**梁：**對，新界農

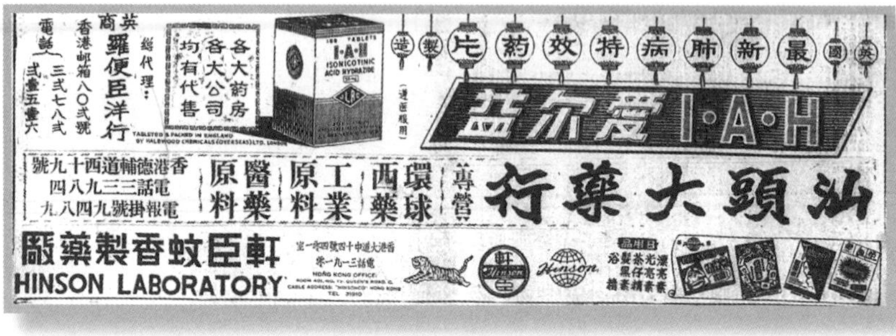

創刊初期，僅有小量成藥廣告。（《香港商報》，一九五三年二月十五日，第一版。）

業會。）我們坐大貨車去會場，一張板櫈，一個盒飯，一支可樂，他們就這樣招待我們。我們坐在那邊等待港督前來。那時新界沒有甚麼節目，偶有節目，港督座駕會停下來看。有人問：「港督座駕拋錨了？」有人回道：「你有所不知，港督就是這樣，十一時開幕，肯定在十時五十八分才會到場。」

當時新聞處處長對我們還好，開「吹風會」時，會叫《商報》去採訪，但不會叫《文匯報》和《大公報》。

梁：為甚麼？因為你們是「外圍報紙」嗎？

許：不是。他們有叫《華僑日報》、《工商》，但為何不叫《大公》、《文匯》？因為他們常罵政府，所以不叫他們。

梁：《商報》初時經營得很艱苦，銷量何時才增加？

許：這是一定的，一九五二年十月十一日創刊，基本上過年那個月……我們在慎記印刷，慎記是《新生晚報》在利源東街那家印刷廠，印量只有四、五千份左右。《大公報》、《自然日報》也在這裏印刷。《自然日報》那人取笑我們：「那個操縱印刷機的人若果慢了按停機按鈕，已經印多了！」那時《自然日報》風行，很「反動」。當時我們副刊由誰來寫？是陳霞子，陳霞子剛剛……

梁：陳霞子那時在《成報》吧？他是否以「筆聊生」作筆名？

許：說到陳霞子，以辦報人來說，他可是「香港第一奇才」。何文法是一個很精明的經營者，但陳霞子跟他鬧翻，離開《成報》。不知確切情況，總之他在《商報》幫忙，很好的。梁偉賢曾經說要寫香港報業史，我跟他說：「大哥，你錯失機會了，陳霞子已經離開了我們。」陳霞子參加過沙基慘案、省港大罷工遊行，還聽過魯迅在必列者士街的演講，所以這人是中國近代史的典型人物，而且他是個天才。

梁：他文筆也好，是三及第文章的寫手。

許：對，是祖師爺，韓中旋、胡棣周都是跟他學出來的，張寬義……這幾個人，真是天才。陶傑也說：「學文學的是天才，學工程、做醫生的只是庸才。學醫的，醫死人會被吊銷牌照；學工程的，建的房子倒了會被追究責任。」

總之，這幾人真的很行。甚至聽說我們老總跟廖承志開會時，他問：「《晶報》有這麼多人才，為甚麼一個都留不住？」當時祁烽在新華社，也有參加會議，他苦笑道：「你又是否任由他們隨意寫呢？」

梁：這倒是真的。當時陳霞子是否以「筆聊生」作筆名？他有很多筆名。

許：這要問問初哥（張初），我只知他在《商報》寫稿。

梁：版面又怎樣，副刊是否跟足《成報》？

許：《商報》創刊初時，是行情紙。到一九五三年正月開始改版，變成兩版副刊。

梁：你們學足《成報》？《成報》有〈談天〉、〈說

《香港商報》副刊全盤仿傚《成報》，包括增設〈大珠〉漫畫，兩報險些對簿公堂。（《香港商報》，一九五六年一月四日，第二版。）

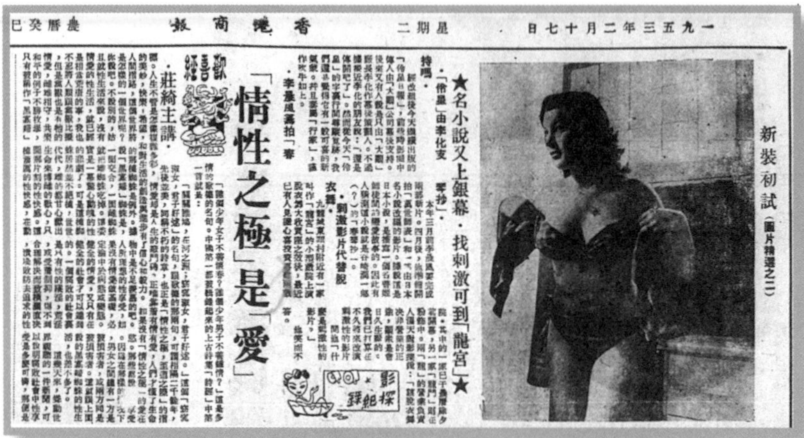
一九五三年二月十七日　星期二　香港商報

新裝初試

★名小說又上銀幕．找刺激可到「龍宮」★

「情性之極」是「愛」

莊綺主講

《香港商報》設有〈莊綺信箱〉，解答年輕讀者情性問題。（《香港商報》，一九五三年二月十七日，第三版。）

地〉，你們有……

許：〈談風〉、〈說月〉。我們每樣都學足，這是陳霞子教的。總之他們有甚麼，我們就學甚麼、辦甚麼。例如他們有〈大官〉漫畫，我們有〈大珠〉，搞得他們差點要告我們。

梁：但《成報》沒有「信箱」，你們卻有？

許：對，〈莊綺信箱〉。

梁：〈莊綺信箱〉的「莊綺」真名是甚麼？

許：任真漢，是軍醫來的，留學日本的軍醫。

梁：他是一位男士，卻開設愛情信箱，解答男女關係的事。

許：其實他是軍醫，也是國畫家，而且不是普通畫家。文化部每年請幾位香港畫家回去寫畫，他是其中之一。他在新加坡開畫展時，那些有錢人會叫他們的子女跪拜他學畫畫。不是普通人，是很有名的畫家，以前的人也不太計較。另外張初提過，《商報》比較關心群眾，開設服務版，特別是尋人版，最為成功。

梁：是誰負責？是陳霞子嗎？

許：張初負責。陳霞子沒負責甚麼，他只教我們怎樣經營，總之《成報》有甚麼……如《成報》有長篇，《商報》也有，《成報》幾乎要告我們，因為我們學得太足。

梁：後來你們也有武俠小說。是否來自《新晚報》、《文匯報》？

許：最初寫武俠小說的，是《文匯》的邵老總，他幫《商報》寫稿。邵慎之（高旅、牟松庭），寫《山東響馬傳》，在《商報》刊出。陳霞子也有寫稿。邵慎之寫完以後，到陳霞子寫。陳霞子好像已跟《成報》鬧翻。所以後來廖承志說不要浪費他，找他辦《晶報》。

梁：所以陳霞子後來創辦《晶報》？

許：對。陳霞子幫了《商報》很大的忙，但《商報》辦到一九五三年一月，已經出現經濟困難，資金不足。當時香島、漢華中學有些學生畢業後，參加廣州新聞班的訓練，來《商報》工作，但有些人已經要調走了。

富翁分產
筆聊生
小說

陳霞子曾以筆名「筆聊生」為《商報》撰寫小說。（《香港商報》，一九五二年十二月二十一日，第三版。）

《商報》欄目貼近民生，亦設立服務版，滿足讀者需求。（一九六八年九月二十九日，第三版。）

梁：這麼短時間，從一九五二年十月至一九五三年一月，已經出現經濟困難。

許：就只有兩、三個月時間，實際上那時，你知道的，資金不足。（**梁**：出紙只有四千份，真的很難生存，你賣數千份，售價只是一毫子。）對，一毫。但實際上我們收七仙，報販收三仙，七三分。那些人已調去新聞紙、書店，有幾位還時常見面，總之那時很困難。誰料學習《成報》以後，銷量大增。

梁：當時有哪位寫手？高雄好像也被你們拉了過來。

許：高雄又是一位奇才，高雄，即是「小生姓高」，其實他是《新生晚報》的重要寫手。

梁：我記得他好像寫〈呂洞賓下凡〉。

許：對，還有〈大話西遊〉。

我們的編輯主任李沙威，是海南人，在上海讀書。他人很好，找了很多香港人當作者，大家也很願意幫忙。高雄說：「沙翁（李沙威）啊，我在其他報紙上只是找人代筆，但你的報紙我一定會親筆寫稿。」

梁：他是否因稿費關係被《成報》挖角？

許：不是，高雄在《商報》寫稿時，也在《新生晚報》工作。很後期才去《東方》寫稿。

梁：這是很後期的事，一九六九年之後了。你剛才說的是一九五零年代初的事。

許：高雄在《商報》寫了很久，人真的很好，跟《商報》關係也好。他也是三及第文學的祖師爺。兩位都是祖師爺。

梁：這有別於《文匯》、《大公》，國策規定《文匯》、《大公》不能有方言。

許：不是不准有方言，而是……（**梁**：人手不足？）對，沒人手。（**梁**：我還以為是國家政策使然。）沒有，那時中央沒有下令不准用方言。一九五三年年初，《商報》銷量已經大增，我們的張學孔老總，他是有些辦法。他針對標題，用大標題，特別在電版下功夫，如「朝鮮戰爭停戰了」這樣的大字標題，全港的報紙都只有特號字，而他會用放大的特號字。另外張初負責〈尋人〉、〈溫暖人間〉等專欄，這些社會事務做得很好。

梁：當時稿費多少錢？

許：稿費最高的是金庸，大約千字十元。

梁：高雄又如何？

許：高雄大概差不多。後來金庸最高不超過二十元。金庸是怎樣？《大公報》說金庸首先在《大公》、《新晚》上寫稿，但他實際上先在《商報》寫武俠小說的。

梁：你們港聞也很成功，一九五三至五五年有很多案件，像「喍仔七鑊」案，你記得吧？還有吳鋈堅事件等等，你們《商報》贏了。那是你採訪的？

許：不是。我當了半年外事記者後，黎草田離開。那時我們只有兩個翻譯，他走後，我當翻譯，所以我甚麼都要做，例如採訪法庭新聞、編輯，要很早起來跑法庭線。當時有很多記者，像吳鋈堅案、喍仔……（**梁：**紅眉案，還有三狼案，黃錫彬……）對，黃錫彬。法庭線中，裁判司署的新聞最多，上到高院已是「炒冷飯」了。法庭內粗口橫飛，我也聽了不少。有一次，一批警察被控用貨車偷米。這是大新聞，我跑去問，卻被人粗口問候……

梁：一九五零年代香港經濟困難，我記得還有物價管制，在你們創刊數年後才放寬。米糧配給也直至一九五七、一九五八年才放寬，我記得那時還有「糧米證」，要去糴米。（**許：**不用了吧？）要，我記得在一九五四、一九五五年也拿過那張證去輪候。然後才放寬，糧油供應慢慢開始充足。

許：那時還是很緊張，後來《商報》開始賺錢，有不少中環大廈的業主招攬我們去買。

梁：你們不肯買？

許：起初我們要自己安裝印刷機。我們搬到永樂街後，那是五豐行的舊址……

梁：你們第一家辦事處在哪？

許：在海邊，干諾道中一四五、一四六號。那是民生輪船公司，是盧作孚的。他們企業搬回大陸後，辦公室空置，所以我們搬入。一四五號整棟建築都是我們的。前面是經理部、廣告部，後面是字房，樓上佔半層。

梁：即地下加樓上？

許：對，地下加樓上，二樓前面是我們的，後面是別人的。一四六號二樓全層都是我們的，樓下是東方醬油公司。我們不時要借他們的電話來用，民生輪船公司搬出後，電話公司連電話線都截斷了。

梁：甚麼時候才搬走？

許：後來處理了一輪，可以重新駁通電話。一九五九年搬走，因為別無他法，社址無法適應業務發展，所以搬到永樂街去，即五豐行舊址。也買入印刷機，上海貨，最高峰時，我們有五台車。翟暖暉，最近離世那位，當時對我們有很多意見。

《商報》初期社址——干諾道中一四五號。創刊初期物力維艱，甚至要向鄰舖借用電話。

梁：翟暖暉當時擔任甚麼職位？

許：他是南昌印刷公司的經理。他因此被當局拘捕，因為他承印《正午報》。

梁：那時跟《田豐日報》一起。

許：我們經理也是南昌印刷公司的人，兩人一同被捕。

梁：你說的是一九六七年暴動期間的事？

許：對。說回永樂街，當時永樂街只能放下兩台印刷機，來不及印，於是又在海傍的韓國大廈，租了地下全層，另外裝設三台印刷機，這樣就可以五台印刷機同時印行。我曾看過賬目，一天印數有十四萬五千份。《成報》也是十多萬份，算是很厲害。

梁：但當時印刷機受到管制。

許：沒有。那個時代已放寬很多，只管制過一小段時間，約在一九五二年左右，很快就取消了。那時我們五台印刷機同時印刷。賽馬日銷量會增加數萬；有球賽時，也起碼增加兩萬紙。

梁：你說的是一九五九年底、一九六零年初的事。但大逃亡潮時，你們好像沒有報道那些消息？

許：沒有，影響不大。銷量反而一直上升，又有盈利。

永樂街報社。

梁：你們甚麼時候搬到北角？

許：一九五九年搬到永樂街，一九七九年搬至北角。那個社址是我們向李嘉誠求購的，我們買下工業大廈整個地下，二樓也一併買入。老闆有點吝嗇，只要了一半，聽說也已經花了四百多萬。「新記（新華社）老闆」祁烽說：「你們別搞那麼多事，做地產很麻煩，讓僑光（僑光置業公司）管好了。」僑光實際上是新華社和中銀合資，他們把地方租給我們，說：「你們以往交多少租金，現在就交多少租金。」我們的物業就這樣處理，《大公報》的物業也是僑光的，再租回去，直至一九八九年，六四之後。我們在北角時，還有七、八萬紙。文革期間，其他人起紙，我們跌紙，特別是六四之後，沒有廣告。從四張紙減為兩張半，銷量縮回三、四萬紙。那時經理還說：「若不買那台柯式印刷機，我們仍有錢賺。」但後來就沒錢支薪了。

梁：其實國內情勢對《商報》影響很大，剛才你說逃亡潮沒影響你們，但印象中你們不像其他右報一樣詳盡報道，礙於政策。文化大革命時，對你們影響應該很大，打擊很大。

許：對。文化大革命時，最重要的事是取消了狗、馬經。老闆說：「不要再辦這些了。」我們就奉命停辦。取消狗、馬經後，銷量即時下跌一半。（**梁**：對，從十四萬紙變成七萬？）對，變成七、八萬。你不辦，其他人就頂上，所以我們銷路日漸減少……

梁：這樣不得民心。遍地炸彈，人心惶惶。

許：後來我們有些極左的同事，看到〈莊綺信箱〉有關情色，講些青年發育至十七、八歲，要教育的事……（**梁**：這也說不行？）對，或是一個人跌斷腿、如何掙扎求存、個人奮鬥的事……因為極左思想，這些再正常不過的事情也被禁。

梁：即是文革影響你們報館內部的人？

許：文革最激烈的時候，影響未算最深。發生這種事情，我們無所適從。其實主要是經濟問題，《商報》支撐到最後也有三、四萬紙。

梁：那是一九六六、一九六七年？

許：對。

梁：其實一九六八、一九六九年的事情也很嚴重，有很多浮屍漂來香港，那件事有沒有影響你們？那時的情景很噁心，五花大綁。

許：沒有。文革期間就是這樣。那事對我們影響不大，大家只當成新聞來看，不會太關注這些。

梁：你們內部也有鬥爭？

許：說到內部鬥爭，有些人自以為正確，把〈莊綺信箱〉也說成是淫穢內容，不讓他寫，搞了很多事。

梁：當時仍是莊綺負責？

許：他寫到離世為止。

梁：他何時過身？一九七零年代？

許：不是，大約一九八零年代。他女兒也在我們這邊工作。五零年代的「尋人啟事」極有成效。那時，一位母親在飛機轟炸香港時與兒子失散，最後《商報》幫她尋回，兩人團聚大哭，場面感人。所以全國派出所若要尋人，也轉介資料給我們，香港的查訪也會交給我們。社會服務還包括「溫暖人間」，我們會親自送錢到有需要的人家中。

梁：那時已開紙兩張？一九六零年代已有兩張？

許：對。

梁：其實文革期間，張學孔立場如何？也是緊跟中央？

許：張學孔那時會跟其他老總去新華社「聊天」，這沒甚麼大不了的。一般來說，他從來不干涉我們。張學孔休息時會有兩人替代，一位是羅孚，另一位是張思建，張思建是《循環日報》的老總，也是張健波的父親。我也會幫他照看，後來羅孚叫我寫社論，所以我六一年已開始寫。張學孔也叫我寫，從來沒有人說過我一句話，唯一一句是回歸時張學孔對我們說的，他說：「以後不准罵英國人。以前他們搶佔香港，才罵他們海盜。現在全還給你了，不要再罵他們了。」張學孔這樣說。另一次是大陸的孫南生半夜打來，說許家屯的事。（**梁：**即是六四之後？）許家屯去了美國，大約是那段時間。他說：「不要報道他的新聞，當沒這件事，當許家屯休假……」就這兩次，其他時候從來沒有干預我們。

梁：你從一九六一年開始寫社論，直到何時？

許：我一九六一年開始寫，到了一九七幾年，張學孔不寫，全都由我寫。

梁：你正式當老總是哪年？

許：不是老總……（**梁：**代老總？）是常務副老總。（**梁：**正式老總是誰？）張學孔。

梁：仍然是張學孔？張初何時當老總？

許：張學孔不做後，張初當老總。

梁：張學孔何時不幹？一九八零年代嗎？那時他應該病了。

許：大約是一九九三、九四年。對，那時他病了，唯有交給張初。張初不理晚間事務，（**梁：**所以你管？）總之我要寫稿，我一元稿費也沒有。羅孚說：「許燊，我的部分也由你來寫。」

梁：羅孚何時離開《商報》，專注打理《新晚報》？

許：他本是《新晚報》老總，只是「揮義氣」，幫忙打理《商報》。張學孔休息時，幫忙看舖。

梁：但你們兩家報館不在一起，他們在軒尼詩道，你們在北角。

許：羅孚上日班，夜班可以過來。以前《大公報》在海旁，有人上日班，有人上晚班。一個是羅孚，一個是張思建。所以我對《大公報》的人説：「《大公報》的秘史，我知道的比你們多。」張學孔、羅孚坐我對面，有空就説那些秘史。我比你們《大公》的人更了解！

梁：其實，「四人幫」有沒有影響你們？

許：沒有，「四人幫」時期主要還是文革的影響。文革初期對我們影響不大，初期仍有出狗、馬經。最大的影響是停辦狗、馬經，大約是一九六八、六九年間停辦。基本上從那時開始，影響一直持續下去，走下坡路。廣告減少，狗、馬經取消，這是最主要的問題。

梁：鄧小平復出有沒有幫助你們解決問題，重新提升銷路？當時是一九七八至八零年期間。因為印象中在一九八零年有點起色，但在一九八九年後又出問題。

許：除了政治以外，還有商業經營的問題，你不行，別人就追過。特別像《東方》。

梁：《東方》於一九六九年面世，改變了整行生態。

許：《東方日報》那位「潮州佬」時常找我們經理喝茶。他們的「檔口」在洪朝大廈，他時常上來「度橋」，找經理談。結果有很多「橋」我們不能做。《東方》是新報紙，我們不能做的，他們拿去用，因此成功了。

梁：《新報》在一九五九年創刊，但《東方》是一九六九年，其實《新報》影響不大，《東方》影響比較大，因為它以高薪挖角，石人等寫手，全都被它挖走了。

許：高雄也被挖角到《東方》，但是條件規定，高薪不准寫其他稿。（**梁：**石人也一樣，完全不准。）

梁：所以人才被人挖光？

許：對，全被挖走。當時售七毫，別人出紙兩、三張，我們只有一張紙。別人的有一大疊，我們的只有一小疊。

梁：不過很難得，你自始至終都跟着《商報》，你們的人才流動大不大？我記得許奎好像在《商報》……

許：不是，他在《循環日報》，有時會來……（**梁：**幫忙？）不是，也不算幫忙，有時來學習，有時來坐坐。

梁：之後去了《成報》。

許：張寬義他們也是。

梁：但張寬義是《晶報》的人。

許：張寬義……《商報》的人手穩定，很少流動。「一百零八條好漢」，幾乎從頭做到尾。

梁：這很難得，有甚麼維繫着你們？你們工資並不比外面高。

許：我們的人事關係很好，很單純。「一百零八條好漢」，連同印刷房和字房。

梁：那時印刷房已經很多人了？

許：對，印刷房、字房、校對部、經理部，共「一百零八條好漢」，在一起工作多年。這是我們的特色。

梁：你們靠甚麼生活？我覺得你們很艱難，也很奇怪，你們《商報》出身的，我們這些行家都很羨慕，大部分左派同行都有樓，兒女成才，很多行家都在羨慕你們。好像陶傑父親、張雲楓、「辣雞」張晴雲，楊祖坤也是，他住在碧瑤灣，女兒是醫生，開車開的是平治，你懂我意思吧？我覺得很奇怪，你們工資很低，是靠甚麼？

許：《商報》在這方面最引以自豪，《商報》從來沒出過一個「衰仔」，沒有翻臉的人。當時我們很緊張，知道有幾個警察混入。我們設法弄走他們，說：「你們回去原來的地方混飯吃，別干

《商報》人事穩定，員工關係良好，甚少流動。

擾我們。」

梁：滲入你們報館？

許：對。那時《商報》工資是最低的，我們沒出「衰仔」，沒有人說反話，所以這方面都很……

梁：為甚麼會這樣？報社精神在甚麼地方？是否張學孔、張初跟你們很和洽？

許：我們打工，當時不關心有沒有前途，總之大家都很開心。我工作的第一個十年，從一九五二年到一九六二年，十年間都沒有放一天假。

梁：你的工資從八十五元增至多少？

許：八十五元是試用期的工資。三個月後，加至一百零五元。做了很久才加至一百二十元，加至一百五十元之後，經理對我說：「許燊，快去弄一套西裝！」那時，一百五十元剛好夠做一套西裝。我結婚那一年，一九六一年，工資二百零五元，找遍整個灣仔和北角才找到一家租金七十元的套房。

梁：大家都是捱出來的，你們退休時工資多少？

許：一九七八年時，只有一千多，剛好有居屋抽籤，我抽中了。太太工資有六百元，我一千一百元。

梁：太太也在《商報》？

許：太太在《大公報》。我工資只有一千一百元，但月供要八百元。當時我們商量説，我供食住，租住南洋大廈。兒子讀完高中，要錢升學。我不敢再供，讓給兒子讀書。我兒子算好，主動讀書，在加拿大讀最有名的大學，小兒子也在石溪大學讀過書。這是我們《商報》同事最感自豪的。若説我們的子女當中誰賺得最多，要數張學孔的子女。（**梁**：律師？）不，是醫生。我認識她們，月薪有七萬元，那是他的大女兒。他有一個女兒嫁到加拿大，另一個當律師，開律師樓，幫謝霆鋒打官司，打贏了，還有一個女兒是高級警官。

梁：所以我説你們的第二代都很成功，雖説你們是捱出來的，但退休時也可以過上好日子。

許：《大公》、《文匯》有些第二代過得更好。

梁：是嗎？《大公》幾位老總好像不錯，像「辣雞」張晴雲、張雲楓的子女，楊祖坤的也是，我認識的全部都過得不錯。

許：還未有《商報》之前，最有錢的是萬民光。（**梁**：對，他是有錢的，叫「香港仔姑爺」，我記得。）不……他老父是「香港仔二伯」。現在最有錢的是楊祖坤，他用自己的錢開公司。

梁：對，為甚麼他們可以這樣有錢？

許：我也是捱出來的，我的大兒子讀書時，我有個妹妹在加拿大……其實我太太也想不到有錢讓兒子讀書。他高中畢業後，找了一份學徒工作。我妹跟我太太説：「阿嫂，你們兒子十七、八歲，做學徒很易學壞。不如送來加拿大，你付學費，我負責他的食宿。」就這樣，他讀核能物理，得到獎學金，一年有一萬四千加幣。

梁：這很好，所以現在他不回香港了？

許：他回來了。他讀到碩士，在加州做實驗，研究輻射，我們很怕，跟他說：「能餬口就好，不要碰這些東西。」所以回來香港 IBM 打工，做了數年，IBM 說：「你沒有 MBA 學位，不能升級。」又辭工，跑去讀 MBA。讀完以後，到戴爾電腦工作，在上海駐派幾年。雖然公司報銷他回港度週末的機票，但他捱不過，回來香港雪佛龍，幫大陸鑽石油。原本他被派到菲律賓，他跟老闆說：「我不做了。」老闆說：「不用怕，不用急着離職，我幫中國政府鑽石油。鑽到你就繼續做，鑽不到你就走罷。」那為甚麼說美國和中國不合呢？這樣看還不錯啊。現時在南海附近鑽石油，有三個油井，深度約一萬米，相當於鑽通十多座太平山。若鑽探到，美國佔百分之四十九，中國佔百分之五十一，皆大歡喜。現在找這幫人去四川勘探頁岩氣，美國人成功融資，項目正在推進，大家很開心。

梁：真的恭喜你。

許：至於我小兒子嘛，黃維波的太太教我：「你去藝術中心、國際教育中心看看哪家學校學費較便宜。」我看到德州休斯敦大學，一千二百五十美金一年，結果收了他在休斯敦讀書，第二年，石油跌價，學費加價至五千元，於是轉到紐約州石溪大學，除學費較便宜之外，中國餐館多，有工可做，一個餐室，共六張枱，這邊三張、那邊三張，小費照分。老闆很關照他，可讀至畢業。回港後，碰上董建華「獎勵繼續學習」，讀 MBA，在愛荷華州，不用錢，就是借錢讀不用還。現在經常在大陸替大公司做管理，他們文件太多，很亂，他為他們做縮影工作，算能餬口。他倆對母親甚好，大兒子時常回來探望。大兒子沒女友，小兒子跟女友同居十多年，我叫他們去註冊，初時他說沒興趣，後來註冊了。去年年初註冊，僅設宴一桌。但問題是沒有子女，氣死我！

梁：說回《商報》，在一九五零年代除了副刊之外，港聞也很成功，為甚麼？

許：主要是通俗、香港化，這很重要。香港化、聯繫群眾……後來我們都離開了《商報》，聯合出版集團接手，新老闆不喜歡舊人，他沒有要我走，也有更新合同。但我覺得，一直煩着，還不如離開。

梁：後來去了《天天》？

許：我離開後，曾經買下一套房，在大嶼山梅窩，準備隱居。當時胡仙想幫《深圳特區報》辦《深星時報》。而《天天》中國版，（**梁：**當時是關悦強負責？）關悦強負責一、兩個編輯，一位是右派的民運人士，負責寄錢回大陸，支持民運，另一位從《香港時報》轉來，整天想搞垮大陸。胡仙說：「你難道想把我害慘？」有一個老友跟我說：「許槳，你不如出來找份工作，只要看管那兩人就好。」我們這些人也不介意，大家互相幫忙。上去後，就跟他們說：「不要搞那麼極端，搞極端沒有人看。」

梁：你好像做了很久？

許：做了三年。

梁：你的職位是甚麼？

許：初時，我幫他們寫社評，當主筆，主要替他們看管着，工資很高，比《商報》高兩倍，寫社評也有錢。

梁：那是一九九四年？

許：一九九三至一九九六年。《商報》的新老闆不太喜歡我們，而且他們出錢，當然想怎樣就怎樣！

梁：那時是羅志雄（聯合印刷總經理）？

許：羅志雄、李祖澤，反正他們不喜歡我們。（**梁：**李祖澤現在拿了大紫荊勳章！）金紫荊，這是第二次受勳。我們説笑，説第一次領銀紫荊時，他問董建華：「為甚麼只給我銀紫荊？」「不關我事，去問『伯爺婆』。」説是陳方安生的決定。這次終得金紫荊，因報業公會得到金紫荊星章，不是大紫荊。

在《商報》時，張初被他限制在某個時間內遷出，我沒有遇到這種情況。我説：「若是這樣的話，我自己離開。」離開後，我過去《天天》，《天天》的工資比《商報》高兩倍。（**梁：**所以你搬出來，不在梅窩？）我沒有進去住，租給別人。這邊收購不成，要賣掉，賺了十多二十萬，但我要買空調、家具出租，剛好抵消。現在已賣給別人，錢足夠我交租，不再買樓。現在我出來寫社評，每一篇有八百元，一個月寫二十多篇，加上工資差不多有五、六萬元。我的資金積累全靠這些。後來《天天》做得像免費報一樣，不收費，我心想：「還是不要做比較好，如同在照顧我一般。」老闆跟我説：「你捱夠三年，就能拿到自己出百分之十、《天天》出百分之十五的公積金，做足三年就有資格領這筆錢；第二，等到年尾十二月才離開。」最後我領到年終雙糧才走，他們還寄我一筆九萬多元的公積金。

我離開後，港進聯成立。（**梁：**你去幫譚惠珠？）對，當時沒有譚惠珠，是劉漢銓、楊釗，我認識他們的秘書長。他們讓我做甚麼呢？（**梁：**剪報？）不是，當研究中心主席，財產也登記我的名字。他説：「許燊，不是不相信那些年輕人，年輕人很快就會離開，一離開就要重新登記，很麻煩，但你走不了。」工資有八千多元，我也做了幾年，每天看看報紙，還是不錯的。做到二零零五年，要跟民建聯合併，職員、會員一起合併，我不幹了，不想煩。後來因為我跟民建聯的人很熟，去年九月立法會選舉，很多人找我拉票。

梁：一九五零年代《商報》只有四人負責採訪？

許：總之，法庭新聞……（**梁：**對，你們法庭線很成功。）我們大版殺出。

梁：報道很詳盡，有別於《成報》，《成報》很簡單。

許：張學孔……（**梁**：他也是讀新聞出身，好像是聖約翰大學。）他就讀於燕京大學。他也是一位老報人，是四川的有錢人。《大公報》的 Henry Chan，「光頭陳」，他父親是四川第二富，外公是第一富。那時有很多這樣的人。後來他做了文幼章的義子，張學孔也是這類人。他會用大字標題，甚麼新聞重大就用甚麼，吸引讀者眼球。總之讀了標題「非看不可」，他在這方面很厲害。

梁：另外當時的大報，像《工商》、《星島》和《華僑》，他們主要以國際新聞為頭版，你們卻不是，以港聞為頭版，是嗎？

許：主要是港聞……他們亦不全是國際新聞，因為國際新聞也沒有很多內容，主要還是替一些本港社團寫「蛇稿」，《華僑》的老闆最為典型。工資這麼低，你看看他們的平治車是誰買的？他們的夥計幾乎每人一輛平治，岑維休……（**梁**：岑才生也是這樣。）岑才生是個好人，但是好人過甚。胡仙也不壞，但是兇了點。總之各有特點。岑才生是恩平人，我認識的一個人向他要錢，說：「岑老闆你寄點錢回來建學校。」岑才生說：「你要多少？」那人說：「隨你。」岑才生說：「只要滿足我的條件，我就捐三百萬！」

二十多年前的三百萬元很厲害，可以買下一層樓。但有條件，不能用岑維休的名字。為甚麼？因為岑維休的《華僑日報》銷往台灣，若學校冠上岑維休的名字，不只台灣不可銷，周總理也不喜歡。岑才生這人很好，但是太好了。

在這方面，張學孔帶來新派作風，全版殺出。其他新聞，像《華僑》的社團消息，看起來每日都差不多。《商報》在這方面，除了副刊、社會新聞，其他方面也都不錯。

梁：其實風水這方面，林真也在你們《商報》寫稿。是否你們帶動玄學這風氣？

許：林真這人是我們記者發現的。他在榕樹頭「照田雞」（算命、看相），在廣智戲院做帶位員。我們記者寫了一篇他的特寫稿，麗的呼聲找他專講風水，講到街知巷聞。香港在這方面很好，自由社會、開放社會讓他可以自由發揮。這傢伙不簡單，屠格涅夫、托爾斯泰等人的著作全看過，高爾基也讀過，這真的不簡單。若在大陸，頂多是一個老實看門人。我們捧他出來，很有感情。

梁：是哪年，一九六零年？

許：一九五零年代後期，一九六零年代初。

梁：我一九七零年代在商台時，他也在商台講掌相、風水。

許：我肯定他首先在麗的呼聲開講，現時他去了加拿大。

梁：對，現在成了「相人」。

許：他有稿件時會親自送來。他說：「你給我十元稿費，我花了七十元坐的士送稿過來。」《商報》對各人都很好，所以他們也對我們不錯。如高雄，他的妹妹，我忘了名字（高寶），她畫畫，很有名的。她常罵我們老總：「張學孔，你全靠年輕小夥替你搏命。」讓張學孔不知如何是好。

梁：當老闆的就是這樣。

許：所以我們甚麼人都有，張學孔也不生氣。金庸對我們很好，梁羽生也是。初時我們有美國明星秘聞，老闆說：「梁羽生，快點拿些秘聞來『搞一搞』。」所以梁羽生每日寫一篇秘聞，他很厲害，寫得活靈活現。總之大家很努力。當時很奇怪，沒有人想有沒有前途。這行是肯定不能升官發財的。

梁：其實這些有名的專欄作家，是否到文革時期已不再替你們寫稿？印象中他們的稿到後來都沒有了？好像是文革期間，從一九六零年代中期開始。

許：文革期間，李沙威患癌逝世。這人是大好人。高雄被人拉去別處寫稿，我們銷紙也少了，所以經濟出現困難。我說我們如果要支撐下去，其實也還能撐得起。我是社委，最後那年，虧損二百七十萬。

梁：哪一年？

許：一九九一、九二年。

梁：所以被迫轉讓給李祖澤？

許：其實不算是被迫，張初最後悔這件事。後來，李祖澤找編輯港聞的年輕人，要他們發「蛇稿」、發頭條。張學孔見到，說：「這樣發頭條，強行改稿，是做不到的。」於是打電話開罵：「李祖澤，你不登我們廣告，又叫我們的年輕人，將那些『蛇稿』登得那麼大！」李祖澤借錢給員工支薪，讓他們很高興。然後他向老闆說：「我大把錢，不如讓我玩？」老闆說：「這樣最好，不用問我，你們玩罷。」接管後，張初還是老總，兼管副刊，李祖澤卻將整版副刊換掉。以前那些作家，我們沒稿費給他們，他們一樣替我們寫稿。他卻將他們全都換掉、撤掉，找一些新進，每人稿費數百元，又命令張初在限期內交回他的房間。我看到這情況，也認為自己是時候走了。

梁：那是一九九二年？

許：對，一九九二。（**梁：**我記得張初後來到我們那邊幫忙，在《壹周刊》幫忙了一段時間。）我們本來說好，凡工作三十年以上的，最後一個月可領雙倍工齡月數的薪資。例如我在《商報》工作四十二年，應有八十四個月的工資。

梁：後來有沒有給？

許：最後那傢伙想到一個餿主意，他覺得這樣開支很大，當時經濟也不太好，所以到一九八五年截止。那時只有數千元工資，我加起來也只有二十多萬。後來加上強積金制度，我離開時……幸好借錢買了樓。因為那時剛好遇上拆樓，要搬遷。我沒地方住，在北角買下一間舊樓，價值五十萬。那時報館剛好有政策，可以借二十萬買樓。

梁：那是一九八零年代？

許：對，一九八六年左右。我太太回到《大公報》，《大公報》有另一個政策，他們不會借錢給你買樓，但可以當你是「經濟困難戶」，於是借了五萬元給她，免息。我的就要付利息。現在很多人說「升官發財」，我們從來沒有想過有沒有前途，只覺得很開心。年輕時整天都想去飲茶，不睡覺也可以！（**梁：**現在不行了。）現在不行了。

總之，《商報》對我們而言，最成功的就是貼近群眾。第二，大家落力工作。我們是小本經營，如果現時這樣做，行不行？很難說。肯定不能脫離群眾。要關心群眾，這是很重要的。〈尋人〉欄是另外一例，尋人的事，真的讓人感動。〈溫暖人間〉在火災時送錢給災民；〈莊綺信箱〉等專欄也符合讀者口味，夠通俗。從來沒有報紙這樣做，當然狗經、馬經是例外。

梁：我看《商報》隨中國的政策轉變而起跌，跌宕得很厲害。另外你們的主人、母體是國家，《經濟導報》、《文匯報》、《大公報》的職工過來，籌備這張報紙，對不？所以資源、資本都來自國家。

許：後來賣給聯合出版集團，我們機構雖然都叫它「阿爺」，但幾兄弟各有不同，聯合出版社最多錢，是北京新聞出版總局的支部。三聯書店、商務印書館、中華書局……它們的物業才厲害，有印刷廠，曾經想印銀紙，港英政府不准它們印銀紙，只能印支票。主要的物業，很多樓都租給人，賣給人，一年虧損數千萬。我們《商報》「最威」那一年，也只虧了二百七十萬。

梁：這樣也不讓你們生存。《商報》甚麼時候賣給《深圳特區報》？

許：李祖澤接手後，一點起色也沒有，一年花掉幾千萬。

梁：馬力不是做了一陣子嗎？

許：他經營了十年之久，蝕了五、六億。「上海仔」趙斌說：「我還沒做到政協委員，我不玩了！」所以賣給《特區報》。馬力是李祖澤接管後，找他來當老總。

梁：馬力似是地下黨員。

許：他工作時間很短，上任不久便離開，其實他母親是莊世平的秘書，他相當受益於這層關係。

梁：但他本人的文筆也很辣，讀中大時已經冒起。

許：他的文筆辣，其實未必符合《商報》的方針。《商報》不能寫得太辣。

梁：其實他去《信報》後才出名。在《信報》寫「新思維」。

許：他沒在《信報》做過。

梁：他為他們寫稿。

許：對，在《信報》、《明報》刊登過。「辛維思」就是他，寫得很辣，但那些文章在《商報》刊登就不行了。

梁：他就是在那個時候打響名堂，可惜很短命。

許：對，很短命，又沒兒女。

梁：長命的話他會有大好前途。他的才智超過不少人，比曾鈺成還厲害。現在真的沒人才了，可惜可惜。你還有甚麼關於《商報》的事情要補充？

許：李祖澤以前也是聯合出版集團的總裁，做了十二年才退休。他退休後，新老闆說：「不玩了。」就這樣賣給《深圳特區報》。《特區報》是全國最大的報業集團，以前有人說《人民日報》是全國最大，但根據現時最新說法，《深圳特區報》最大，《人民日報》第二，《廣州日報》第三。

梁：他們集團賺大錢，很厲害。所以現時《大公》、《文匯》都妒忌《商報》，因為《商報》能進大陸，銷路這樣高，《大公》、《文匯》都做不到。

許：我聽說他們在廣州印紙十萬，在深圳印紙十多萬。印刷機是我們在李源潮上司朱穆之的幫助下花了九百二十萬買回來的，原先的印刷機很簡陋。所以老闆常叫他們「關照」，因為他們資金雄厚。於是後來情況有所改善，賣給《特區報》，將它翻生。

梁：我不明白，為何《文匯》、《大公》不能在國內「落地」，不能在國內發售？

許：這事我也不太清楚。

梁：很奇怪，若這兩張報紙能發售，銷量一定超過《商報》，特別在珠三角地區。

許：這不一定，他們沒有狗、馬經。

梁：現在有，現在有馬經。

許：《商報》曾經自我審查，停辦狗、馬經，一日之內大跌六萬紙。後來自行恢復，沒人制止。馬經單售兩元，新聞單售兩元，合併版三元。香港有三十二萬人在大陸。大多是成人，全都在馬會有投注戶口。週六買馬時，「翠河」、「靚蝦王」的資訊沒人知道，買幾場幾號也要問，所以在這方面……

梁：為了資訊流通的緣故，人人都想買。

許：為何《大公》、《文匯》現時會這樣，真的不知道。他們把《商報》當內地報紙！

梁：但實際上是香港報紙。陳南現時在《商報》還行？

許：陳南……之前我上去，跟老友一起勸他，不要去了。因為現時的老闆尊重人，有甚麼事都說：「問陳老總，陳南老總在。」陳南這人非常忠厚，人也很好。雖然為人忠厚，大陸又能接受他，但有時人的事情很難說，要知道有些香港老友，樣子甚「招積」，跟大陸佬硬碰硬，若陳南得罪人就很難辦。

梁：陳南是港大畢業的？

許：港大物理系。

梁：對，我記得是港大畢業的，陳南、程翔、麥華章，這三人。

許：陳南是最後期的。還有一個更早的，是中華、商務印刷廠經理。我忘記名字了。

梁：就只有四人？

許：還有……「鬍鬚陳」，已離世了，在美國離世的。他姓陳，我忘了名字。是個小子，娶了我們報館一個女孩。羅敏儀、鄭鎮堯也是港大畢業的，有幾個人。

梁：當時因為一九七零年代的事件，好多人去國內報紙是有理想的。但聽說現在不行了。

許：我知道大陸以前也很信任程翔。容根，那時《導報》的老總，想退休，《導報》想找一個新老總，容根也推薦程翔，說他很行。《導報》的陳漢君，他知道我認識程翔，跟我說：「程翔也很不錯。」怎料六四後，大家翻臉。這種事很難說。麥華章是曾鈺成的妹夫，後來世事難料，曾鈺成的妹妹曾勵予改嫁了，嫁給一個猶太人。

梁：她現時留在英國？

許：對，在英國。她父親曾當秘書，是中華總商會秘書，那時我常找他飲茶，他已離世很久了。

岑才生
《華僑日報》的興與衰

岑才生（一九二二—二零一六），一九二二年香港出生，二零一六年四月廿七日逝世。《華僑日報》創辦人岑維休之子。一九四六年加入《華僑日報》，歷任營業部、印刷部、記者、經理、社長等職務。

一九四九年，前往英國學習並兼任報社通訊員，將英國見聞寫成《英游鱗爪》。返港後，促成香港報業公會成立。一九六零年，出任《華僑日報》經理。

一九八五年，岑維休逝世，岑才生接任《華僑日報》總經理兼督印人。一九八六年，出任香港報業公會主席，歷時八屆。並先後出任世界中文報業協會主席及委員、國際報業會香港區副主席及英聯邦報業協會理事會委員。

訪問時間：二零一二年三月七日

訪問地點：北角寶馬山樹仁大學新傳系錄影室

梁：我們今日請來《華僑日報》創辦人岑維休先生之子、岑才生社長做個訪問。我們行內人稱「才哥」，他也是學校的校董。《華僑日報》在一九二五年成立，後成為香港三大報業之一。可不可以說一下始創的過程？

岑：《華僑日報》的前身是《華商總會報》，一九二五年買入。這份報章原由華商總會主辦。

梁：是船期表嗎？

岑：不，是一張正式報紙，由李葆葵（時任華商總會主席）賣給家父岑維休。當時，家父在《南華早報》工作。他跟《南華早報》的同事合作收購《華商總會報》。大伯岑協堂購入最多股份，陳楷也有份入股，

《華僑日報》，一九二五年六月五日創刊號，第一版。

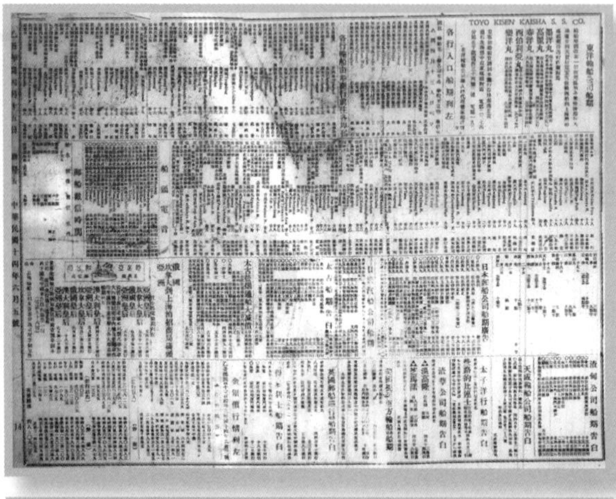

岑維休（圖）偕兄長岑協堂、同事陳楷創設《華僑日報》。

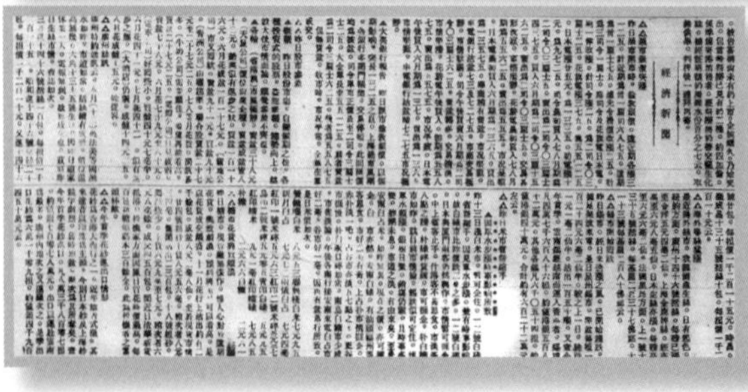

繼承《華商總會報》，《華僑日報》注重工商新聞資訊，創刊當天已附有船期表及工商消息。（一九二五年六月五日，第十四版。）

陳先生當時也任職於《南華早報》。

那時是整家報館併購，全部工作人員都照單全收。只改名為《華僑日報》，出版工作沒有中斷過。聽前輩説，《華僑日報》的第一任總編輯，是《華商總會報》的原任總編輯李大醒先生，他只做了一個月，第二個月換了胡惠民先生，他是廣州報人，特意請他來港出任。家父、陳楷先生等人，仍在《南華早報》供職，所以要請胡先生任《華僑》的總編輯。

為甚麼《華僑日報》會特別注重工商界新聞？因為它的前身是《華商總會報》，基於跟華商總會的淵源，所以才注重工商新聞。

梁：早期只有一張紙？

岑：我不肯定，但出紙不多。因當時的印刷機是「單頭車」，平版車，印速不快，數量也不太多。初時多數報道工商界及政府消息。《華僑》跟《南華早報》關係密切，《南華早報》的編輯與高層很鼓勵他們做華文報紙，會過來幫手。

數年後，家父離開《南華早報》，全力發展《華僑日報》。

我在一九四六年後，才正式參與《華僑日報》的業務。我先在營業部工作，從基層做起，曾參與印刷，又做過記者。我自己喜歡做突發新聞、政治新聞。

一九四九年，我去了英國，在英國的報章工作了九個月，學習組織報紙的技術，如維持銷量、接廣告等等各種技能。

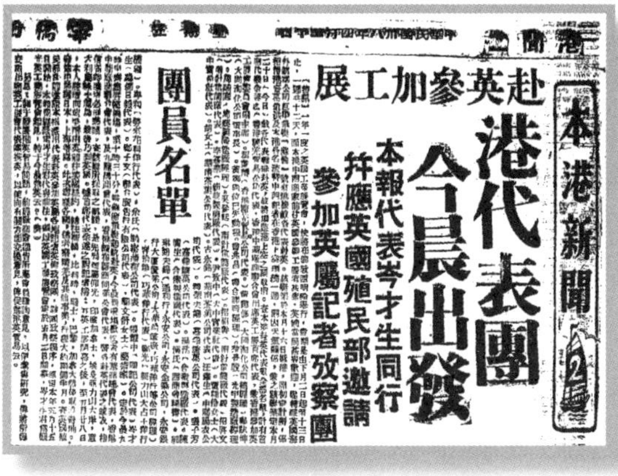
本港新聞

港代表團今晨出發

本報代表岑才生同行

幷應英國殖民部邀請

參加英屬記者考察團

赴英參加工展

團員名單

一九四九年，岑才生赴英學習，學成後將新思維注入《華僑日報》。（一九四九年四月二十日，第八版。）

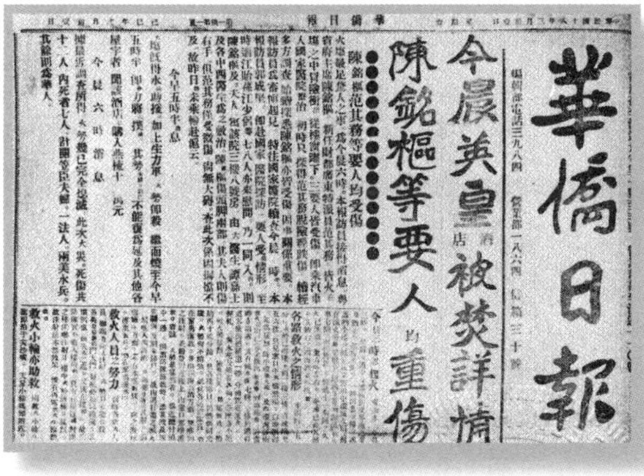
華僑日報

今晨英皇酒店被焚詳情

陳銘樞等要人均重傷

《華僑日報》創刊初期，搶先報道英皇酒店大火。（一九二九年三月十二日，第一版。）

回港後，我將這些新思維與技術引入《華僑日報》。

說回創刊初期，《華僑日報》自上海購入一部捲筒機，提升了印刷速度，有助於銷量的增加。印速提升之後，我們可以延長截稿時間，例如英皇酒店大火，廣東省政府主席陳銘樞受傷，我們一大早就刊登這則新聞，跑在別的報紙前面，總之我們在報道夜間消息方面佔盡好處。

梁： 你們很快冒起了？《工商日報》呢？

岑： 《工商日報》好像是同年創刊，《星島》要晚好多年。當年工商界與政府關係密切，時常要跟政府討論政策，而政府亦要回應。所以《華僑》、《工商》、《星島》是政府指定刊登具法律效力文件的報紙，當時對工商界的影響很大。三大報之中，《華僑日報》報道工商界的新聞鉅細無遺，好像工展會、外國展覽會也會特別留意。我們還有船期版，促進商業來往。當後期則致力於學校、教育、文化。我們早期還有來自上海的「大陸消息」，算是有質素的。當年，胡惠民先生親自到上海，邀當地的記者兼職，打電話回香港，所以我們的上海消息也是最快、最新的。我們既然注重報道工商業新聞，當然也不能遺漏廣州消息。

梁： 胡惠民先生做老總做了多久？

岑： 他做了大約十年，然後到外面做生意。我們請來張之廷先生接替，直到戰後，何建章才加入，那已是一九四六年後的事。

梁： 你們創刊初期跟香港的《南中報》、《南強日報》、《中華日報》、廣州的《大中報》、《大華晚報》、澳門的《華僑報》組織了一個報業集團，當中情況如何？

岑： 其實，像《南中報》那些報館，是獨立辦報的。澳門那邊的《華僑報》，是我們從香港請趙斑爛先生到澳門經營的，他做了很久，他的下一代也有接手。現時，他的媳婦還在經營。

梁： 現在呢？

岑： 後來賣給了趙家的人，現在仍是趙家後人負責，在澳門仍很活躍。

梁： 你們跟廣州的關係怎樣？

工展會開幕。（香港：《華僑日報》，一九五二年）

航訊

空運費用今年連續數度加價後
世界主要航綫機票價格
明年四月一日再度提高
國際空協於墨地牙哥會議後作上述宣佈

北歐航採用DC十
年底飛航美國綫
座位減至二六七個乘客將倍感舒適

澳洲政府實施新法
限制旅客入境
杜絕非法移民

《華僑日報》針對工商讀者，着重工展會、船期的報道。（一九七九年十一月十四日，第十九版。）

華僑日報　中華民國八十年（一九九一）十二月卅一日　星期二

華僑教育

開支超預算難作無米炊
教署及學生資助辦事處
同時要求政府額外撥款
要應付酬薪支出教育署尚差二千三百餘萬元
學生書簿津貼提高學生資助處款項不足運用

學者提出師資培訓有重疊現象
政府應授權本地專業學會
承認學員資歷增專業人材
成教協會張民炳籲要全面發展學位制
資深教師周羅蓉建議培訓教師中央化

中大新設護理學系
逾一千人申請入學
蕭力教授被聘出任首位講座教授
九二至九三入學申請一月初辦

《華僑日報》着重教育新聞，致力發展教育版。（一九九一年十二月三十一日，第九版。）

岑：很多記者都來自廣州，跟廣州報業關係密切，很多廣州報館的資本也來自香港。

梁：《華僑日報》何時才變成岑家獨資？

岑：我們歷來都不是獨資的，一直是有限公司，由數位股東共同投資。一九八零年代中英談判時，不少股東害怕日後被清算，想退出。因此，我想到跟《南華早報》的關係，找他們洽談。《南早》亦有意購買，想營辦中文報紙業務，所以最後賣了給他們，條件是要留住我們的人。因為組織一家華文報館不容易，要他們將我們的員工全部留任，一個也不能辭退，除非有特別要求。《南早》同意，但他們善於辦英文報紙，沒有營辦中文報章的經驗，所以希望我多留三年，我一直留任到一九九四年。他們另一條件是我不能再另創一份報紙，我也答允。我離開《華僑日報》後不足一年，不知是否資本或人才問題，一九九五年，《華僑日報》停辦了。

香樹輝先生接手辦了一陣子，但也不行。香先生是一位很有才幹的人，現在仍筆耕不輟。

梁：創刊時，《華僑日報》有多少員工？

岑：我不清楚確實數目，人手不是太多。印刷部應有十餘人，編輯部也有十餘人，不是很多。

後來，共產黨接管了中國，內地文人南逃來香港，報界百花齊放。我記得當時登記的報館共一百多家，但文人老闆多數不善經營，他們沒有將報館分

華僑日報 2

經營成本上漲虧蝕巨

華僑日報今日起停刊

港督發表聲明感到難過

《華僑日報》幾經易手，最終於一九九五年一月結業。
（一九九五年一月十一日，第二版。）

開幾個獨立部門，如經理部與印刷部。那些文人老闆多會寫文章，大多掌管編輯部。但報社要靠廣告維生，一定要另找廣告人才。

我們《華僑日報》有工商界的人脈，所以較有優勢。我們重視教育，比如為鼓勵學生多讀華文報章，我們設立助學金，與教育界合作。

梁：你們很早已有教育版？

岑：教育版運作很成功。我們訂定考試策略，輔導學生預備考試，做得很成功。

梁：你們戰前已有教育版？

岑：對，但規模不大。戰前仍是以工商界消息為主。

梁：戰前三大報都以工商業為主？《成報》創辦是後期的事？

岑：對，《成報》是另一種做法，不會為工商界與政府發佈消息，針對較低階層。

梁：《成報》當時新聞篇幅很少，副刊卻很厲害？

岑：對，我從英國回來後，提倡頭版加入每日大事撮要，後來很多報章仿傚。這都是從英國學回來的。

梁：日佔時期，為何《華僑日報》繼續經營？

岑：日本人不准許我們停刊，而且停刊工人會失業，所以就掛我們的名字繼續出版。實際上我們無權管理，編採部門由日本派人去做，廣告等經理事項，仍有我們的人在打理，總編輯是一位姓盧的先生。戰後編輯部人事大變動，張之廷回來辦公，離開後何建章才接手。

梁：有人說《華僑日報》是「漢奸報」？

岑：除非離開香港，否則別無辦法，很多報社如《成報》、《工商》都停刊避難了。

梁：三年零八個月時，你們有沒有受苦？

本港新聞

善長捐款助學

志蓉醫長，平素熱心公益，尤以下一代之教育問題，更表關心，故對本報舉辦之救童助學運動歷屆均熱烈响應，慷慨捐輸，昨十三日又惠來一千大元，支持是屆捐款，仁風義舉，嘉惠清貧，至足欽佩。

各界捐款救童助學如用支票寄付，請寫「華僑日報救童助學」，並在左上角劃線，及劃去「或持票人」數字為妥。

《華僑日報》成立獎學金幫助有需要的學生。（一九七九年十一月十四日，第十二版。）

早期《華僑日報》員工不多，編輯部僅有十餘人。《香港年鑑（第五回）》（香港：華僑日報，一九五二年）。

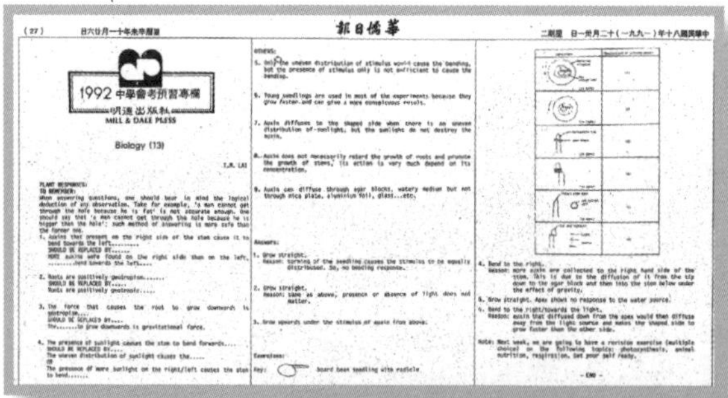
華僑日報

1992 中學會考預習專欄

Biology (13)

《華僑日報》每年都會出版會考預習專欄輔導考生。（一九九一年十二月三十一日，第二十七版。）

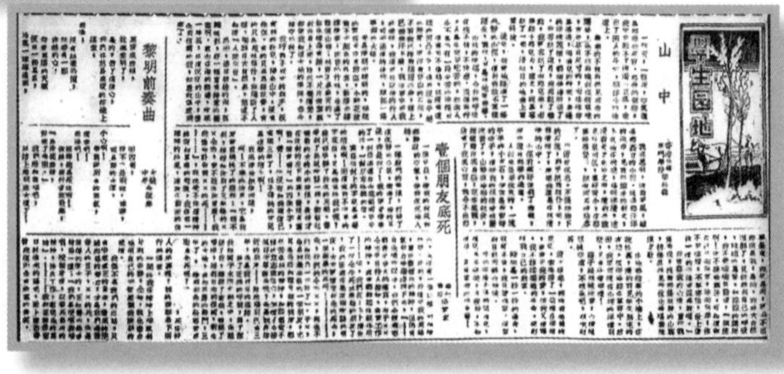
學生園地

山中

黎明前奏曲

壹個朋友底死

《華僑日報》於戰前已設有《學生園地》欄。（一九四一年十月三十日，第十版。）

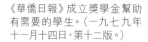

岑：沒飯食，要輪候白米配給。我沒有離開香港，跟其他香港人一樣經歷日佔時期。幾個弟弟走了，我和家父都在這裏。因為日本人禁止我們離開，常到家來「探視」，也不准《華僑日報》關門。當年辦報情況不大清楚了，因為不是我們打理，是日方另外派人營運。

梁：戰後如何？

岑：原來親日的班底都走了，我們立刻召回舊夥計。很多夥計都沒有離開香港逃難他方，這些員工立即趕回來幫忙。我們幾乎沒有停過刊，像重光初時，盧先生還在主理，我們知道他是被日本人威脅來辦報，所以沒有為難他。他很快就離職，始終怕被清算。所以舊夥計回來後，漸漸變回原有班底。其實戰時有不少老夥計在工作，包括校對、字房工人，主要是換了編輯跟記者。

梁：是何建章先生幫《華僑日報》洗脫「漢奸」罪名嗎？國民黨是否對你們很不滿？

岑：不是，應另有其人。有一位國民黨「上層」的人進來，想影響報社。當時發生了很多事情，有人說他們想接收，但他們不是管理人才，所以告吹。他們對政治在行，對工商業卻一竅不通。

梁：當時你們還以「中華民國」作年號？

岑：一直以來我們都採用「中華民國」。

華僑日報

零沽每份伍仙

召集華僑聞人
謀繁榮恢復
注意糧食水電公安商業各大問題

佈告

大日本軍司令官

恢復營業

鳴鑼方法

先調查各邑同鄉人數

調查人口

日佔時期，《華僑日報》被迫繼續運作，為日方服務。（《華僑日報》，一九四二年一月五日，第一版。）

中華民國三十五年六月七日

國民日報

星期五

第肆版

廣州行營昨公佈

通緝第二批漢奸名單

本港華僑報社長岑維休榜上有名

引渡港匿漢奸與港府取得新協議

《華僑日報》戰時被迫繼續出版，社長岑維休被《國民日報》指控為漢奸。
（《國民日報》，一九四六年六月七日，第四版。）

梁：戰後《華僑日報》有多少人手？

岑：一九四六年，營業部大約十多、二十人，因為廣告多，所以人也多。印刷部二、三十人，人數向來是穩定的，要維持報紙出版，隨意換人會影響出版。校對人數很少，編輯部有三、四十人，往後亦有增長。老夥計回港，我們都樂意接收。

梁：員工工資怎樣？

岑：不是太差，當時報行薪水都不太好，但也不太差。回來的老夥計都不太計較金錢，都是市價而已，實際價位已記不起了，應是數十元。因為戰後找工作不難，隨時能找到。

梁：你在英、美國讀書時怎樣？

岑：我在那邊當 correspondent（通訊員），也有寫書，寫了《英游鱗爪》，我留意工商界的動向，特別重視英鎊貶值的問題。其他報章都沒留意工商經濟問題。

梁：《星島》有沒有人去？

岑：不太清楚，他們派了很多批「見習生」到英國。我記得有一次跟唐碧川先生一起去，應是同期的。那是英國政府新聞處跟殖民部安排的，每一兩年都會選幾個人去實習，好像美國也是實習地點之一，後來也有去哈佛學習了九個月至兩年左右。待遇很好，甚麼開支都包括在內，另有「零用錢」。

梁：後來你再去紐約大學？

岑：是我自己掏腰包去的，我很快完成了碩士學位，只讀了一年半，便回香港工作。

梁：一九五零年代的報業很蓬勃？

岑：如剛才所說，一九五零年有很多大陸文人逃來香港，報紙如雨後春筍，小報有十多家，大報則有約十家。《成報》後來才變為大報，創刊之初也只是小報。當時馬報最多。

梁：你們都致力羅致副刊人才？

岑：我們有兩三版副刊，每日都有特刊，包括文藝、學生園地、專題，所以我跟很多大學教授聯繫，好幾位還在《華僑》寫專欄，合作關係很好。

梁：當年還有《華僑晚報》？也辦得很成功？

岑：對。後來便不及《新生晚報》。

梁：你們在戰前已有晚報？

岑：是的。因為人事問題，不夠人手發展。戰後，《新生晚報》最受歡迎，《星島晚報》次之。我

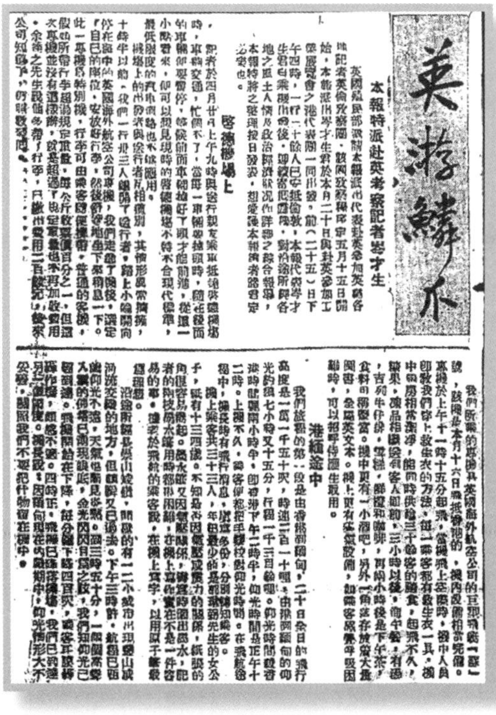

英遊鱗爪

本報特派赴英考察記者岑才生

港穗途中

岑才生負笈倫敦，將所見所聞寫成專欄《英游鱗爪》，圖為該欄首篇。（《華僑日報》一九四九年四月二十八日，第七版。）

們最早停辦。因為集團有很多報紙，包括《南強報》等等。

梁：晚報只維持了一段短時間？

岑：不算很短，維持了十數年。

梁：印象中《紅綠》、《超然》等小報也十分盛行。

岑：那是比較後期的。

梁：那班小報報人，像任護花等，都做得很出色。

岑：他們有優勢，多是內地來港的文人，他們文筆好，特別是精於小說，像《明報》的金庸，他的文學修養很好。

梁：武俠小說是梁羽生帶動風潮的嗎？

岑：是，梁羽生的武俠小說也很好。因為內容包含很多歷史背景。他們有文學修養，所以作品吸引很多讀者。

梁：《華僑日報》是否沒有這類小說？

岑：《華僑日報》也有，但要請一些知名寫手就較難了。因為很出名的作家多是自己創辦報紙，或是集中在某幾份報紙上寫稿。

梁：所以你們以政論作主打？

岑：《華僑日報》的政論，我們請來高學歷的人撰寫。我們編輯部還有不少社會問題專家。當時的記者、編輯，多數是中學畢業生，而我們有很多大學生。

梁：你們是第一家引入美國「哥士（Goss）」機印報？當時有多少家報紙用這種印刷機？

岑：我們印量多，所以引入。

梁：那是你從英國回來後的事？

岑：可能是，忘了。「哥士機」出紙很快，而且當時出紙五、六張，是最大疊的一份報紙。

梁：當時發行量多少？

岑：平均每日十多萬份。有了免費報紙後，收費報紙很難做了，我也沒有興趣幹了！所以《南華早報》肯接手，我立刻轉讓。

梁：為何你們會創辦《華僑年鑑》？

岑：早期港府只有英文版本《香港年報》（Annual Report），直到一九七零年代，才有中文版本。我們出版的《香港年鑑》是中文版的，特別注重工商界部分。

梁：是哪一年創刊，哪一年停刊？

岑：創刊時間忘記了。我將《香港年鑑》跟《華僑日報》一併賣給了《南華早報》，他們也接收了我們的編輯人員，但維持了幾年後，都停刊了。

梁：我記得《香港年鑑》以前有很多廣告。

岑：《香港年鑑》易主《南華早報》後，他們認為要虧本，所以停刊。另一方面我們也有舉辦「救童助學運動」。在一九五零年代，報社設有獎學金，先給小學，後來中學、大學也有份。停刊後，我們將基金一分為二，一部分給《南華早報》，另外一部分給《星島日報》，作為「《星島日報》、《華僑日報》大專獎學金」。最近幾年，報行中人都覺

《華僑日報》引入「哥士」滾筒印刷機，提升印刷效率。見《香港年鑑（第五回）》（香港：華僑日報，一九五二年）。

《華僑日報》自一九四八年出版《香港年鑑》，注重工商資訊。右圖為一九五九年《香港年鑑》，左圖為《香港年鑑（第十二回）》。（香港：華僑日報，一九五九年。）

得報業難做，就將基金轉交給香港大學，由他們來主辦。因為辦「救童助學運動」要花很多錢，以往胡小姐對這種不太賺錢的項目比較熱心，但《星島》易主後，管理層認為花錢太多。因此，我們給了香港大學三百萬元。

梁：你們記者可不可以收廣告？編採和廣告是否分開營運？

岑：我們是分開兩個獨立部門的。

梁：傳聞《華僑》社團版記者會收錢做新聞？

岑：不能這樣說！我跟 ICAC（廉政公署）曾經談到這問題，這不能說收錢做新聞。實情是受訪者要給錢，我們記者從沒說過要收受利益。舉例來說，以往受訪者，例如東華醫院、保良局等，很喜歡把紅包夾在新聞資料的信封內。我作為老闆，不是在場採訪的人員，怎知誰拿了？而且，我們從沒試過「不付錢不刊登」。派紅包，很多時候是在某富商大壽、添丁等喜事場合。

梁：印象中最多分版版面的，是《華僑日報》？

岑：我們每週會出版六、七個專題，花很大成本請專家，所以我們時常跟各大學的教授聯絡。

梁：你很念舊情，沒有炒過人？

岑：不是。若然記者真的不行、作弊，或被人投訴「收錢登消息」，便會被解僱。我們跟華商總會關係密切，當然可以報道華商總會等領袖的生活，但這種消息的篇幅仍有限制。刊登「鱔稿」時，要刊登聲明。「鱔稿」在全港報界都很流行。《華僑日報》工商版時常要聯絡各個界別社群，所以跟他們的利益關係很密切。創刊之初，不是工商界給我們好處，而是我們給他們好處。

有時，好處太多，他們就想「買新聞」，但我們不會視那些為「新聞」。說實在，我們對這樣的「新聞」不會嚴厲監管，因為工商領袖的生活情況，我們也會刊出，但不會離譜。當時的編輯亦有水準，不會太過份。所以，我不是不解僱夥計，而是只辭退太過份的人。

梁：當年徐復觀跟李卓敏的紛爭是怎麼一回事？

岑：我忘了他們涉及官非的部分。徐復觀是我們的作家之一，他不是寫社論的，只寫特稿。我們分開社論、專論和新聞。

本港新聞

華僑日報讀者助學金

新生今申請

新界離島分區詳情請閱新界版

新生申請辦法

舊生重新申請

甲、華僑日報讀者助學金

乙、香港賽馬會助學金

《華僑日報》舉辦「救童助學運動」，為貧苦學童籌措學費。左圖見《香港年鑑（第十三回）》（香港：華僑日報，一九六零年），右圖為「讀者助學金」。（一九八二年七月十九日，第七版。）

記者只能做新聞的部分，絕對不能做假新聞！例如介紹商品，如果給人投訴，那個記者就要自己承擔責任。我們對此倒是較嚴謹。

梁：徐復觀跟你們的關係，是否跟你家父的關係很密切？

岑：徐復觀時常來我們報社，好像跟報社某人有關係。最初，他從北方過來寫專論，後來去了台灣。我忘了他與李卓敏的恩怨關係，因為他倆的事跟報社無關，所以我們沒有留意。因為專論是由另一幫人主理的，所以說不定得罪了很多人。

梁：一九六九年《東方》出版之後，整個報業有很大的改變，你們怎樣面對？

岑：我們主要是維持工商界跟政府的關係，沒有怎麼理會其他報章的。我們各有各做。

梁：《成報》在一九五零、六零年代因針對小眾口味而成功，有很多分類廣告，你們的社團消息卻特別多？

岑：《星島》也有很多分類廣告，我們分幾組人做，有社團、法律、地產等。

梁：你們跟《工商日報》有甚麼關係呢？

岑：最早期時，因為上海消息而爭執。《工商》跟我們時常對簿公堂，互相指責對方「抄襲」，戰後也試過。一九四九年我在英倫遊歷時，何東爵士（《工商日報》老闆）跟我說不要為這小事而爭吵，回港後大家便放下爭論。在何東爵士游說後，

中西報界首次聯合籌組
香港報業公會
昨選出小組會擬訂章程

【新亞社】本港報業人士，久已認爲有組織一新聞事業團體之必要，現此事經告實現，本港各主要報社之代表，於前（十四）日在南華早報董事會議室開會，即席決定成立「香港報業公會」，是日出席者計有：德臣西報（總編輯格雷）、香港虎報（總編輯[illegible]）、工商日報（社長胡[illegible]）、工商晚報（秘書[illegible]）、星島日報（主筆賀納夫）、星島晚報（主筆賀納夫）、南華早報有限公司（總經理[illegible]）、南華早報（總編輯[illegible]）、南華星期[illegible]、華僑日報（社長岑維休）、華僑晚報（秘書何少庵）。葛林漢先生被推爲是次會議之秘書。

該會主旨在成爲香港報業之中心機構，以促進香港新聞事業之合作，並得推動一切有關香港報業事宜，成該會本身及其會員之利益事項。凡在香港經營報紙出版事業之商號或有限公司，或從事報紙編輯與經營之個人，均得加入爲會員。該會並將與聯合王國之報業公會及其他同樣性質之團體聯絡。

該會會務將由理事會主持之，當日會議並選出一小組委員會，以擬定各項章程，南華早報有限公司之葛林漢先生已被推爲名譽秘書。至其他職員則留待會章通過後始行選舉。

岑維休，偕何世禮、胡文虎等人籌組香港報業公會。（《工商晚報》一九五四年一月十六日，第三版。）

岑才生擔任世界中文報業協會主席多年，致力促進報業發展。見《香港年鑑（第三十二回）》（香港：華僑日報，一九七九年）。

我們跟何世禮將軍（《工商日報》社長）和胡文虎先生，一同協力促進報行，當年家父幫忙成立報業公會，《星島》、《工商》、《華僑》、《南華早報》，四份報章輪流主持，舉辦聚餐和週年大會。

梁：你參加過報業公會？

岑：我做過香港報業公會和世界中文報業協會主席，我也是IPI（國際報業協會）的香港召集人，做了很長時間。一九九四年後，我轉讓《華僑日報》，就退了下來。我到現在仍是名譽主席，但最近因為身體問題，不再出席了。

梁：可不可以說一下香港報業發展歷史中每個年代的重心？

岑：每個年代都有不同的重心，每隔幾年就有很大變化。

梁：一九五零年代，是否只重視國際新聞，所以將國際新聞放在頭版？直到一九七零年代《東方》創刊，才以港聞作頭條？

岑：不是。早年已是港聞先行，特別是政府公佈的消息。那時，政府會特別指定某些傳媒的人出席「吹風會」，我是其中一位。

梁：五零、六零年代的兩岸關係怎樣？

岑：那時，多依賴上海消息，我們跟《工商日報》也因為這原因而發生爭執。其實可說是「互相抄襲」。上海的「消息人士」可能是同一人！當時，我們跟《工商》兩家報館都靠電話與上海聯絡，所以消息都不太準確。

那些事情年代久遠了，我也不太清楚。之後我們一直在做自己的專長，如發展教育版、專刊等，這些版面花費我們報館很多功夫。而且我們又要舉辦「救童助學運動」。我們發展自己的路線，新界版只有我們有，我們聘請專員四、五人長駐鄉議局。我們跟鄉紳交往甚多，專人「服侍」他們。有人笑說：「新界版在鄉紳大壽時，也要寫一大段故事。」其後，新界開始發展新市鎮，有更多故事可以刊載。

梁：何建章做老總做了多久？

岑：做了很久，直到他離世，吳國基才頂上。他現在多倫多的《明報》。他人很好，很負責任。

梁：你們與夥計之間關係密切嗎？

岑：很多已認識很久，至今也有聯繫！其實最熟悉的只有三數十人，其他的可能已經不在世，或流散世界各地了。

梁：《華僑日報》昔日在香港的角色吃重嗎？

岑：我們與政府的關係還算不錯。日佔時期，家父寄東西給集中營的英國人，曾被拉去審問。因此，後來，英國授予家父勳銜。當時我們以商人心態繼續維持經營報業，仍可管理廣告部跟印刷部，當成一盤生意。

戰後我們被人指責為「漢奸」，但中國政府，不論南京與北京政府，都不當是一回事。英國政

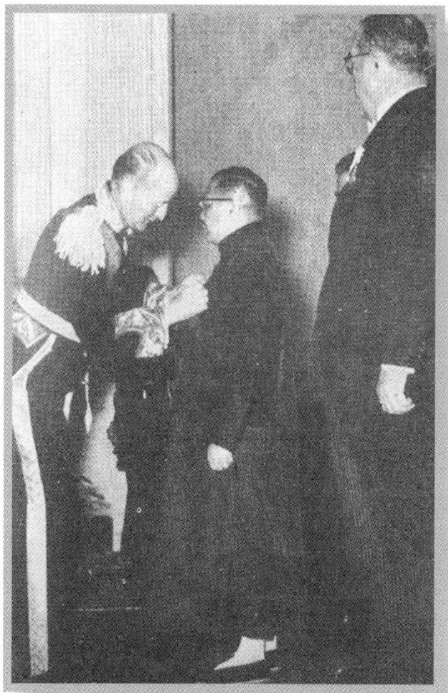

一九五六年，岑維休獲頒贈大英帝國官佐勳章（O.B.E.），表揚他於日佔時期冒險協助被囚戰俘。圖見《香港年鑑（第十回）》（香港：華僑日報，一九五七年）。

府曾力保我們，派軍警長駐我們報社，怕有人「搞事」。即使國民黨派人「接管」編輯部也不行，因為不是人人都懂得專業編務。當年跟其他報館八、九點已經截稿相比，我們做得更晚，十一、十二點才截稿，所以其他外來的「外行人」難以經營。國府嘗試派人過來，我們也有支付人工。但他們不懂營運事宜，結果放棄了。

梁：你對他們很好。

岑：他們只是來「監視」，又不是「接收」，所以就讓他們留在報社息事寧人。而且國府也有一批人跟英國一樣，知道我們的情況，事情就不了了之。

梁：《華僑日報》的資料室如何？

岑：賣了給《南華早報》。我離開二十年了，甚麼都變了，資料也殘缺不全了。《香港年鑑》十分有用，舊的資料在香港大學馮平山圖書館，全部有收錄。我把最後一期影印下來，始終印刷的東西，不能被電視、電腦完全代替。

梁：報社在你手上結業了，有沒有感到惋惜？

岑：都無所謂了！我做了四、五十年報紙，受過不同影響和壓力。想生存，就要適應這個世界。五十年代的東西，放在現今社會，當然不行了。

楊奇

辦報有四最

楊奇，生於一九二二年，廣東中山人。一九四零年畢業於香港中國新聞學院，就讀期間開始在陳孝威將軍的《天文臺》報社工作，並任《文藝青年》半月刊主編，一九四一年奉命到廣東游擊區辦報，先後任《東江民報》主編，東江縱隊機關報《前進報》社長。抗日戰爭結束後，返香港創辦《正報》，任社長；一九四七年初，協助喬冠華籌辦新華社香港分社；同年十月任《華商報》經理、代總編輯。中共香港工委候補委員、報刊委員會副書記。一九四九年十月，改任《南方日報》副社長。一九五七年參與創辦《羊城晚報》，長期任總編輯，直至文化大革命該報被封。一九七三年任中共肇慶地委宣傳部部長。一九七四年十月起任廣東人民出版社社長、廣東省出版事業管理局局長。一九七八年重返香港，歷任中央駐香港代表機構新華社香港分社副秘書長、宣傳部部長、秘書長。一九八八年任《大公報》社長，至一九九二年離休。

訪問時間：二零一二年七月二十五日

訪問地點：受訪者廣州寓所

梁：我們很開心跟楊先生做專訪，你是我們這一行的老行尊。

楊：不敢説老行尊，我只是出生早一些、做新聞工作的時間長一些而已。我現在不會辦報了。我們那個時代流行「文人辦報」；現在不同了，在中國內地，全是「黨委辦報」；在香港，新聞傳媒的情況變化很大，比如説，你們做老師的，總是教導我們要有職業道德，新聞報道要負起社會責任；可是，現在有個別報紙卻不講這些，甚至炮製出「陳健康事件」那樣的新聞見報，這是香港報業歷史上從未有過的。

我説自己不會辦報了，那是真話。正如小米加步槍時代的戰士不會打現代化、信息化戰爭一樣，我這個早已退役的報業老兵，確實不會辦新時代的傳媒了。

年紀老了，容易懷舊。提起香港報業，我就緬懷起香港中國新聞學院的老師來：比如，金仲華是《星島日報》第一任總編輯；譚思文是《珠江日報》編輯；葉啟芳是《星島晨報》編輯……他們才真的是香港新聞界的老前輩，早已駕鶴西遊了。同時，比我年紀稍大的報界朋友，《晶報》的陳霞子，《成報》的何文法，《文匯報》的李子誦、金堯如，《大公報》的費彝民、馬庭棟、陳凡，《新晚報》的羅承勛，《星島日報》的周鼎，《華僑日報》的李志文（原名：馮連均），

陳孝威將軍

金仲華是《星島日報》首任總編輯。

還有《香港夜報》的胡棣周、《田豐日報》的潘懷偉等等，也都先我而去了。我經常想念這些已辭世的報人，也衷心祝福健在的朋友。至於我自己，也已年屆九十，廿六年前便已安裝心臟起搏器，二零零五年又患腸癌，做過大手術，自知來日無多了。

梁：你是甚麼時候開始做新聞工作的？

楊：一九四零年，十八歲，在陳孝威將軍辦的《天文臺》報社。那時是抗日戰爭期間，陳孝威每期都寫一篇軍事評論，頗受歡迎，由《星島日報》印刷廠承印，最多時印四萬份，發行到各大戰區去。總編輯叫陳伯流，福建人，是陳孝威的堂弟，燕京大學畢業的。新中國成立以後，他又回到香港，不再辦報了，卻當了香港金城銀行的總經理。

梁：你為甚麼會去陳孝威的報社工作呢？

楊：因為我要讀中國新聞學院，又要打工謀生。新聞學院是夜校，而《天文臺》正好只需白天上班。那時候，《天文臺》只有一個校對員，回內地參加國軍去了。報紙刊出招聘啟事，五個人應徵，我之所以被錄用，是因為我發現作為試卷的原稿（校對小樣用）有錯字漏字。做了大半年後，就被叫去幫陳伯流做些事務，將小樣貼成整齊的版樣、發給排字房拼版，等等。

梁：你加入《天文臺》報社，用不用參加國民黨？

楊：沒有！它不是國民黨的機關報，沒有要我入黨。不僅如此，我還利用《天文臺》報社的地址，作為我主編的《文藝青年》半月刊的香港通訊處（刊物上說是在韶關出版的）。後來，《文藝青年》由於揭露國民黨圍剿新四軍的真相，激怒了國民黨。他們駐香港的機構，通過港英當局政治部出面，把承印《文藝青年》的大成印務公司老闆常書林遞解出境，又派密探到《天文臺》「傳訊」我，《文藝青年》被迫停刊（中大圖書館至今仍保存《文藝青年》從創刊到停刊的十一期）。就是因為這樣，我在一九四一年四月離開香港，到東江游擊區辦報去了。

梁：《華商報》一九四一年四月創刊，是不是廖承志負責辦的？

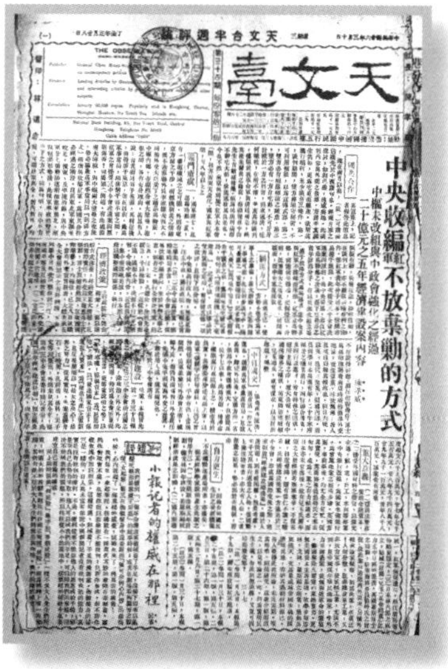
天文臺
中央收編不放棄動的方式

《天文臺》一九三七年三月十日，第一版。

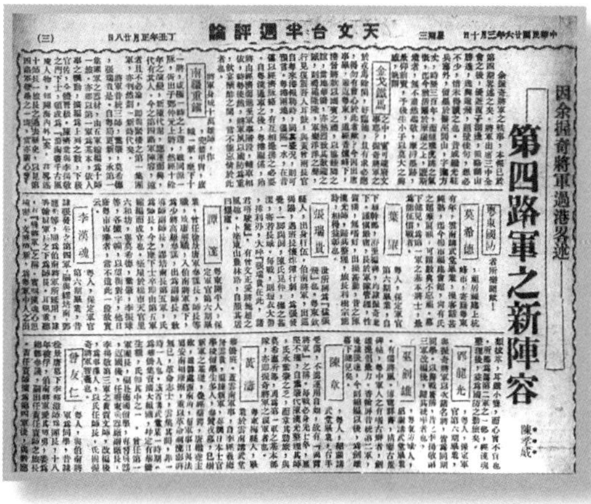
天文台半週評論
因余握奇將軍過港畧述
第四路軍之新陣容

《天文臺》一九三七年三月十日，第三版。

楊：是！那時候，他是八路軍香港辦事處主任。這是由周恩來同英國商量後，在一九三八年一月成立的，但為了照顧港英的所謂「中立地位」，沒有公開掛招牌，而是以「粵華公司」的名義出現。地點在皇后大道中十八號二樓，就是現在新世界大廈那個地方。其實，在此之前，周恩來已派了潘漢年、劉少文等人到香港做情報工作，地點在銅鑼灣利舞台附近耀華街的一幢樓房內，中共的秘密電台也設在這裏。這是絕對不讓其他黨員知道的。廖承志到香港設立辦事處後，也利用這個秘密電台同黨中央聯繫。

廖承志創辦《華商報》，是周恩來總理批准的；第一筆資金也是周恩來從上海匯來的。為甚麼用《華商報》這個名呢？一方面，註冊的法人代表（督印人）鄧文田的確是商人；另一方面，是為了不讓工商界和一般讀者感到害怕。鄧文田、鄧文釗兩兄弟和廖承志有親戚關係，因為鄧文釗的老婆是廖承志母親何香凝的姪女，叫做何捷書。所以，後來何捷書逝世，是我代表香港新華社到殯儀館致悼詞的。

潘漢年

廖承志

《華商報》籌辦時，周恩來就吩咐：「這張報，不用共產黨出面辦，不要辦得太紅，要灰一點。」這在中共的報紙歷史上是沒有先例的。《華商報》在創刊時陣容鼎盛，胡仲持任總編輯，張友漁任總主筆；鄧文田任總經理，但他是掛名不用上班的，范長江任副總經理，管理經營和行政業務。

胡仲持、張友漁、范長江。

Hwa Shiang Pao

德遭遇強烈抵抗

南軍佔領義北部

英國空軍猛襲侵略者

中蘇航空線

喚起僑胞

本報啟事

莫道桑榆晚
餘霞尚滿天

我們的信念和願望

《華商報》一九四一年創刊。周恩來指示「不要辦得太紅。」

鄧文田、鄧文釗。

梁：《華商報》人才濟濟，喬冠華也在嗎？

楊：喬冠華沒有在《華商報》工作。他一九三八年從德國回國後，在第七戰區司令部參謀處工作。一九三九年，余漢謀出錢在香港辦了一張《時事晚報》，請他當主筆，每天在報上撰寫一篇國際評論。但這張報紙只辦了半年就停刊了，喬冠華便作為獨立撰稿人，繼續寫文章，在《華商報》、《大公報》、《世界知識》等報刊發表。他的國際評論寫得很有特色，思想深刻，分析精闢，文采飛揚，因而很快便名揚香港，蜚聲海外。我到現在還記得，當德國法西斯打到莫斯科城郊，屢攻不下時，喬冠華那篇軍事評論的標題是：〈莫斯科的月亮何等光亮〉。其他文章的標題也很能打動讀者的感情。

梁：我聽說《華商報》那時有些文章也判斷錯了，好像說日本不會打美國……

楊：對。當時左派文化人中，爭論一個問題：日本軍隊將會「北進」，還是「南進」？北進，就是打蘇聯；南進，就是打東南亞國家。喬冠華認為會北進，判斷錯了。但是，整體來說，《華商

喬冠華

余漢謀

華商報
晚刊

《華商報》晚刊報頭，一九四一年六月五日，第一頁。

報》在香港報業史上，可以說是獨樹一幟的。首先，當時全香港的報紙都採用中央社的電訊，唯獨《華商報》是用新華社的，這就打破了「一家之言」。連外國通訊社駐香港的記者也常常用它來編寫新聞，發回總社去。再者，從新聞報道和評論來看，它也與其他報紙不一樣。它旗幟鮮明地堅持抗戰，反對投降；堅持團結，反對分裂；堅持進步，反對倒退。例如，鄒韜奮就寫了一篇二十萬字、名為《抗戰起來》的紀實文章，在報上連載，讓讀者了解國內的抗戰，以及民主、民生的實況。在國際問題上，它堅決反對德意日聯盟，批評英美當局的綏靖政策，促進中蘇美英建立反法西斯統一陣線。這方面的言論也是很突出的。

不過，那時是四十年代初，香港長期處於英國管治之下，一般市民並不習慣看這樣嚴肅的報紙，《華商報》的讀者主要是同情、支持中國共產黨的人士，所以銷數不多，只有五千到七千份，這在經營上當然很困難。

梁：那個時期，蝕了多少錢？

楊：我倒沒有這方面的資料，只知道還蝕得起。因為只辦了八個月，日軍就開始進攻香港，《華商報》便在十二月十二日，即九龍淪陷那一天停刊。到了十二月二十五日，香港總督投降，香港地區全被日軍佔領了。滯留在香港的百餘位文化人分批離開虎穴，夏衍、范長江、金仲華等幾十人是經澳門輾轉多地才回到桂林的；鄒韜奮、茅盾、胡風等大多數人，則由中共秘密營救，先護送至東江游擊區暫住，然後才分批返抵大後方，堅持抗戰和民主運動。

梁：日本投降以後，你是甚麼時候回到香港的？

楊：一九四五年九月，日本一投降，中共中央就給廣東區黨委發來幾個電報，其中一電指示稱：應立即派出幹部前往香港和廣州，建立自己的宣傳陣地。於是，尹林平書記決定派東江縱隊秘書長饒彰風負責籌備香港《華商報》的復刊工作，同時從《前進報》抽調楊奇、黃少濤等六人到香港，盡快創辦一張四開《正報》，以便在《華商報》復刊之前，及時傳播中共的政治主張。我們六人在九月十六日回到香港，正好是英軍夏慤少將接受日本防衛司令崗田梅吉投降之日。那時，香港九龍的公共交通還未恢復，我們是乘坐載人的自行車，從沙頭角入市區的。

尹林平書記

梁：《正報》甚麼時候創刊？辦到何年何月？

楊：創刊於一九四五年十一月十三日。當時，正是國民黨大軍進攻晉冀魯豫解放區之際，國共雙方血戰一月，國民黨新八軍軍長高樹勳率部一萬多人在邯鄲起義，組成民主建國軍，其餘兩個軍被殲滅，包括十四軍軍長馬法五在內的多人被俘。《正報》一創刊，就陸續發表了這些消息，並且刊登了高樹勳號召全國軍民反對內戰，組織聯合政府的通電。這些報道有如一聲春雷，轟動了港澳和海外各地。《正報》創刊時算上通訊員只有七個人，實在忙不過來；不久，得到四員大將加盟，他們是：劉逸生（曾在《星島日報》工作，後來成為詩詞研究學者，著作甚豐）、陸無涯（漫畫家，《正報》每期都有他的時事漫畫）、李超（後來曾任《南方日報》副總編

正報
中國民主同盟發表：
抗戰勝利後的十大主張
第二期

《正報》第二號。

正報
第一期

創刊號。《正報》一九四五年十一月十五日，第一版。

輯）、孫孺（後來曾任廣東社會科學院副院長）。他們加入後，《正報》兩日刊內容變得充實，銷路大增。到了一九四六年七月，中共中央派來的方方到達香港後，鑑於復刊後的《華商報》每天都有出版，決定將《正報》改為雜誌（初為旬刊，後為周刊），要我將《正報》移交給黃文俞、李超去辦。與此同時，方方把毛澤東題寫的「中國出版社」五個字交給我，要我趕快出版解放區的政治、文藝書籍，發行到東南亞各國去。就這樣，《正報》一直出版到一九四八年十一月才停刊。

梁：戰後復刊的《華商報》是反對國民黨一黨專政的吧？

楊：《華商報》一九四六年復刊時，正是蔣介石撕毀「雙十協定」、國共兩黨打內戰前夕。復刊第一

陳嘉庚

天，就刊出陳嘉庚的題詞：「蜀道如天，憂心如搗，還政於民，仍待健鬥」。這個題詞既切中時弊，又正好是《華商報》的努力方向。《復刊詞》更是明確指出：「我們認為，內戰不容繼續，一黨專政不容再存在，掀風作浪壓迫異己的分子不容再與聞國事；應即停止內戰，結束黨治，清除反民主分子，成立聯合政府。」

梁：講講你自己在《華商報》工作的情況，好嗎？

楊：好的。我在一九四七年到《華商報》時，先是做董事經理，把主要精力放在經營管理方面。當時報社財政枯竭，幾乎辦不下去，不得已開展「救報運動」，得到香港各界同胞和海外讀者的熱烈響應，很快就籌得十八萬元，也有每天在報上刊出捐款人的名單。我和業務主任洪文開利用部分捐款，經營了一些副業，彌補了報紙的虧損。與此同時，編輯部努力刷新版面，報紙的銷數逐月上升，廣告也多起來了。一九四九年起，由於解放戰爭節節勝利，香港的形勢也日益對我們有利，《華商報》終於扭轉了入不敷出的局面，一直辦到一九四九年十月才停刊。

梁：不久前，你說過「千方百計辦《華商報》」，這是甚麼意思？

楊：今年四月，廣東舉辦了一次「首屆新聞終身榮譽獎」活動，記者訪問我時，問我對於辦報的感受，我說：「最艱難驚險的是在東江游擊區辦《前進報》，最千方百計的是在香港辦《華商報》，最不適應的是在解放初期辦《南方日報》，最提心吊膽的是在『反右派』高潮中辦《羊城晚報》。」

《前進報》創辦於烽火歲月，處在日軍、偽軍、國民黨內戰軍三面夾擊的環境之下，困難很多，驚險不少，這就不必多說了。

為甚麼說「最千方百計的是辦《華商報》」呢？我可以舉些事例來說明。

在宣傳報道方面，我們不僅遵守香港的法律，而且照顧港英的所謂「中立地位」。例如，解放軍總部發出「打倒蔣介石，解放全中國」的文告時，我們將「蔣介石」排成「XXX」。港英政治部約我去談話，問我「XXX」是誰？我答：「讀者認為該打倒誰那就是誰」，這使得港英當局找不到任何藉口取締我們。

除了剛才提到的「救報運動」和用以彌補收入的副業之外，我還在報紙發行方面採取了多種辦法。例如，利用一些牟利的水貨客將報紙偷運到深圳、汕頭等地。廣州解放之初，公安局陳坤副局長告訴我：「在解放前廣州的一些鴉片煙館裏，可以

前進報
第七十二期
廣東人民抗日游擊隊東江縱隊編
華北敵後勝利處處
河南八路軍收復林縣

《前進報》

羊城晚报
庆祝国庆和欢呼五年計划的成就
首都今午五十万人大游行
广州的狂欢队伍浩荡前进
庆祝中华人民共和国成立八周年
創刊的話

《羊城晚報》一九五七年十月一日，第一版。

看到《華商報》」。最有成效的是：讓廣九鐵路的地下黨員，每天攜帶一百份報紙（那時每日只出紙一張），分成兩卷，當火車途經廣州石牌郊區石牌空地時，就把兩卷報紙扔下，然後負責接應的中山大學地下黨員立即把兩卷報紙撿起，分發到各間大學去。與此同時，為了使國民黨的高官了解「解放戰爭」的實際情況，我想出一個辦法，先是買了一批大信封，中式西式、橫的直的都有，然後在報社找了六個人負責寫信封，每人每天寫的收信人都不一樣，使用的信封也不相同，每封信都是寫某某長官親收或某某先生鈞啟。我想，即使收信人不看，只有拆信的秘書看到，也會起作用的。後來，有人到香港《華商報》來找共產黨商談起義的事，說正是這樣看到《華商報》的。總而言之，當年《華商報》就這樣千方百計擴大自己的影響。

梁：既然《華商報》已經站穩腳跟，為甚麼又不再辦下去呢？

楊：那是因為要到廣州創辦中共中央華南分局的機關報《南方日報》。本來，一九四九年七月間，我在《華商報》接到的任務，只是要我們迅速了解廣州報業的情況，並且為籌辦機關報做些準備。為此，我們黨總支找了些員工分別談話，徵詢他們的意見：願不願意去廣州參加報紙工作？在物質準備方面，我主要是做了兩件事，一是申請中央撥款九十萬元，買了《大公報》放在倉庫的全新超高速印報機；二是由於鄧文田、鄧文釗兩兄弟的大力幫助，獲得華比銀行的信用貸款，向挪威、加拿大訂購了一百多噸分批到貨的卷筒白報紙。到了九月中旬，中共香港工委饒彰風接到華南分局的電報，才知道南下幹部辦過報的只有四人，而且電報指示稱：廣州一解放，《華商報》即行停刊，把全體幹部職工送到廣州，盡快創辦《南方日報》。就是因為這樣，在十月十四日南下大軍即將進入廣州時，饒彰風決定十五日停刊。我在午夜把終刊辭〈暫別了，親愛的讀者！〉發下排字房後，大家才知道不是只有自己一人去廣州，而是全體人員一起走。

這個消息就像一顆無聲的炸彈炸開了，以強勁的熱浪衝擊着每個人的心。大家情緒高昂地完成最後一期報紙的編排校印工作，在十五日清晨分批跟隨地下交通員，從大埔坐船到深圳沙魚涌，前往惠州集中，然後在二十日到達廣州市，立即投入《南方日報》的創刊工作。

梁：那你為甚麼又說「最不適應的是辦《南方日報》」呢？

楊：我們從香港回來的三十個編輯記者，沒有一個有解放區辦報的經驗。《華商報》雖然是中共辦的報紙，但基本上是以「文人辦報」、「文人論政」的面目出現的。《南方日報》作為中共中央華南分局的機關報，它的社論集中代表華南分局發言。這是非常嚴肅的事情。所以，開頭那兩年，《南方日報》的社論幾乎全是延安南下的曾彥修總編輯撰寫的，我和杜埃、姚黎民（曾任重慶《新華日報》編輯）等人都不敢執筆。只有在曾彥修去了北京開會，或是下鄉參加土改試點的時候，我才寫過兩篇。總之，從「文人辦報」到「黨委辦報」，很不適應。

梁：你剛才說辦報的四個「最」字當中，「最提心吊膽的是辦《羊城晚報》」，是嗎？

楊：《羊城晚報》是中共整風的產物。一九五七年五月四日，毛澤東曾經為中共中央寫了《關於請

暫別了，親愛的讀者！

本報同人

《華商報》一九四五年十月十五日，第一版。

饒彰風

黨外人士幫助整風的指示》。在廣東省委召開的座談會上，陶鑄接受民主黨派和文化界人士的建議，決定辦一張不同於《南方日報》和《廣州日報》的晚報，作為貫徹「百花齊放、百家爭鳴」的園地。可是，誰也沒有想到，在北京，整風開始後，民主黨派的批評意見，很多都針對中共中央，甚至有些矛頭直接指向毛澤東。據中央統戰部李維漢部長在《回憶與研究》中記述，當他向中央常委匯報整風情況，講到有人形容民主人士對共產黨的批評是「姑嫂吵架」時，毛澤東立即插話說：「不對，不是姑嫂，是敵我。」於是，他不讓「大鳴大放」下去了，整風不到半個月，就偃旗息鼓了。接着，毛澤東便在六月八日為中共中央寫了《關於組織力量準備反擊右派分子進攻的指示》，在同一天，《人民日報》奉命發表了題為〈這是為甚麼〉的社論，擂起了「反右派」運動的戰鼓。這就是中國的政治形勢。

另一方面，從中國傳媒領域看，新聞界人士正受到前所未有的批判。第一個挨整的是〈筆走龍蛇二十年〉的《人民日報》總編輯鄧拓。大家知道，這一年春夏之交，北京的政治氣候乍暖還寒，變幻無常。鄧拓經常處於不解、疑惑和惶恐之中，特別對於「引蛇出洞」的「陽謀」缺乏領悟，未能緊跟，因而引起毛澤東的不滿。四月十日，毛澤東召見了這位中央機關報的頭頭。當鄧拓作檢討時，毛澤東打斷他的話，極其尖銳地批評說：「我看你們是專唱反調」、「過去我說你們是書生辦報，不對，應當說是死人辦報」。隨後不久，鄧拓不得不離開《人民日報》了。至於民主黨派辦的報紙，情況又怎樣呢？「反右派」運動一開始，毛澤東就親自寫了一篇署名「人民日報編輯部」的長篇評論，題目是《文匯報的資產階級方向應當批判》。這篇文章將《文匯報》（上海）和《光明日報》相提並論，提到了《新民報》，甚至還指出：「其他有些報紙的一些編輯記者也有這種情形。」所以，除了《文匯報》（上海）連續發表〈向人民謝罪〉等多篇檢查之外，其他多份報紙都在報紙版面上作了自我批評。不僅如此，「反右派」一來，新聞界首當其衝，被打出許多「右派分子」。據一九五七年九月底的統計：「二十二個省（市）和省直轄市的黨委機關報編輯部門，在報紙上進行了批判的右派分子，就達二百一十二人……」（見《一九五七年的春天》，學習雜誌社，一九五八年版）

上述情況，正好發生在《羊城晚報》籌辦期間。試想，《羊城晚報》誕生於狂風暴雨的「反右派」高潮中，我們這些辦報人能不提心吊膽、戰戰兢兢、怕犯錯誤嗎？但是，正是因為這樣，我和《羊城晚報》的同事是全情投入、盡心盡力去辦這張報紙的。而且，應該說，它的內容和版面都具有鮮明的特色，得到廣大讀者和新聞界同行的稱許。

不過，到了一九六六年，是非不分、黑白顛倒的「文化大革命」一來，《羊城晚報》就遭到了厄運，所有領導都被抄家、批鬥。

梁：你當時有沒有進過牛棚？

楊：當然有啦！而且還不斷被批鬥。據「五七幹校」專案組的統計，大大小小的批鬥會，一共有一百零八場咧！到了一九七一年底，批來批去，審查來審查去，結果證明我歷史清楚，政治無問題，軍管的宣傳口（那時稱「口」）便把我派去肇慶地委，創辦《肇慶報》。三年之後，又把我調回廣東，當人民出版社社長。

梁：那你甚麼時候重返香港的？那時新華社和左派報章的情況怎麼樣？

楊：我是在一九七八年七月到新華社香港分社擔任副

在新華社時的楊奇（受訪者提供）。

秘書長兼宣傳部長的。那時的新華分社可以說是一個「假新華社」，在這個「新華社」中，卻有一個「真新華社」，叫新聞部。「假」的大，「真」的小。香港回歸後，「假新華社」已經正名為「中央駐香港特區聯絡辦公室」；而新聞部也正名為新華社香港分社兼亞太總分社了。那時候，香港《文匯報》、《大公報》、《新晚報》、《商報》、《晶報》和《澳門日報》，都由香港新華分社管理。

梁：「六七暴動」之後，這些報紙都經營得很辛苦的，你覺得它們的情況怎麼樣？

楊：我一回香港，就從幾個方面對全港報業做過一番調查。「文革」前，中資的五份報紙發行量，佔全港報紙銷售總數一百六十萬的百分之二十；「反英抗暴」期間，《明報》、《成報》等報紙銷量猛升，五份中資報紙的銷數則一落千丈，還不到總銷量的百分之十一。《成報》社長何文法因病入住港中醫院，我去探他。談話中，他跟我說：「我們《成報》那幾年增加的銷數，是《商報》、《晶報》送給我們的。」後來，五張中資報紙的銷數雖然逐步回升了，但陳霞子逝世，《晶報》又停刊，我們中資報紙的覆蓋面更加縮窄，許多草根階層和思想「後進」的市民，往往聽不到中央人民政府的聲音。正因為這樣，香港新華分社就更加需要團結新聞傳媒界的朋友，作為同盟軍，配合宣傳我們的政治主張。所以，我在新華分社工作的十年中，是真心誠意同各個新聞傳媒的社長、總編輯、主筆等人交往、成為朋友的。

我在新華香港分社工作期間，曾經根據中央港澳辦公室廖承志關於肅清「極左流毒」的指示精神，召開過幾次港澳報紙工作會議，研究怎樣從實際出發，實行「港報港辦」、「澳報澳辦」。例如，放寬採用外國電訊的尺度，像「蔣天勤叛逃」、「蕭天潤駕機逃往韓國轉赴台灣」等電訊，我們的報紙都可刊登；又如浙江省來港旅遊的吳亞倫要求「政治庇護」的新聞，也可以發表；《大公報》在「文革」期間停掉的馬經版也恢復了。這樣一來，報紙的銷量，也就逐漸增加了。

梁：後來你又去《大公報》做社長，情況又怎樣呢？

楊：一九八八年五月，費彝民社長病逝，《大公報》董事會遵照費公生前的意願，一再發函委我繼任。我才疏學淺，自慚形穢，而且已是六十六歲的人了，所以再三推辭，但盛意難卻，終於辭去新華分社秘書長的職務，在七月份單槍匹馬上任。當時，報業公會決定：全港報紙從十月起一齊加價。各報為了防止銷數下跌，都在提前刷新版面，以爭取讀者。在這種情況下，我更加不敢懈怠，於是一個版一個版地找有關編輯、記者商量，提出改革方案。例如，將經濟版擴大，又將體育版分為兩個版，香港體育、國際國內體育各自一版。又如，為了刷新副刊，我開闢了一個針砭時弊的《自由談》專欄，邀請北京、上海、廣州的雜文名家邵燕祥、舒展、黃裳、章明等在廣東迎賓館開會；隨後，抨擊貪污腐敗等等的雜文便經常在《大公園》中出現。在經營管理方面，我主要做了兩件事：一是力排眾議，選定北京大學王選教授發明的彩色圖文激光排拼系統，使《大公報》成為全港第一家電腦化出版的報紙；二是努力改善職工待遇。首先，老職工按工齡長短，每人每年補發一個月的工資，以便他們購置居所。然後，全面實行公積金制度：不論新老職工，都從每月工資中留下百分之五，報社再按每人工資增發百分之十，加在一起，交由滙豐銀行的財務公司保管付息。我這一措施，是在香港有「強積金」制度之前就實施的，我們是香港第一家建立退休公積金的報社。

我在《大公報》只工作了四年多，我很高興提拔了兩位土生土長的香港人——把曾德成提為總編輯，把馮仲良提為總經理。在我一九九二年十月離開《大公報》之前，馮仲良告訴我：上半年的結算顯示，報社已經扭轉虧損，略有盈餘，所以我走得安樂，問心無愧。

好了！我說到這裏。謝謝你們前來訪問。

曾敏之

一生正義押在「痛心疾首」上

曾敏之（一九一七——二零一五），資深左派報人，自一九四零年開始報人生涯，先後在中國多份報章任編採工作，及後來港加入《大公報》，為駐內地特派員、採訪主任，中新社廣州聯合辦主任。一九七八年重返香港，任《文匯報》副總編輯。一九八九年五月廿一日，曾敏之以代理總編輯身分，於《文匯報》社論開天窗、寫上「痛心疾首」四字，抗議北京當局實施軍事戒嚴。曾敏之一度出走加國，晚年定居廣州從事文學寫作。二零一五年離世，享年九十八歲。

訪問時間：二零一二年七月二十五日

訪問地點：受訪者廣州寓所

曾：當時北京宣佈戒嚴，新華社張浚生打電話叫我前去。他說有話要傳達，我知道是有關學潮的，他打了兩次電話過來，我也不去。他說：「敏之，做朋友，怎樣也要來一次。」我說：「現在工作很忙，很緊張，所以不去。」

梁：最後怎樣？

曾：沒去。當時，程翔和陳南跟我說：「總編，我們開車送你去，保護你回來。」我回他：「我們不搞這些。」這一段已經在《明月》上發表。我也在微博說過，完全真實，沒有半句假話。

梁：「痛心疾首」是不是你寫的？

曾：對，是我寫的。李子誦是「夫復何言」。我說：「這完全沒有抗爭意義。」我建議「痛心疾首」。他也同意。隨後跟張浚生商量，他也同意用這字。我馬上寫了這四個字，交給編輯部主任張晴雲，再轉交總編輯。之後送到排字房排版，我再去看版樣，第二日就見報。就是這樣。這事曾打電話給張浚生商量，他也同意用「痛心疾首」的。

梁：張浚生反口了？

曾：就說沒有這事！反口了。程翔現在有很多東西也弄虛作假的。

梁：是誰跟程翔說的？

曾：我本來也不想批評他人，那篇文章已交代得清清楚楚。《明報月刊》報道李子誦的追悼會時，最後有提到「痛心疾首」是我提出來的，李子誦和金堯如也同意。就是有人在做文章，事實就是如此，無人去推翻。而且，在追悼會新聞上，也沒有指要去推翻。但，又加上了金堯如，金堯如是無關的。

算了吧，我不再去辯解了。這「六四開天窗」的事，就如我在《明報月刊》上交代的，是完全真實。

梁：你有擔心過嗎？

曾：我無事可以擔心，我都在這裏等待處分，等叫我去北京，像羅孚一樣，被扣押在北京。我也做好準備了，但卻沒有。做得這件事，就不用怕，因為這是正義的，這是良知的事。

梁：你後來去了溫哥華？

曾：有些人邀請我去法國、美國，我也不去。就在這坐等處分。後來，忘記了受處分的事，我離開了香港。溫哥華朋友劉敦仁邀請我去發表談話，我就放下不做，那好像金堯如他們都發了幾版談話的，金堯如就號召去發表這個談話，但我不會做的。

社論

痛心疾首！

一九八九年五月二十日，解放軍決定於北京實施戒嚴，曾敏之及一眾《文匯報》高層於社論刊登「痛心疾首」四字，以示抗議。（《文匯報》一九八九年五月二十一日，第二版。）

梁：為甚麼你去了溫哥華後又回來香港？是孫南生叫你回來？

曾：新華社傳真叫我回來，為甚麼叫我回來，當然有我背景。它們說：「我們了解你，你回來照樣工作。」我就回來了。回來以後，仍有參加作聯。張浚生跟我談，我說：「我要退休了，我不要做事了。」

黃（黃仲鳴）：為甚麼對你這樣寬大？

曾：我不知道，就是沒有加罪給我。加罪給我的話，我就去北京秦城監獄那裏坐。但就是沒有被處分。孫南生在我回來以後，說：「你回來後好好工作。」就這樣而已。

黃：你回來後仍有工資？

曾：工資照發，那時候工資一向很低，我們身為「外派幹部」，薪資還是依廣州的標準。當年月薪只有二萬五港幣，若用香港的標準支薪，我真是發達了！我來香港三十多年，還是這個水平。不過新華社在克街有宿舍給我們住，不收租的。那單位很簡陋，當年依我這樣級別的，其實可以分配到更好的單位，但我拒絕了，一住就住了三十年了。

這三十年見盡人世的悲歡離合。我女兒在外母何麗喜那邊死了。我外甥女在港大苦讀，很艱難，我去支持她。「六四」後，我遠走加拿大……總之很多事，也有很多感受。悲歡離合我都在這邊看到了。

現在談的，是希望可以親口說。

曾敏之於克街的歲月，見盡悲歡離合，圖為新華社克街社址。（《大公報》一九七六年一月十六日，第六版。）

梁： 請說一下做報人的經驗。

曾： 如果說到做記者，我的歷史很長。加入《大公報》是一個轉變，那時的《大公報》是一張很有影響力的報紙。我能入去，很勤奮。

老總張季鸞告誡我們，應如何當記者。我受到他的影響。他要我們勤學，要精通歷史，又要夠膽識，做記者就不怕一切。所以我做記者，也有很多挫折。曾經坐牢，幾乎回不來。聞一多也被捕，周恩來在重慶開追悼會，我照寫新聞，《大公報》照樣報道。

我還記得聞一多的特寫。那時候，若再寫聞一多的，會被拉去坐牢。我不顧一切，還是照搞不誤。後來上了黑名單。當年重慶政權要逮捕記者，黑名單中排名第一的，是我。中央社報道被捕記者的名單時，把我的名字放在第一位。

所以，新聞之中的共產黨人，我是第一個被人評核的了。我大哥看了新聞以後，特意打電話去問經理他們，設法營救我。

梁： 當時你只是記者，不是間諜？

曾： 當然不是！

黃： 你思想何時轉左傾？

曾： 很早就左傾了。一九三五至一九三六年在廣州的時候，思想已經傾左，後來去了香港，見到胡政之，我想加入周壽臣辦的《新聞日報》，後來搬去上海，就鼓勵我，找周國明通知我，就叫

本報記者七人被捕
曾屬一人昨晚獲釋

【本訊】昨晨一時許憲警來台存中路本處及四德里、飛來寺、李子壩各地職員私宅逮捕本報外勤記者曾敏之、李光詒、張學孔、方家、[illegible]泉、[illegible]、英文翻譯劉忠篤及李光詒夫人黃紋[illegible]八人。黃女士已於昨夜十時許取保獲釋返寓。

為報道聞一多冤獄案，曾敏之一度被國民政府緝捕。

我去上海。許有明是個老左，他叫我寫文章，到了上海時，我就左傾了。

黃：甚麼原因讓你思想左傾呢？

曾：當時，我看五四文學作品，北京那些作品，都是現實主義的，我也有讀世界文庫，有蘇聯的作品，看完以後讓我對蘇聯有所崇拜，想向他們學習，那時已向左傾了。

梁：你何時從《大公報》轉至《文匯報》？

曾：戰後，港澳工委派我去《文匯報》。不是《文匯報》聘用我。當時《文匯報》是很左的。

梁：你是不是黨員？

曾：當然不用問了，老總甚麼的，當然不用說！

梁：你現在還是嗎？

曾：你覺得我是不是？這樣幾十年了！我經過很多阻滯，我是撿回來的。

梁：一九八零年代，你回了香港，你怎樣看香港的報行？

曾：回來的時候，《亞洲周刊》來訪問我。當時，作家聯會改組，選了我當會長，那是全票選出來。記者問我現在怎樣，我說：「我現在沒有在新聞單位工作了，但還是承繼着新聞記者的良知。」我的過去，注定了我還要用新聞記者培養出來的筆去寫作。

梁：你回來後看到的《大公》、《文匯》是怎樣？

曾：回來以後嗎？我不再入《文匯報》門口，自從「六四」後離開了，再也沒入過《文匯報》的大門口。我太太也從沒去過《文匯報》。其他人不認識我太太。後來搬到香港仔新大樓時，張雲楓想請我回去看看，我也沒有去，直到現在也沒去！

梁：你怎樣看那報紙？

曾：《文匯報》好像已經變了。最初比較束手束腳，現在比較開放。比《大公》更放。很多新聞可以選擇不刊登的。好像有段軍事新聞，這很大膽，也會照去登。這是不是得到甚麼默契的，我就不得而知了。但是，能夠做到這一步，以前可以說這是「在造反」。

黃：你現在還每日看《文匯報》嗎？

曾：有！《大公》、《文匯》送我的，楊奇也有，早上九點送來，我也有看。剛剛你問到我對香港新聞界的看法，以我的理解，香港新聞界不太重視培養人才。辦報有三個條件。第一，資金，第二，持平，第三就是人才。人才是決定報館的好與壞。但香港不再重視了。從甚麼地方可以看到香港不重視人才呢？現在哪個地方可以找到突出的名記者？沒有！有哪個人有自己的著作呢？沒有！

這樣的情況，就是學識修養不足造成。

現在記者都只會伸手拿資料。不是這樣採訪新聞的，應該首先要交朋友。嶺南畫派大師楊善深他常來找我聊天，了解一下當年國民黨的動態。宣傳部長梁群秋，跟我們很合拍，他也從我們這邊，得到對方線索。這其實是「交換」。你要做這個「交換」，就必須要有學識水平、有修養。沒料的，哪有人跟你談，都不會理你。

為何張季鸞寫評論寫得好？他技高於人，不論你是不是國民黨，也會跟他來往。蔣介石也視他為國士，不會去滋擾他。所以他評論的時候，總是百發百中，很切合當時時勢，有膽識、筆又好、又有可靠的材料，才可以寫到很好的評論。我覺得現在的記者朋友，怎樣也好，最重要學習。

梁：說回你的年代，那時黨的控制還是很強？

曾：這個不用控制！因為本身追求進步，所以都不用控制。我在重慶《大公報》當採訪主任，我手下有九個記者，這些記者來自燕京大學、中央大學、復旦大學，都是進步人士，這都是一個進步集體，都跟《新華日報》的記者連繫一起。很多活動也是聯合採訪的，有時共產黨想來宣傳，

抗戰時期，重慶「大公報館」匯聚左派中人，不時與《新華日報》互通聯絡。

我就順便帶點信息給他們；他們也會給我一些平日看不到的資訊。

還有一件事，方先覺苦守衡陽。方先覺是第十軍的軍長，當年保衛衡陽最得力。後來，日本人攻陷衡陽，方先覺被俘，生死未卜。有傳他以死報國，又有說他投降汪精衛政府。

我跟方先覺一位同鄉分屬友好，後來，方先覺突然回到重慶，蔣介石下令任何人不能跟他接觸。那同鄉偷偷跟我講：「方先覺來重慶了！」

這是大新聞，我一直想怎樣採訪他。第一步，就是找到他住處，正好就在陳誠公館。第二步，了解公館警衛情況；第三步，用甚麼方法打進內部去找他。這很費神。

當年，我還年輕，天不怕地不怕，就打扮成為一個西裝筆挺、樣子很豪華、很有來頭的人物。知道他住在陳誠公館的二樓，就直接衝進去，警衛不敢攔阻，僕役馬上帶我去見方先覺。我見到他以後，跟他說：「我代表《大公報》及人民慰問你。你是抗日戰爭的英雄！」方先覺非常高興，我一件一件事去問他的經過。為了證實我有訪問方先覺，我拿了名片出來，請他簽名。回來時跟王芸生講，因為他才是寫手，我要寫特寫；他就要寫社論。第二日成為轟動的大新聞！

梁：你怎樣評價汪精衛？

曾：老實說，在國家民族大義的角度來說，他這個漢奸被專制，是不能被改變的。甚麼想辦法維持中國和平甚麼的，你做漢奸，有時更有利敵人進攻，他讓敵人後方安心後，向進軍我們西南。你說這個名號怎可改變呢？等於周作人「親日」，身為一個文人，難道不會怕負罪嗎？有人問他有沒有甚麼貢獻，五四時代那些。有很多人維護他在文學上的成就，還在寫文章維護他。我不同意，一個沒有大是大非、沒有民族氣節，這個是不得了呀！那其他的東西也可以隨時出賣的呀！

黃：張愛玲呢？

曾：我跟她沒來往。她有寫過反國文章、小說。大家現在都不彈她了，只說她有甚麼成就，那些胡蘭成的也不再提。但我倒要問一下，一個人生經歷有哪一段可貴不可貴的？妳對胡蘭成說了甚麼？以前寫過反國文章、反國小說，你自己怎樣看自己的過去？。余光中有個好處，他承認過去有錯失。後來，《華師報》攻擊他，我不贊成，我跟他們說：「余光中他反過去的事。為甚麼不好好給他自新的機會，還要去討伐人呢？」所以，余光中和我來往得很好。

黃：張愛玲不似是漢奸，只是小女人一名！

曾：現在都將她捧嘛，那就很過份。就是說，我認同她的文筆不錯，但現在不停重複張愛玲這樣那樣的，我不以為然了。

梁：最近北京為胡適翻案，又怎樣了？

曾：或者我還是很左！胡適在「五四運動」對文學革命有貢獻，肯定他在學術方面有很高成就，肯定他在北大認定何謂文化運動，他有貢獻。但他在蔣介石年代當外交使節。在當時的時勢下，他們只是一隻過河卒子，不到他們選擇。蔣介石利用他們做花瓶。但是，他去了美國做了件大事！回到台灣以後，他修心養性，甚麼也不去做了。因此，從文化運動、文學運動，學術成就這幾方面來說，我覺得這個人是值得肯定的。如果要給「三、七分」，我會給他七分肯定，但反對他的個人主義。那時候真的很難說，中國處於一個民族危機的關口！各種思潮交集，各種主義都有，大家都出來發表意見時，這東西變得很不現實。所以，他主張「小壇（自由）主義」，但我們這些左派的，就會主張「多壇（社會）主義」！

還有梁實秋，他是胡適派的，過去會對他有很多意見。因為他在寫與抗戰無關的文學，讓人大手批評，這是他的詬病。

但梁實秋這人，仍有他的貢獻。誰翻譯了莎士比亞全集？哪個人在當時的散文可以超過他？他還是教授，有貢獻的，不論在山東大學、青島大學也好。現在我覺得梁實秋又不是這樣了。我親自去青島梁實秋故居看過。我看過青島的書，都在細數青島的文化人，總是缺了梁實秋。後來，我回去寫篇文章，說梁實秋為我們做過甚麼事情，為何青島編撰文化人文本時，卻沒有他的存在？就因為左派編寫的。因此，我寫了一篇文章幫他定位。

現在，梁實秋的文章，真的值得讀一下。就算是你（黃仲鳴博士）的文章也是有點梁實秋的風格了。有幾個朋友的專欄，我還是會去看的。

梁：現在好看的專欄也不多了。

曾：現在的人也不重視文學。《文學雜誌》、《文學周刊》，這些都十年了，很多人也是在那寫稿，像陶然等等。陶然的第一篇文章就是由我發表的，就是用陶然的名。現在連《文學周刊》也沒有了。

《羊城晚報》辦的《花地》，當年，吳友恒、秦夢創辦時，《花地》就是為文學服務的周刊，那是很好的。但現在不成局面了。我做了七年，不少人說：「《花地》都輝煌了七年，現在沒有人再去看。」最近《羊城晚報》的總編輯更被免職了。原來他跟新聞界談過，誰料那夜就被開刀了！

黃：你對《南方都市報》有甚麼看法？

曾：作為一份報紙來說，它是辦得比較好。

黃：好在何處？

曾：評論。它敢於將很多東西登出來，引起大眾注意，評論做得好。《南方都市報》還有份《南方周末》，都是同一集團的。觀乎全國，廣州這邊的，《南方都市報》可說是表表者了。

梁：你有沒有看電視？

曾：有，報紙、刊物也看很多。相隔幾十年後，新聞記者這本性還在！所以我也會看鳳凰衛視的。鳳凰能辦到這個地步，當然是有它的背景，但真的不錯。樹仁大學辦得不錯，所以你們在校長哪邊……你們大家都注意到八大的事吧？這陣子批評大學都批得很厲害，根本就有很好的條件……辦大學甚麼的也好……那樹仁在這條件下辦成了大學，真的了不起……

黃：只有新聞系而已。

曾：不，一家大學只要有一個系做得很好，已很標青。看看燕京大學出了多少人才？新華社的一大批名記者，是從那邊出來。所以就是要重視人才的培養。但要提供條件，因為沒有條件的，也沒有辦法做好。

《大公報》有個好處，它會提供讓人成才的條件，但要你好自為之，全靠自己。講陣地，陣地也就在這；講影響力，怎也會有影響。但是，你自己沒有好的條件，創造甚麼也沒有用。後來蕭乾、楊光好等、孟秋江還有范長江，都是因為這條件，做到了人所未做的事情。

對於「六四」的事，可以參考我在《明報月刊》上的文章，那是真真實實的。有些人在加鹽添醋的，那也沒用。

梁：你剛才說，程翔說了很多不真實的事，那是甚麼呢？

曾：又是問我這一個問題。為何開天窗這樣的大事，我會出來交代。過去的事不提了，現在又不見得向我算舊賬，我不知道了，有甚麼原委，我也不知道。新華社的孫南生打電話給我，就必定有根據！這麼一件大事，誰敢叫我回來？他說：「在這件事上，我們了解。你回來工作吧。」誰授權他通知我回來？

梁：對，當時廖承志還沒死！

曾：李子誦，現在蓋棺論定了？中聯辦也幫他搞了大型追悼會。文化、文學界的人沒有人去參加，工商界卻參加了。

梁：李子誦在《文匯》表現只是一般？

曾：《大公報》董事長李俠文對他最有意見。李子誦後來在《當代》寫專欄，都自我吹噓，說如何從事民主運動，這都是騙人的！既然一個民主運動早就完了，為甚麼還要把《文匯報》變成私產。明知《文匯報》不是你創辦，也不是你出錢的，只是請你回來當僱員，只是因緣際會讓你成為社長，你怎能說這是你的個人資產？所以我堅決反對，要去揭發他！但是《文匯報》卻有一篇文章，北京也有刊登，講述《文匯報》創辦的經過！一個從事民主運動，甚至進步人士，歷史明顯放在這裏，居然都可以亂來，就想蒙騙別人。這些事，我覺得晚節不忠吧！我們堅決反對他。

梁：但你交代得很好吧？

曾：現在有個畫家，董維新，當年幫他開車！一點感情也沒有！楊善深當年招待他，讓他住在豪華大宅內，他一句話也沒有說！

黃：說回程翔，你怎樣看他？

曾：出我預料以外，居然他會這樣說。沒有一句是真，都是無中生有的東西。李子誦、程翔與劉銳紹一同在辦《當代》，然後到金堯如。那時我在溫哥華，如果我知道了，我會立即打電話回去反對，然後署名登報。後來，《當代》就……

是我回到香港以後，程翔跟我說，為我安排。這傢伙原來甚麼也可以做出來！

梁／黃：《當代》第一桶金從何而來？

曾：這個不太記得，可能是一些企業家。（**梁：**是黎智英的！）那時官方不支持他們！

黃：《當代》是《蘋果日報》黎智英，給李子誦一百萬元去辦的？

曾：我才不信！現在很多東西也是可以製造出來，像程翔說鄧小平曾經要李子誦去北京見他，死無對證，「由他噏」！鄧小平憑甚麼傳你去見他？特別是在這「大陣仗」以後！找你做甚麼？要不就是要問責。若以統戰觀點來說，只會安排你去見市委。李子誦真的以為自己不得了，「叻」啦！總之，就弄虛做假，慢慢總會「穿煲」的。

梁：對啊，是程翔說的，那一晚他不在編輯部，怎樣說都不對。算了，都過去了。

黃：你覺得陳南這人怎樣？

梁：這人在《商報》很老實，在《文匯》呢？

曾：也很老實。

黃：沒程翔那樣花弗吧？

曾：現在香港問題一定要找他（程翔）！

有類人是投機者，我不便説出來，你們觀察一下，就在等時機爬最高位。投機性不變的。

梁／黃：是報人嗎？《文匯》的嗎？

曾：我不説名字了，你看看吧！

梁：香港投機的人特別多。

黃：那個人在《文匯》的嗎？

曾：範圍不講、姓名不講。投機的技巧很高明的！關乎形勢、了解環境、了解人事，待機而動，就爬上高位了。

現在沒有人識我了！

黃：想不到啦！你開估啦。

曾：不，招惹官非的，還是不要提了！

我做新聞工作幾十年，用人多矣，經歷的是非也多。所以我這眼、這頭腦啦，即使是九十五歲，仍是靈敏！我看一個人，也有靈敏度。視力有點不行，耳也有點重聽。但我手跟腦都記得很清楚，眼底現在有點白內障，一邊可以一邊不行。

梁：不可以割了嗎？

曾：九十歲割了一次啦，也沒有用，都報廢了！你們真的有心，就是這樣感激莫名。

黃：你要午睡嗎？

曾：要，我這年紀，其實不用睡太多，睡得好的，五小時就好。只要不輾轉反側、心事多多就好。

香樹輝

銀行家・傳媒人・專欄作家

香樹輝，資深傳媒人，一九四七年香港出生，香港中文大學新亞書院經濟系畢業，做過投資銀行家，後加入傳媒，曾參與創辦《壹周刊》，曾任星島報業集團報業總經理、《華僑日報》社長、《明報》執行董事等職位，還在多份香港報紙、雜誌撰寫專欄，筆名畢流香、辛翠時、左丁山、喬菁華等。又在香港電台節目《城市論壇》擔任主持人。現為新城電台財經台節目《香樹輝 King King傾》、《中環會客室》等主持。

訪問時間：二零一二年八月十五日

訪問地點：北角寶馬山樹仁大學新傳系錄影室

梁：當時你為何突然從銀行家轉做傳媒人？是否認為傳媒大有所為？

香：其實是很偶然的事，八零年代，我已經沒在銀行工作，而是在做現在最時髦的私募基金，那時叫創投基金，英文是「venture capital」（風險投資基金）。一九八六年，時任財政司夏鼎基出了一份委員會報告，說香港應該興辦這些新興事業，刺激香港的創意、新的工業、創投行動等。那時我在Arral & Partners工作，該公司於一九八一年成立，我在一九八四年加入，專做直接投資，即現時所謂「private equity」（私募股權）。馮國經博士那時倡議創立Hong Kong Venture Capital Association，一九八六年成立時，他出任創會會長，讓我做創會秘書，不過是不受薪的義務秘書。後來因此認識了不少

馮國經

黎智英

《花花公子中文版》，創刊號，
一九八六年八月號。

商界名人，其中一位是我的中學同學，也是黎智英的好朋友。與這位同學敍舊後，他建議我結識黎智英，還說只要在馬會打壁球就會認識。果然在馬會壁球場見到黎智英和子女一起。我女兒也喜歡打壁球，於是大家相約每星期打一次，他不打，只是看子女打球。我們就這樣認識。後來意想不到的是，發生了八九年天安門六四事件，黎智英一邊看電視一邊哭，當時的悲憤激發了他創辦雜誌的意念。他原本經營紡織業務，開佐丹奴時裝連鎖店，不懂得辦雜誌，於是問我意見。因為我有些經驗，早於一九七五年已開始在《明報晚報》寫專欄，對傳媒有一點認識。而且我在Arral & Partners做直接投資時，有董事支持鄭經翰創辦中文《Playboy》（花花公子）和《Capital》（資本雜誌），因此委任我做《Capital》的編輯委員會顧問，召集了一班財經界人士出任編輯顧問委員，包括袁天凡和梁伯韜等青年才俊，每月開例行會議，討論值得注意的財經大事件，就在香港辦財經雜誌一事提供意見，其實主要目的不過是替雜誌做公關宣傳，鄭經翰這個人你也了解，各委員提供的意見，他可以聽，也可以不聽。但每期《資本雜誌》都寫着「編輯顧問委員會主席：香樹輝」，很多人以為我在辦雜誌，對這行很熟悉。

梁：當時你的確對傳媒這行十分了解！

香：因為我此前已有這行的人脈，譬如已故的吳仲賢是我同學的襟兄，我因此和他相當熟絡，他經常在和我們上茶樓談天説地時提起報紙雜誌，所以我在這方面稍有涉獵。黎智英認為，在他的朋友當中，我是最熟識傳媒界的，於是拉着我，讓我幫他草擬一份商業建議書（business proposal），詳述經營方式、如何集資、向銀行借錢等等。我原以為老朋友幫個忙寫好就算了，誰知寫完之後，他就一直纏着我，叫我加盟，經常中午來公司等着見我，搞到老闆都問我：「那人是誰？怎麼每天都來找你？你不用工作嗎？」

我當時在做直接投資，將資金投放到一些公司去賺錢。我那時想，你堅持叫我加盟，大家都是看好處的啊。於是他免費給我百分之五股份，工資又與我當時在 Arral & Partners 一樣，十分誘人！如果他的公司賺大錢，百分之五股份收入便相當可觀，我豈不是從此退休都可以嗎？其實梁伯韜那時也來找我，他要創辦一間公司，當時名稱還未定，後來叫百富勤，他邀請我加入，弄得我心猿意馬。到底是加入梁伯韜的新公司，還是去和肥佬（黎智英）辦雜誌？後來梁伯韜叫我去見杜輝廉，Philip Tose，Philip 也説要是我加入就再好不過了。他們那邊的工資還要更高一些，但股份方面，因為已經有杜輝廉和梁伯韜兩位金融界天皇巨星，我們這些小人物只能獲得很少股份，而且還要隔一段時間才會有。還有一個問題，如果加入他們的新公司，繼續做直接投資業務，就會和舊老闆競爭，十分過意不去。如果我做傳媒，就與舊公司毫無競爭，於是考慮良久，接納了 Jimmy（黎智英）的建議，加盟他的雜誌，並於八九年下半年辭職，九零年一月一日轉職《壹周刊》。未入職時，我負責租樓，租下鰂魚涌華蘭路辦公室之後，Jimmy 找人做裝修，我去買影印機、安裝電話系統等等。因為時近聖誕節，員工全都放假了。

梁：你還要負責購買電腦排版系統，本來打算採用《經濟日報》那套系統，後來因黎智英不同意而告吹。

香：當時連影印機都買不到，聖誕節將近，Canon 拒絕接單。那時動用了一些校友關係。比如打電

顧爾言

羅祥國

話用的是「香港電話」（公司）的線路，對方驚訝於我們要用一百多條線，同時表示那幢大廈負荷不了。辦一份雜誌，沒有一百多條電話線怎麼行呢？幸好當年電話公司總經理叫曾齊眉，是我在新亞書院的師姐，她答應盡量幫忙，於是在新年之後，辦公室下面便開始挖路鋪設新線，令華蘭路社址有足夠線路。至於影印機和其他系統則屬於怡和集團，怡和負責這方面的董事是顧爾言，後來的考評局主席，現在退休了。他也是中文大學校友，我倆一起成立如今的中文大學學生會，他是第一屆籌委會主席，我是第二屆主席。籌備了兩年，成立了中大學生會，而我也畢業了，羅祥國出任第一屆學生會會長。我打電話給顧爾言，讓他看在舊日交情的份上幫幫忙，他也沒有推辭，出面解決。

當時全靠朋友襄助，《壹周刊》才能如期出版。那時還有崇基師兄崔少明博士，他從《亞洲周刊》過來。我記得那年農曆年初一，我回公司巡察，發現辦公室甚麼也沒有。於是我和崔少明一起去華蘭路下面雜貨鋪買燈泡、廁紙和潔廁液，抬回公司洗廁所。要是同事回來上班時發現廁所髒兮兮的就麻煩了。現在回想起來，在新春期間做這些事情，也相當刺激。我一月一號上班，三月十五號就要出版第一期雜誌。在短短兩個月內出版一本新雜誌，這也算是創下紀錄了。

梁：準確來說，十月已開始籌備了。

香：十月那時，你們幾個人在那邊談內容。到了九零年一月一日工作人員才開始陸續上班，各就各位，着手工作。

梁：當時的報業情況如何？

香：當時香港的報紙業務十分蓬勃，但沒有人辦時事雜誌。辦《壹周刊》時，最暢銷的是《明報周刊》、《城市周刊》、《香港周刊》和《清新周刊》四本。那些都是娛樂周刊，而在最初的構思中，我們要辦的是一本有香港特色的《Time》（時代周刊）加《Economist》（經濟學人）再加《明周》的三合一刊物，既有知識的研究，又有真實新聞的追蹤報道，再加一些娛樂。（**梁：**所以每期要出兩大本。）後來才分開兩大本，因為廣告多了，肥佬（黎智英）就決定把它拆開，一本「Book A」，一本「Book B」。

《明周》、《城周》、《香周》和《清新》。

《壹周刊》（香港），第三十八期，一九九零年十一月三十日。

最初我們循着這目標努力，因為除此之外的東西我們不知道怎麼做。若讓我做娛樂八卦，我哪裏懂得做？我一直以來做的是銀行、投資，財經資訊的話當然沒問題。當時我想，中環的男性白領絕對不會拿着一本《明報周刊》上班，因為老闆會笑你：「一個年輕行政人員怎麼拿本女秘書看的刊物回來？」。但你可以「大模廝樣」拿着一本《時代周刊》、《經濟學人》上班，我要讓他們也能帶上一本中文的《壹周刊》，因為裏面有不少時事資訊，又有經濟分析文章，老闆不至於奚落他，甚至老闆自己也覺得要買一份來看。所以我們那時的排版跟《明周》完全不同，花了很多時間研究其他周刊，最後採用了《經濟學人》的模式，還堅持用傳統的直排式排版，出版以後逐步成功，在香港打開了一個新局面。

梁：你在《壹周刊》辦得不錯時離開，去了《星島》。為甚麼？當時的《星島》是怎樣的一份報紙？

香：我完全想不到會加入《星島》。《壹周刊》辦了一年半左右，正如我所料，即將有錢賺。當時公司高層都有「stock option」（認股權），有一次我召集高層去沙田馬會開一個上午的「retreat」（靜思會），說明何時開始賺錢、何時可以將「option」轉換成公司股份、如何計算股值等等，大家很開心。誰知沒過多久黎智英又有新動作，說要辦《青雲路》（招聘雜誌），隨《壹周刊》附送。裏面的廣告很厚，我算了一下，成本巨大，當天關於賺錢的說明幾乎全部作廢，因為肯定要再虧損一至兩年，之後也未必可以回本。因此我們有點意見不合，我覺得我們好不容易捱了十幾個月，剛剛見到曙光。當時吳仲賢和李同樂辦了一本《政經周刊》，與《壹周刊》競爭，我跟吳仲賢開玩笑說：「看誰先倒閉。」《政經周刊》蝕了二千萬元後，老闆隨即決定止損，叫停不辦。Jimmy 則不斷放錢進《壹周刊》，說我們一定會贏，但後來要賺錢時，他又有新意思，又蝕得慘不忍睹，那夥計們怎麼辦？大家都不太高興，包括我在內，因為我持有百分之五紅股。從蝕大本辦到「break even」（收支平衡），又再開始蝕大本，我就在一九九一年八月離開了，自己也沒有想到這麼快退出。（**梁：**但《青雲路》只出版了很短一段時間。）但還是虧了很多。後來我知道《壹周刊》在九四年開始真正賺錢。

離開《壹周刊》之後，我原先想回去中環做投資，並找過相熟的獵頭公司商量。他們說有一間很有名氣的美國家族企業準備來港開分公司，想找一個「MD」（managing director，董事總經理），還說我的資歷和名氣最符合該公司的要求。誰知等了一個月還沒消息，一追問，才知道他們可能已找到更適合的人選，於是計劃找另一份工。恰巧這時有人來電，說《星島》胡仙小姐想和我見面，我沒想到她認得我，約我在 Hong Kong Club（香港會）吃飯。初次見面，剛吃完飯，胡小姐就說要讓我做「星島中文報業集團」總經理，工資照舊。我嚇了一跳，竟然有這麼便宜的事，但回去想了一下，又覺得沒問題，沒有甚麼損失，反正已在家中坐了幾個月。《星島日報》又是香港有名的大報，從小看到大，孩童時已聽父親講過不少胡文虎、胡好的故事，既然胡小姐邀請，我就去了《星島》上班。

梁：那時是九二年嗎？

香：九一年十月左右。記得當時《星島》的股價為一點零二元。上班之後一看，難怪胡小姐要找我。原來當時公司需要債務重組，因為胡小姐個人投資在澳洲、紐西蘭、溫哥華的地產被套牢了，這些私人投資她與《星島》各佔一半，因此《星島》需要銀行重組債務。我做銀行家時曾經處理過重組債務事宜，通常要有一些點子，說服銀行贊成重組或容許延期還款，用如今的時髦語來說就是公司要「change」（變革）！起碼要做個樣子給銀行看，例如政策上的改革、人事上的變動，策略有時很難改變，但人事上的變動，換個總經理不就行了嗎？

梁：原先《星島》的總經理是誰？

香：洪希得先生，Edward Hung。我不認識他，聽聞他和胡小姐的關係非常密切。我也很意外為何要他讓個位置給我，後來才明白其中的邏輯，因為找一個前銀行家來做總經理，可能銀行方面會覺得這是一項變革。當時，我十分天真，既然《星島》請到我，我就照做。進去第一項任務，是將公司「turn around」，由虧轉盈，重整債務。但重整債務一事，那時已找來羅兵咸的一位退休外籍會計師處理，我不用插手，我只負責中文報紙業務和編務，讓報紙重新增加銷路並賺錢。因為整個集團最大的資產就是《星島日報》，除此之外有印刷廠和剛收購回來的玉郎集團及《天天日報》，還收購了一間做財務印刷的公司，情況十分複雜。玉郎集團是另外一間上市公司，胡小姐已找人處理，毋須我負責。其實我只負責《星島日報》香港版。當初我還有個美麗的誤會，以為《星島日報》海外版也歸我管，原來不

胡文虎

胡仙

是，於是集中精力辦好《星島日報》香港版。

梁：你能否簡單介紹一下當時報業的情況？

香：那時還有《星島晚報》，但《工商日報》已倒閉了。《華僑》正準備賣給《南華早報》。《星島日報》在老牌報紙之中，讓人覺得沉悶、屬過去式。當時《蘋果》尚未創刊，最暢銷的報紙是《東方》，而《天天》也有二十幾萬份。銷路最好的是《東方》、《天天》和《成報》。《星島》的銷路排不上前幾名。

梁：當時《明報》的銷路也比《星島》好吧？

香：比《星島》好。因為我做過香港「ABC」（Audit Bureau of Circulation，香港出版銷數公證會）主席，我知道有關數據。香港「ABC」負責「audit」（審計）香港報紙的銷量。我在《壹周刊》工作時已是委員，後來在《星島日報》時出任主席，還擔任過亞洲出版業協會副主席，並代表《星島》擔任報業公會委員，所以對銷量方面比較熟悉。所謂萬變不離其宗，辦報最重要的還是賺錢，賺不到錢說甚麼也沒用。但當時債務重組，《星島》怎樣還債呢？胡小姐的資產很多，但大部分還是放在《星島》股票中，她是《星島日報》最大股東，股份超過五、六成。如果《星島》不賺錢、不派息，手頭的股票只是普通紙張。所以我那時最大的任務，就是令《星島日報》的股價上升，但要股價上升，《星島》一定要賺錢，賺不到錢，股價就無從上升。所以我給自己的任務是，

黃夢曦（左）。

《星島日報》，一九九一年九月二十一日，第二十一版。

第一，《星島》賺錢，第二，《星島》股價上升，其他事項交給別人處理。為了安心工作，我拉來陸錦榮做《星島日報》總編輯，下面還有執行總編輯宋淑慧，她現在還在樹仁教書，又找來張結鳳做採主。有他們三人負責編務，我就放心了。當然還有黃仲鳴博士和黃夢曦先生。

黃夢曦那時負責《星島日報》國際版，後來亦曾是樹仁新傳系主任。其實《星島》有很多老報人，文筆了得，編務熟練，可以說人才濟濟，問題是他們活力不足，欠缺方向感。所以我讓較年輕的陸錦榮出任老總，注入活力，和資深新聞工作者張結鳳一起指導記者採訪。我的策略是向錢看，於是從地產廣告做起。那時《經濟日報》剛剛冒起，搶廣告搶得很厲害，弄得《星島》管理層十分頭痛。而且不知為何，有些員工離去，有些機構不再跟我們合作，甚至有人把所有資料帶到另一份報紙，導致別人可以立即與《星島》競爭。所以那時我在電腦部又聘請了兩位新人，讓他們寫最新的電腦程式，力推地產廣告。

其實胡小姐的思維行事領先於香港報界，她從日本購入全香港最先進、最快速的分類廣告中文排版系統，一日可出版幾十頁紙，那時「北大方正」系統尚未風行。

《星島》當時的地產分類廣告是全港報章中最快、最多和最有效的，無人能與《星島》競爭。我集中力量發展這方面的廣告，找來最好的記者做地產版，並力排眾議多加一些工資給他們，因為我們全靠地產版吃飯，港聞版員工不滿也沒辦法。又向《經濟日報》挖角，挖來他們的地產版編輯，又請來左少珍主編財經版，加強財經和地產新聞。

當年，不少報章為了搶我們的地產廣告，爭相減價促銷，我們內部也曾辯論應否減價競爭。我經過一番考慮，又參考別人的做法，決定不減反加，別人減價，我加價。結果非常成功，賺的錢多了，「market share」（市場份額）也沒有損失。

為甚麼？情況是這樣的。那時我問過一位新亞同學王文彥，他是中原地產老闆。我問他，《星島》廣告比其他報章貴那麼多，為甚麼還要在這上面登廣告？王文彥説，有回在《星島》登了廣告，週末時有六、七個電話打來查詢，公司的「sales」（經紀）如果能把握機會，就可以做成生意。我問他怎麼不在另一份報紙上登，人家的價錢更便宜。他説，登另一份，一整天都沒有收到一個電話。我覺得奇怪，那份報紙銷路比《星島》好，為甚麼會這樣？他説，那份報紙是中產階級看的，他們看完知道自己的房子又升值了，感覺良好，便將報紙放下。因為他們並不是潛在買家，登廣告也沒用。

登在《星島》就不一樣了，可能讀者都有置業需求，所謂物以類聚，甚麼時候都要講「critical mass」（關鍵群體）。你有幾十版地產廣告，在沒有互聯網的年代，每個要買樓和租樓的人，都會打開《星島》從頭看到尾，看看寶馬山賣多少錢，九龍塘多少錢，自己有個譜模，然後才

王選與北大方正系統。

找地產代理，代理無法坐地起價，因為幾十個樓盤的價格白紙黑字刊載在《星島》上。所以，看《星島》地產版廣告的大多是潛在買家，可以做成生意的。這就是《星島》加了價也沒有減少廣告量的理由。因為地產代理登廣告是有「budget」（預算）的，公司給你一千元登廣告，你不能花一千一百元，那樣成本過高，要收更多佣金才行。於是，用一千元登廣告，本來想看看四、五份報紙中哪些適合刊登，希望將廣告分開，讓多些人看到。誰知《星島》加價至六百元，剩下的四百元不知還能放到哪

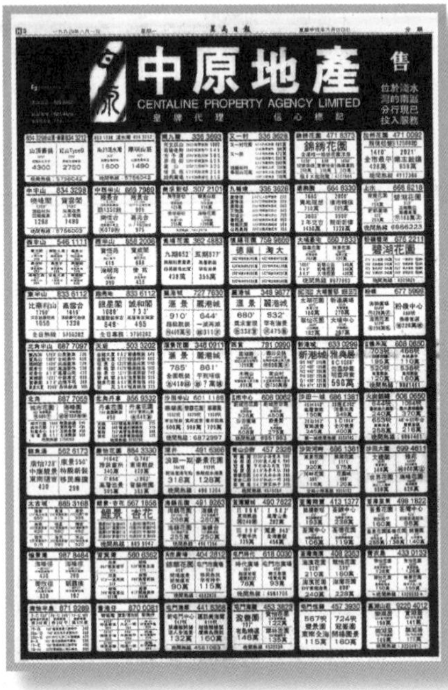
中原地產
CENTALINE PROPERTY AGENCY LIMITED

《星島日報》，一九九四年八月一日，H3 版。

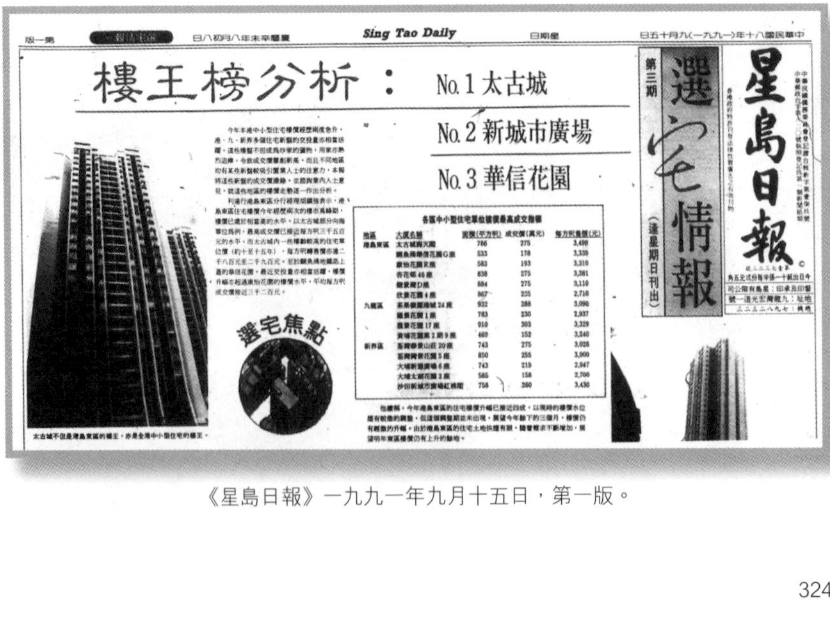
Sing Tao Daily
星島日報
選宅情報
（逢星期日刊出）
第三期

樓王榜分析：
No.1 太古城
No.2 新城市廣場
No.3 華信花園

各區中小型住宅單位樓價最高成交指標

地區	大廈名稱	面積(平方呎)	成交價(萬元)	每方呎售價(元)
港島東區	太古城海天閣	786	275	3,498
	[illegible]花園G座	533	178	3,339
	康怡花園R座	583	193	3,310
	杏花邨46座	838	275	3,281
	[illegible]D座	884	275	3,110
	欣景花園4座	867	235	2,710
九龍區	[illegible]24座	932	288	3,090
	麗景花園1座	783	230	2,937
	麗景花園17座	910	303	3,329
	黃埔花園第2期9座	460	152	3,240
新界區	[illegible]山莊20座	743	275	3,028
	[illegible]花園5座	850	255	3,000
	大埔[illegible]6座	743	219	2,947
	大埔[illegible]花園2座	585	158	2,700
	沙田新城市廣場紅棉閣	758	260	3,430

選宅焦點

《星島日報》一九九一年九月十五日，第一版。

份報紙，既然一份《星島》已見成效，便將它省下，於是這些報紙的地產廣告被我們搶走。但如果《星島》收三百元，這一千元預算便可分攤至多張報紙。

這一招在那時相當有效。碰巧北京很想胡小姐上去訪問，實施懷柔政策。於是胡小姐去新加坡請來前《聯合早報》高層負責中國事務。我那時知道在中國辦報紙遙不可及，但既然大家都在說，不妨利用一下這個中國概念。《星島》地產廣告站穩香港第一位後，適逢九二年之後香港樓市向上，廣告也多了很多。內地房地產商剛剛開始賣樓，吸引不少香港人去買，樟木頭、常平、淡水、惠州等地的樓盤多得不得了。

記得有個樟木頭樓盤，還特別邀請我和王文彥、鄭海泉去剪綵，幫他們開盤賣樓。於是有一大批中國地產廣告忽然間湧來，在求過於供的情況下，每天都被人搶訂，因為頭版一早給人訂了，但是彩色廣告可將黑白廣告踢走，加「premium」（額外附加費）又可將彩色廣告版位踢走。針對那些堅持要拿下頭版的客戶，我們除了不斷加價外，還推出蝴蝶版，必須將封面和封底同時包下，還要全彩、事先付款才能刊登，竟然這樣也有客戶願意買。那時是九二、九三年，我一看這景況，這一年一定賺大錢了，誰不在

房地產投資首選中之首選

《星島日報》，一九九五年一月九日，C2 版。

股市上謀劃一番誰就是笨蛋。於是打電話給許多舊相識，請他們看看《星島》的股票，他們回覆說：「你腦子壞掉了吧？」還記得當年在一個酒會上，有一位名人問我《星島》的股票好不好。旁邊有位分析師說：「五年後再說吧！」

後來，我打電話給一些分析師，每個人都說：「有沒搞錯，哪裏有空來寫《星島》的分析報告？」沒有人肯來。我唯有打「老友牌」，致電梁伯韜，請他找分析師來看看《星島》年報。於是梁伯韜找了一位分析師上來《星島》考察。分析師聽完我的講解後，寫了一份不錯的報告。既然有梁伯韜的百富勤在前，我又打電話去找 Wardley（獲多利有限公司），還找了羅富齊（Rothschild），他們全都過來寫報告。羅富齊的分析師是我師妹，她非常看好《星島》，報告一出，股價即時上升。我加入《星島》時，股價是一點零二元，後來一直升到五元後，情況發生了一些變化。因為胡小姐仍持有不少股份，市面上的《星島》股票不多，無法流通，於是有人叫胡小姐配股。羅富齊是第一家叫胡小姐配股的，還說如不配售一些「籌碼」出來，外面沒法玩，讓我去游說胡小姐。而胡小姐「一為神功，二為弟子」，同意五元一股將一些股份套現，於是配售了幾千萬股。這是第一宗配售。配售之後，股價繼續上升。有人乘機在背後指指點點，說股價才五元我就叫老闆出售股份。這些人根本不明白股票市場的邏輯。賣了出去，買賣盤多了才能炒起股票來。

配股後，很多人對《星島》的股票有興趣，不少基金經理打電話來查詢，我差不多每星期都要接見一間基金公司的經理或分析員。有一次還有人打電話來：「我已持有不少《星島》股票，煩請你們解釋，為何最近股價不斷上升？」我問對方是誰，他說是芝加哥一間基金公司的經理，我方知《星島》已經國際化了，連芝加哥投資者也直接打來查詢。最後他問我，可否給他們配售一些股份。

這是一個敏感的問題。因為若公司配售股份，大股東豈不是被攤薄了？香樹輝你是不是別有用心？這事為我種下禍根，因為股價升得太好，一直升到八、九元，外面不斷要求配股，但內部有反對聲音。後來重組計劃差不多成事時，胡小姐請我再想辦法「refinance」（再融資）。這是一個平常動作，做銀行的都這麼做，股價飆升的時候，當然要再融資。但內部又有人認為香樹輝有私心，我只好舉手投降，不再融資。後來公司有人事變動，從華盛頓調了一個人回來，本來打算請他回來幫忙，做類似外國報紙的專欄作家兼記者，既可訪問港督彭定康等政要，又可寫專欄。誰知他回來後想當總編輯，後來陸錦榮沒通知我就突然辭職，因為他發現《星島晚報》總編輯在我和他都不知情的情況下換了人。

梁：換了甚麼人？

香：不記得了，好像姓何（鼎文）。我也覺得對不起陸錦榮，唯有辭職。後來我知道胡小姐也不太開心，因為我未取得她同意就辭職。不過事情已經過去了。最近我在醫務所碰到胡小姐幾次，大家交談甚歡，陳年往事大家都忘記了。但提起《星島》，大家都有些感慨。（**梁：**如果你沒有離開，現在應該不是這樣的局面。）歷史沒有如果，當時依照我的「refinancing plan」（再融資計劃），我估計到九七年便可清償所有債務。後來《星島》股價果然大升，報紙銷路亦繼續增長，若九七年可以還清，就不會有後來的事情發生。所以我也十分感慨，世事往往不盡如人意，沒甚麼好說的。那時就這樣離開了《星島》。

梁：其實當時《星島》的銷路一直在好轉吧？

香：那時許金峰……他是一個很有才氣的人，現在好像還在生病，很可惜……當年他剛去《Capital》做總編，見《星島》股價飆升，要來訪問胡小姐。胡小姐不願接受訪問，叫他訪問我。《Capital》是一本財經雜誌，於是我花了很長時間向他講解《星島》股價飆升的因由。訪問結束時，雖然知道這樣不合規矩，但我還是請他在定稿之前給我看一下，因為金峰是一個文藝青年，對財經不大熟悉。他回應説沒問題，可以給我看，換作別人一定不給。一看，果然有些數據出錯，我幫他改好，告訴他沒有修改他的原意，只是更正了一些數據和事實。他向我道謝，大家都以為沒事。誰料金峰出了一幅插圖，顯示《星島》股價一直上升，前景疊印了一幅香樹輝站着的相片。讀者看到，會以為《星島》股價上升全是香樹輝的功勞。我看到那幅圖，當場暈倒：「完蛋了，留在《星島》的日子已無多了！」

梁：那是哪一年？

香：一九九三年六月。回想起來，那時真的非常可惜，差一點香港報壇就是另一番面貌了。因為如果《星島》沒有賣出去，很多事情都會不同，不勝感慨！

離開《星島》後，我又想回去中環上班，但當時獵頭公司跟我説：「最好的時機已過去，你已經老了，你的『trainee』（實習生）都已經升任『CEO』（行政總裁）、董事了，你還回銀行界做甚麼？給你的『trainee』打工？」

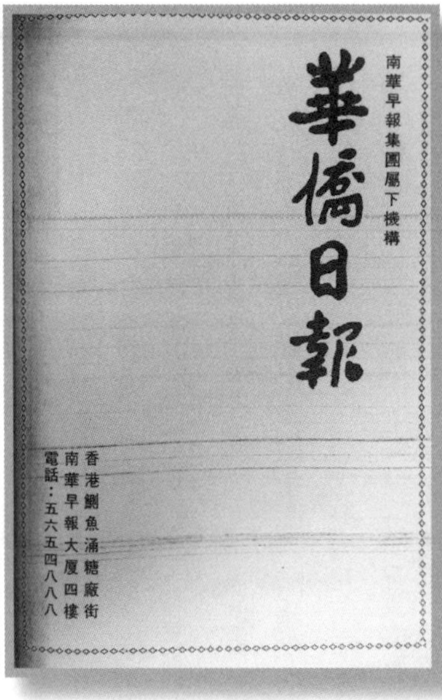

南華早報集團屬下機構——《華僑日報》。（《香港年鑑》，一九九二年。）

這時剛巧傳出《華僑日報》要賣盤的消息，早前買了《華僑日報》的《南華早報》認為它拖累股價表現，所以想把它賣掉或讓它結業。

那時，我被勝利沖昏了頭腦，見到《星島》可以做得這麼成功……有些投資基金來找我：「既然《華僑日報》要賣，不如你來做大旗手，我們支持你，你再將它『turn around』。」那時我實在是自作聰明，以為一定可以，於是答應下來。那些基金又説願意出錢，雖然我也要出一部分，對我來説是一大筆錢，但對基金來説卻是很小一份。於是籌備數月，就將《華僑日報》買了下來。我寫好「business proposal」後，基金公司立即撥款，十分豪爽。買了之後，又想用《星島》那招，發覺不行，因為《華僑日報》最成功的版面，是社團、教育和文化。這些全都沒有廣告收入，沒錢賺。要將《華僑日報》轉虧為盈，是一件十分辛苦的事，惟有「cut cost」（縮減成本）。有些人埋怨我，但還是盡量開源節流。

後來發現，原來《華僑日報》甚麼都沒有，印刷要靠《南華早報》。本來《南華早報》銷量沒有中文報紙那麼多，印刷機器又先進，印好《南早》之後再印《華僑》也不遲。沒想到，九四年時，滿目蕭條。那年出現內地所説的「剪刀差」，一月十五日入主《華僑》之後，紙價不斷上升，經營成本增加。那時還糊裏糊塗，為何生意總是不來？現在來看很清楚，因為九四年的數據已經公諸於世。當年，樓價、股價從第一季度開始不斷下跌，而經營成本不斷上升，那邊跌，這邊升。那時還拚命去求廣告，怎麼也求不到，一些新入行的營銷人員幾乎在我面前哭訴：「香生，好慘呀，真的求不到廣告，沒法子啊！」我當即知道大事不妙。因為每個月都要發薪水，入不敷出。還有一個問題，偏偏那時的求職刊物生意興旺，《南華早報》的《Classified Post》可以出版一百多頁，不知為何那一年特別厲害，印到清晨四、五點還沒印好，於是來不及印《華僑日報》。

這真是糟糕透頂，你做這行也知道。結果我們被發行商「德強記」罵死。早上五時還未印，發行了也沒用，因為已經沒有上班族來買。真的很慘！發行方面沒法做好，問題接連出現，後來設法讓《華爾街日報》的印刷廠承印，但該廠不習慣印中文報紙，所以在運作方面一直不大暢順。雖然《華僑日報》是《南華早報》的姊妹報，我們的社址也在《南華早報》大廈，但《南華早報》印《Classified Post》像印銀紙一樣，不可能讓《華僑日報》先印。《南華早報》那時一年賺六億多元，簡直是空前絕後，現在都沒有賺那麼多。我在《星島日報》時，最多賺過三億多元，已經很厲害。於是他們犧牲「小我」，也就是犧牲《華僑》。我們雖然努力修訂篇幅、改善內容，但資金持續縮減。辦報紙沒有廣告收入，就很難經營下去。辦一份報紙有四大成本，第一是工資和稿費，第二是紙錢，第三是油墨，第四是租金。這「四座大山」是日常運作的「fixed cost」（固定成本），再怎麼節省也沒用，於是一路虧下去。

梁：一共蝕了多少？

香：蝕了幾千萬元。

梁：沒多久就停刊了，這麼短時間內虧了這麼多錢？

香：是啊，做傳媒真的很恐怖，虧本虧得很要命。因為報紙天天出，花錢如流水……（**梁**：做了一年多？）剛好做了一年，一九九五年一月十五日已經倒閉。

滄桑六九載・難捱紙價高

華僑日報無買家終停刊

港督感惋惜、員工支雙薪

專訪

「夠資本才有得做」

岑才生未爲停刊說可惜

本報記者

《華僑日報》停刊。（《星島日報》，一九九五年一月十二日，A16 版。）

因為到十月時，股東已經表示不再付錢了，隨時準備清盤，要我好自為之。於是我四處去找買家，後來有人願意與《華僑日報》合作，不過如今也沒必要說買家是誰了。當時跟買家談條件，一拍即合，但談到法律文件，卻談了三個月還不成。後來我追問我們和對方的律師，雙方都無言以對。我懷疑買家剛好缺乏資金，四處查探，發現果真如此。我逼他們答覆時，他們才說銀行不肯借錢。我氣得跳起來。銀行不肯借錢，怎麼不早說呢？你為了面子一聲不吭，但如果其他事情都已安排妥當，只是銀行不肯借錢，我們可以幫你想辦法。我們全都是基金、銀行出身，最擅長向人借錢，你這家銀行不肯借，換一家不就行了！

後來有一個相熟的老牌瑞典集團說願意注資，但為時已晚，因為聖誕節即將到來。聖誕節大家要放假，要新年才能回來商討，哪裏還能等到那時？又要發薪，又要維持營運，再拖下去，連遣散費都付不起。

當時《華僑日報》的大股東是嘉里集團郭鶴年家族，雖然郭鶴年持有《南早》，但《華僑》由他們家族直接持有，與《南早》無關，他們決定將《華僑日報》「liquidate」（清盤）。我提出的條件是，付清所有員工的工資和稿費，結果他們要我也付一份遣散費，詳情還是不說了。我又一次對不起陸錦榮，他在《華僑日報》當總編輯，再次犧牲了他，真的過意不去。事情就這樣「圓滿解決」。

「華僑張浚生」你笑得最燦爛！

員工在黑色幽默中過了最後一夜

雖然華僑日報的員工在去年年底已聽到不少有關停刊的傳聞，但衆人一直半信半疑，大部分員工在昨晚八時半正式得知報紙將在今日停刊。據一位華僑的記者描述，當時董事總經理香樹輝在三名高層職員陪同下，站在寫字樓一角，向在場的過百名員工解釋公司未能找到買家入股或收購，不得不宣布停刊。他爲員工多年的努力致謝，並解釋遣散賠償方法。

員工的反應相當平靜。當本報記者在晚上九時踏進該報編輯部時，只見編採部門員工照常在案前工作，一位教育版編輯和記者談了幾句便表示要趕截稿時間，植字房職員亦如常在掛板上畫上各版文稿完成的記號，最後一晚的工作流程絲毫沒有受停刊消息影響，各人可謂堅守崗位，敬業盡責。植字房內還有職員以外套蒙頭，對其他傳媒記者紛紛採問，顯得有點不耐煩：「點做嘢呀！」該報報館昨晚在一片熱鬧中卻隱約流露衆人惋惜不捨之情。一會是有人大嚷：「經濟版來影番張全家福！」一呼百應之下，三十多人紛紛圍攏在一塊拍照；到晚上十時電視播映新聞，過百名華僑員工齊齊起哄圍住電視機，觀看自己的報紙停刊的新聞，不時指着上鏡的同事取笑一番：「華僑張浚生」、只有你笑得最燦爛！笑中有淚，極盡黑色幽默。

該報幾位編輯和記者都覺得賠償合理，他們並無不滿，只是認爲華僑是一份「正經報紙」，歷史悠久，就此停刊非常可惜。由於事出突然，並未決定去向，有人表示會趁不用上班，先去旅行散心，亦有記者考慮轉行。

《星島日報》，一九九五年一月十二日，A16 版。

梁：你豈不是損失慘重？

香：如果沒發生這事，今日我已不用

何國輝、黎廷瑤。

工作了！《華僑》全盤失敗後，呆坐家中，于品海打電話來說：「過來吧！早已想找你幫忙，不過你這傻瓜自以為可以搞好《華僑》，現在輸光了吧？我最近在辦電視台，還要出新報紙《現代日報》，財務、報紙各方面都需要你這種人才。」於是想了一段時間，便去了于品海的「智才」。那時黎智英亦有打電話給我，叫我回去幫他辦《蘋果日報》，還叫何國輝和黎廷瑤來游說我回去。

我問黎智英，昔日大家因意見不合而分開，為何今日又要我回去？他說：「因為你的報紙倒閉了，你有失敗的經驗！」我簡直哭笑不得，對他說：「多謝啦，Jimmy！多謝你還看得起我。既然我是敗軍之將，還是不要去你那邊了。」於是去了于品海那邊，做「智才」總監，英文叫「director」，實際上我並非董事會成員，只是一位總監。後來他又叫我去《明報》做執行董事，那就真的是董事了。沒過多久，于品海叫我去馬尼拉做 Holiday Inn 酒店的總裁，那是集團的一間上市公司，與《明報》無關。那時，于品海已投放不少資金去辦「中天」電視台，一開台，那些錢便已「覆水難收」，花的錢不知道是《華僑日報》的多少倍。我看到這情況已不知如何是好。當時「智才」有一個「finance team」（財經團隊），他們十分努力找融資，原本已有銀行出手相救，願意投資，但條件是衛星電視在中國可以落地收看，這樣融資計劃自然胎死腹中。我早在《星島》時，已知道在可預見的將來都難以入中國辦報，大家說說這個概念罷了，而衛星電視在中國落地也只是一個概念，怎麼都談不成。銀行方面表示，拿不到落地證明，一分錢都不給，就這麼簡單。

後來一拖再拖，又變成《華僑》的翻版。于品海決定賣掉《明報》，他知道我做過投資銀行，叫我幫他找買家。於是我又找回以前的「trainee」，那人已當上投資銀行董事，問他有沒有「potential buyer」（潛在買家）想買《明報》，他說給他兩日時間。兩日後他來電說，馬來西亞有位姓張的買家可能有興趣。我馬上告訴于品海，于品海立即決定坐飛機去見他。那人正是張曉卿。在獲多利公司的穿針引線之下，雙方最終達成協議，完成收購。

所以我加入《明報》這段時間，根本甚麼事情也沒做過，就好像消防員一樣，四處去救火。後來負責「中天」電視台出納、簽支票，我一邊簽一邊感慨：「要花這麼多錢辦電視，真嚇死人！」一月十五日《華僑》結業，我原本可在三月上班，但因當時要送女兒去美國唸書，她四月入學，所以我拖到五月一日才到《明報》大廈報到，十二月已經離開，只做了大半年。

入職之後，我連報紙都沒見過。每次開會都像救火一樣，又要飛去馬尼拉，馬尼拉酒店出現問題，要跟股東磋商，又要飛回來為「中天」電視台簽支票，後來又要找人來買《明報》。所以我作為執行董事，不曾接手《明報》，只是負責處理集團的財政事務。十月底，《明報》賣出，新東主不留人，於是我又自己離開。

我這一生相當傳奇，跟過的老闆包括黎智英、胡仙、郭鶴年、于品海，全是香港傳奇人物，偏偏四人都是我的傳媒老闆、大股東。黎智英加胡仙已足夠傳奇，再加上馬來亞首富郭鶴年和金庸筆下的天才于品海，讓我大開眼界，如果要寫傳記，有些事情真的十分驚人，那些就不說了。當時我想，如果再做傳媒，還有誰來請我？

梁：你怎麼看八零年代的香港報業？七零年代有《信報》，到八零年代末期又出了一份《經濟日報》。

香：其實一九八零年左右有一份《財經日報》，趙善真他們辦的。（**梁：**《財經日報》不是查良鏞先生牽頭辦的嗎？）不是，是趙善真參與創辦的，不過股東是誰，要問趙善真才清楚。當年《財經日報》人才濟濟……

梁：是不是黃玉郎辦的那份？

香：黃玉郎辦的是《金融日報》，是他找吳仲賢創辦的。《財經日報》那時網羅了很多人才，像Water Cheung（張宗永），別人都叫他「阿水」，當時他尚未讀大學，跟着趙善真做財經新聞，拼勁十足，後來成為投資銀行家，擔任星展銀行、蘇格蘭皇家銀行負責香港業務的董事。據他們說，那時《信報》林行止先生鬥志旺盛，《財經日報》一度跟《信報》苦戰，在《信報》全力還擊之下，他們沒辦法撐下去，輸了，唯有結業。

趙善真

《財經日報》之後，再沒有一張新報紙。一九八七年股災之後，一九八八年，馮紹波創辦《經濟日報》，可能

張宗永、林行止。

是那些強勁的對手小看他，沒有像對付《財經日報》那樣迎頭痛擊，他們又很勤奮、敢創新，慢慢將報紙辦起來，成為近三十年來首張創刊成功的財經報紙。甚至可以說，這五十年來，香港只有兩張報紙創業成功：一張是《經濟日報》，另一張是《蘋果日報》。（**梁：**《信報》不算成功嗎？）《信報》也算是，《信報》是一九七三年創業的，只有這三張（**梁：**還有《東方》）。其他老牌大報都不見了，只剩下《星島》。《星島》換了老闆，換了一班人馬，《成報》也是這樣。二十一世紀新興的免費報紙已將市場全盤改變，現在經營報紙比以前艱難多了。

梁：八十年代晚報開始式微，《星島晚報》從二十多萬份一路下滑，直至消失。你在《星島》時，《星島晚報》還在運營，對嗎？

香：我在時《星島晚報》已是苟延殘喘，只因歷史理由而繼續經營，但最終也得結業。

梁：成功冒起的大眾報紙只有一九六九年創刊的《東方日報》。

香：對，《東方》很成功。

梁：你認為《東方》當時為何會成功？他們迅速打敗《成報》和其他報紙，幾年間已成為全港銷量最高的報紙。

香：《東方》的新聞夠大眾化，做得非常好，而其他報紙已在老化，不事革新，後期的《成報》同樣如此，搶新聞方面不及《東方》。（**梁：**但《天天》也成功過一段時間。）《天天日報》成立時我正在唸小學。

梁：《天天》是香港首張四色柯式印刷的報紙。

香：也是全世界第一張彩色報紙。我記得讀小學時，因投稿《天天日報》取得人生第一筆稿費，兩元錢，我走路到佐敦道碼頭坐船過海，再搭巴士到北角糖水道二天堂，才可拿到這兩元，回到家兩元錢已所剩無幾。但還是很高興，可以跟母親說，我寫稿已能賺到兩元。

我在《星島》時，《天天日報》隸屬《星島》集團，有一個時期的日銷量高達二十二至二十五萬份，但我們內部知道，麻煩之處在於銷量高而廣告不足、不成比例。（**梁：**《天天》不是有不少汽車廣告嗎？）但還是不夠，弄得左右為難。有人認為色情版太色情，所以客戶不肯來下廣告。於是做了個實驗，取消色情版，銷量即時下跌，一落千丈，因此立刻恢復原樣，但讀者群已一去不復返。在香港辦報紙很奇怪，大家不敢輕易改變現有內容，一改便生死難料。《天天日報》做過一次實驗後，銷路一直不大好。所以說，《天天》賺錢始終賺不到大錢，用銷量來衡量一份報紙是否成功，其實未必準確。

梁：你怎麼看八十年代的親中報紙？

香：香港的親中報這麼多年來都有黨和國家支持，所以不會倒閉。（**梁：**但他們的銷路不是很好。）銷路最好那份《新晚報》也已經停刊了。

梁：九七年結業，完成了歷史使命。

香：愛國報紙一直以來的銷路，大家都心知肚明，不用多說。我覺得他們現在還可能有錢賺，因為改革開放後，內地省市紛紛富起來，他們有很多錢在香港報紙登廣告。（**梁：**這些報紙的銷量不需要太多，實際上也不可能很多。）我在《星島日報》時發現，無論怎樣促銷，銷量都只有這麼多。後來有人對胡小姐說，銷路可以提升上去，賺大錢。於是有一段時間大力促銷，然而完全沒用，反而賺的錢還少了，因為銷量上升導致紙錢增多。那時《星島日報》每週五有六、七十頁廣告，要那麼多銷量做甚麼？銷量多廣告少會虧本，銷量多廣告多也賺不了多少錢，最賺錢的是銷量少而廣告多的報紙，那時《星島》能做到這一點。我在任時《星島》曾經連續兩年出十四個月糧，主要原因就是銷量少廣告多，我離開後這麼多年都沒試過，現在就不知道了。

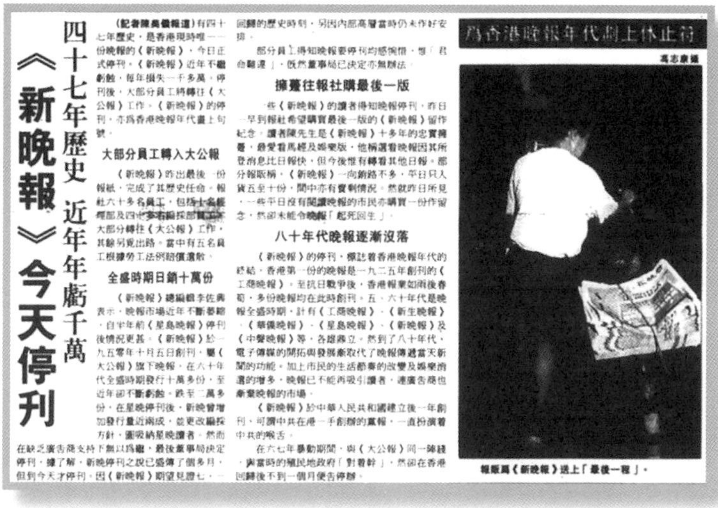

《新晚報》今天停刊

四十七年歷史 近年年虧千萬

（記者陳美儀報道）有四十七年歷史，是香港現時唯一一份晚報的《新晚報》，今日正式停刊。《新晚報》近年不斷虧蝕，每年損失一千多萬。停刊後，大部分員工將轉往《大公報》工作。《新晚報》的停刊，亦爲香港晚報年代畫上句號。

大部分員工轉入大公報

《新晚報》昨出最後一份報紙，完成了其歷史任命。報社六十多名員工，包括十名經理部及四十多名編採部員工，大部分轉往《大公報》工作，其餘另覓出路。當中有五名員工根據勞工法例賠償遣散。

全盛時期日銷十萬份

《新晚報》總編輯李佐典表示，晚報市場近年不斷萎縮，自半年前《星島晚報》停刊後情況更甚。《新晚報》於一九五零年十月五日創刊，屬《大公報》旗下晚報，在六十年代全盛時期發行十萬多份，至近年卻不斷虧蝕，跌至二萬多份。在星晚停刊後，新晚曾增加發行量近兩成，並更改編採方針，圖吸納星晚讀者。然而在缺乏廣告商支持下無以爲繼，最後董事局決定停刊。據了解，新晚停刊之說已盛傳了個多月，但到今天才停刊，因《新晚報》期望見證七．一回歸的歷史時刻，另因內部高層當時仍未作好安排。

部分員工得知晚報要停刊均感惋惜，惟「君命難違」，既然董事局已決定亦無辦法。

擁躉往報社購最後一版

一些《新晚報》的讀者得知晚報停刊，昨日一早到報社希望購買最後一版的《新晚報》留作紀念。讀者陳先生是《新晚報》十多年的忠實擁躉，最愛看馬經及娛樂版，他稱選看晚報因其所登消息比日報快，但今後惟有轉看其他日報。部分報販稱，《新晚報》一向銷路不多，平日只入貨五至十份，間中亦有賣剩情況。然就昨日所見，一些平日沒有閱讀晚報的市民亦購買一份作留念，然卻未能令晚報「起死回生」。

八十年代晚報逐漸沒落

《新晚報》的停刊，標誌着香港晚報年代的終結。香港第一份的晚報是一九二五年創刊的《工商晚報》。至抗日戰爭後，香港報業如雨後春筍，多份晚報均在此時創刊。五、六十年代是晚報全盛時期，計有《工商晚報》、《新生晚報》、《華僑晚報》、《星島晚報》、《新晚報》及《中聲晚報》等，各據霸立。然到了八十年代，電子傳媒的開拓與發展漸取代了晚報傳遞當天新聞的功能。加上市民的生活節奏的改變及娛樂消遣的增多，晚報已不能再吸引讀者，連廣告商也漸棄晚報的市場。

《新晚報》於中華人民共和國建立後一年創刊，可謂中共在港一手創辦的黨報，一直扮演着中共的喉舌。

在六七年暴動期間，與《大公報》同一陣綫，與當時的殖民地政府「對着幹」，然卻在香港回歸後不到一個月便告停辦。

爲香港晚報年代劃上休止符

馮志康攝

報販爲《新晚報》送上「最後一程」。

《星島日報》刊登《新晚報》停刊消息。（《星島日報》，一九九七年七月二十七日，A11版。）

現在愛國報紙都在走這條路，內地省市投資的廣告多得不得了，集中在那兩三張報紙，其他報紙沒份，相信他們未必需要向國家申請資助，有可能自負盈虧。他們承擔的政治任務不好評論，但事實上商業報紙的經營已愈來愈困難，因為有了免費報紙之後，廣告競爭十分激烈。免費報紙的好處是在上班時間派發，大部分人早上已拿去看。

梁：今天的免費報紙賺錢的並不多，我不相信《爽報》有在賺錢，《頭條日報》賺得很厲害。《都市日報》應該也有錢賺，沒錢賺的話估計已經倒閉了，因為他們沒有後台支撐。《晴報》的話可能暫時還不行……

香：《爽報》尚在投資階段，《都市日報》有錢賺，你看他們星期五的廣告數量就知道能賺錢，其他的不敢說。施永清也說《am730》在賺錢，我們要相信他。（**梁：**可以賺錢，但可能並非日日如是。）我問過一個舊夥計，他從事酒店業務，我問他為甚麼在免費報紙刊登廣告，他回答說：「十分簡單，例如週末酒店有自助餐優惠，在免費報紙刊出廣告後，當天九時已經訂滿！」這樣一來，原本用於收費報紙的廣告預算便可省下。於是收費報紙的廣告全被搶走。因為有時在一兩張免費報紙下廣告，早上讀者已剪下優惠券兑換完畢，很有效率；收費報紙的廣告倒也能吸引讀者，但他們傍晚五點來電時早已滿額了。

梁：那收費報紙的前景豈不是很黯淡？

香：今天的收費報紙中有五、六張我想已經無法賺錢，只有幾張可以。收費報紙要爭取廣告其實非常辛苦，有人總以為登廣告要花很多錢，實際上報紙要給客戶很大折扣，才可取得一則廣告。所以收費報紙正面臨着危機。不過香港報界有一個奇怪現象，有些報紙長期虧損，仍在維持經營，如果説毫無經濟效益，真的很難解釋他們怎麼還不倒閉。（**梁：**可能是政治因素。）我是過來人，我知道報紙在蝕得快的時候，説倒閉就倒閉，但為何那些報紙虧損程度遠甚於《華僑日報》都不用倒閉？可能人家有自己一套方式，資金也充裕，沒辦法相比。在香港辦中文報紙，前景確實不太樂觀。現在可以看出，報紙已逐漸走向分層化，不會做所有階層的內容，例如《信報》目前走高檔路線，專賣豪宅及紅酒廣告，像《金融時報》一般，希望殺出一條血路，因為走平民化路線的報紙太多，競爭過於激烈。

梁：但現在的報界看起來仍然很蓬勃，像《星島日報》也辦得相當不錯。

香：現在確實是很蓬勃，但對新聞系畢業生沒有好處。因為通常真正賺錢的報紙，很依賴另外一份報章的支援，看看《頭條》和《星島》的關係就知道。《頭條》很多圖片、主要新聞都來自《星島》，不需要甚麼額外成本。沒有另一份報紙支撐的只有《都市》和《am730》，所以他們的成本較高，但《am730》採用精兵主義，很多新聞並不派記者去採訪。

梁：你怎樣看《晴報》？它獨立於《經濟日報》，不會拿那邊的內容。

香：有的，財經方面會借用一些。（**梁：**小量吧，他們自己的內容以生活消閒為主。）他們正在試行不一樣的路線。以星期五來劃分，那天的廣告最多，其他日子則較少，始終還是欠缺了一些。星期五的《頭條日報》可以出到一百八十多頁，很厲害，廣告多得嚇死人！有這樣一家「巨無霸」在，你很難搶到他們的廣告。而且他們的廣告價格有增無減。我在這方面有親身經驗，雖然《頭條》的廣告負責人是我的舊同事，但即使私下找他商量，他也不會給你折扣。在這種情況下，其他報紙一定經營得十分辛苦。

梁：網上報紙呢？

香：網上報紙在香港仍未成氣候。（**梁：**但現在黎智英願意幫蔡東豪，辦一份類似《The Huffington Post》（《赫芬頓郵報》）的網上報紙（《主場新聞》）。）我覺得這些目前在香港還不行。網上廣告效力成疑，辦媒體不管用甚麼形式，最終還是要靠廣告。香港人如今是否已經集體閱讀網上報紙，而客戶也傾向於在上面登廣告呢？恐怕還沒到這一階段。譬如我和你這樣的老傢伙，還是喜歡翻報紙看新聞。我太太覺得在家裏訂這麼多報紙很浪費，已轉用 iPad，看習慣以後覺得無所謂。（**梁：**是的，iPad 也很方便，可能現在的學生全都用 iPad 了，不想買報紙，這又是一個很大的轉變。）看網上報紙還是想吸收新聞資訊，網上新聞多得不得了，有「WiseNews」（電子剪報），又有 Yahoo、港台等即時新聞。所以，蔡東豪他們辦網上報紙，我相信焦點不在新聞。（**梁：**可能最終要成為分眾媒體。）若要找多些人搜集新聞、搶先報道，成本又要增加。還是要看評論，評論要有水平才受人歡迎。如果有人肯投資試辦新媒體，我們當然歡迎。在這種時候投資新媒體，可以說很有勇氣。至於這是不是成功的商業模式，我相信從業者還要捱很長時間，需要充足的資本儲備。

今天網上的意見多得不得了，但新聞的可信度不高。我在網上論壇看過不少用筆名發表的評論，從早到晚都見到這些筆名，偶爾會感到疑惑：他們怎麼這麼得閒？不用工作嗎？我當然尊重他們發表意見，但現實地說，這麼有空寫網上評論，又不時去示威，是不是一班人用同一個筆名？還是說他們都是有錢人家因而不用工作、不務正業？抑或以上皆是？很難說。他們用筆名發表意見是很難追究責任的，除非通過法律途徑，而大部分人都不會這麼做。他們的意見未必可信，我相信很多其實是「一氣化三清」，一種意見用不同花樣來表述。

梁：你看新聞行業未來會怎樣？

香：這行真的很難辦，但我相信傳媒不會死。我們在這世上始終需要信息，要有人報道新聞，有人去揭發罪惡和內幕、黑幕。如果讀新聞系，相信西方那一套價值觀，這行必須存在。傳媒只為國家和黨政機關服務是另一套理論。但我認為將來很可能汰弱留強，資本不夠雄厚的報紙和媒體難以生存，同時可能出現針對不同受眾、打游擊的個體式網媒。那些個體網媒毋須財團經營，可能只有幾個人負責運作，突然獲得一些內幕消息在網站上曝光，就能轟動一時，令主流媒體跟進，總有生存空間。但要是像傳統那樣投資辦一份報紙或雜誌，坦白說我已沒有這份勇氣，就算有另外一個 Jimmy Lai 來游說，也會勸他三思而後行，因為整個市場環境已不同了。

梁：但今天香港傳媒的影響力甚大，連政府也懼怕！

香：這個問題可以一分為二，但說到底還是政府本身無能，在技術上被傳媒擊倒，而不是說傳媒有這麼大的力量。就算在美國，傳媒被譽為「第四權」，很不好惹，政治家也同樣有智慧，因為他們「身經百戰」，可以一一化解傳媒的壓力。為甚麼香港特區政府化解不來？因為香港回歸這十五年以來，政府一直受制於專業化的迷思，例如推行主要官員問責制，二零零二年至今已有十年，現在還有人說：「為何會計師可以出任發展局局長？」我的意思並不是說陳茂波一定勝任發展局局長，而是說，會計師為何不能出任發展局局長？英國財相（George Osborne）是唸「近現代史」（modern history）的，他以前沒有做過財政工作；德國交通及建築部部長

（Peter Ramsauer）是唸工商管理的，他對建築、交通、物流完全沒有研究。

梁：不過你得留意，他們經過選舉的洗禮，有面對群眾的閱歷。新加坡也這樣培養面向公眾的政治人才，香港卻沒有。

香：對，這就是我的意思！主要是因為現在有一個問責制。在外國，局長或部長都是由民主政體選出來的，他們不需要專才，但要有兩個條件，第一要懂政治，第二要懂得應付議會。這班人多數都做過議員，因此懂得和議員溝通。過不了議員這一關，任何法律、政策都無法通過，一定要游說議員支持才行。但我們的政制是畸形的，政府怎樣游說議員也沒用，因為基本法是畸形的，始終有二十三個議席由直選產生，另外的一些始終屬於建制，又寫明要分組投票來決定議案是否通過。這是先天性的不足，所以如果要令政府有效施政，就一定要修改基本法。如果不修改，永遠都是這樣，怎麼選都是這樣。政府官員的上任不需要選票，那他們怎麼游說議員在議會中通過議案呢？比如我是民主派，被政府說服，覺得議案很有道理，又有經濟效益，但我若投它一票，豈不是在政治上給自己判了死刑？

所以，有些官員在我面前感嘆道：「為甚麼閉門會議時，每個議員都點頭支持，但一站到媒體的攝影機前面，就人人破口大罵？」原因就在這裏。如果他們面對着攝影機還說你好話，不就等於判自己死刑？這樣怎會在議會中投你一票？

問責制的關鍵在於，官員必須全部是議員出身，我們還做不到這一點。陳茂波雖然做過議員，但做了四年之後，在應對政治議題方面給人感覺仍不成熟。其他局長都沒有做過議員，更不知如何應付了。如果問責制局長不懂政治，也不懂得應付議會，又怎樣應付傳媒？他們根本做不來。假如從往屆議員中挑選局長，政府又未必找到足夠人手。這是一個死局。

我由始至終都認為，香港的政制已畫地為牢，只能在圈裏面玩。在外國，很多商界人士甚麼都

《英文星報》，一九七一年七月七日，第六版。

沒有做過，也可以突然空降華盛頓做財政部長，好像以前布殊（小布殊）年代，三任財政部長都是大商家。為甚麼美國可以？因為美國商家經常和政治人物打交道，他們在華盛頓已做過不少游說工作，自己有能力應付那些議員。在香港一提這些，還不說你是官商勾結？所以香港政府無論在甚麼事務上都束手無策。但如果香港有個全民選舉產生的民主政制政府，官員就可以理直氣壯跟商家爭取訂單，就像英國首相卡梅倫在奧運時為英國爭取商業訂單一樣。從多方面來看，香港的局長，如果由公務員升任，即使在應付議會方面有一些經驗，在政治方面的訓練也未必充份，因為他們習慣了自己作主，受累於長官意志，在面對傳媒時往往無法恰當回應。例如劏房的問題，業主並沒有犯罪，香港從來沒有法例說經營劏房是犯罪。我也住過板間房，很多老友都住過板間房，好像馬時亨也住過。做二房東的有甚麼罪？這是社會需要，沒錢租一層樓住的人自然會住板間房。商人也只是迎合社會需求，官員應該這樣回應。不過如果民眾認為持有這種觀點的商人、官僚不適合擔任發展局局長，官員也應該承認過失甚至引咎辭職。雖然當中有很多技術問題，很多苦衷，但如果向會計師講解已需要花很多工夫，你還指望在一兩分鐘內向公眾解釋清楚嗎？沒有專業知識，怎麼解釋？

各方在是否經營僭建一事上爭論不休，但過去六十年來，香港哪裏有人理會板間房有沒有僭建？我以前睡的「閣仔」，現在回想起來一定是僭建的。在廚房搭個「閣仔」，失火時都不知怎麼辦。這還不是僭建？但那時沒人理會，因為社會上的的確確有這樣的需求。住房不足的時候，這種情況必然出現。你想想當年香港有多少木屋！今天為甚麼全部消失了？就是因為木屋居民都已獲得安置入住公屋。將來要解決劏房，還是要盡量加快興建公屋的進度。這是唯一的解決方法。

我認為，上至特首下至局長，公開發言之前都要接受公關訓練。「公關」這詞有點粉飾太平的意思，但即使這樣也要老老實實學習外國政要應付傳媒的方法。現在做政府公關的，既要去政府公關部門工作，又要寫「proposal」參加公開招投標，否則就會被議員責難，說你們明目張膽給自己人好處，真不是一件好差事！

梁：說回傳媒，于品海入主《明報》時野心很大，為甚麼他會垮得這麼快？是否規模擴充太大，而且缺乏預見性？

香：我想黎智英現在也有一點像以前的于品海，開辦電視業務，在台灣蝕得很厲害，導致整個壹傳媒集團也被拖累，出現虧蝕。于品海如果不辦衛星電視，甚麼財政問題都沒有。他辦《現代日報》虧了很少錢，《明報》負擔得起，只是傷及皮毛，不損臟腑；但辦「中天電視」時，就元氣大傷了，在《明報》大廈專門空出一層，添置了很多儀器設備，這裏已經花了上億元，還要租用衛星，又花了一大筆錢。有時我真不明白，聰明如于品海，竟然沒有想到「落地接收」面臨的困難……

梁：會不會是當年得到「上海幫」默許，認為「中天電視」可以在大陸收看？

香：有人說是「太子黨」、「上海幫」甚麼的，可能是一個美麗的誤會。（**梁：**如果落地就真的發達了。）是呀！像「鳳凰衛視」那樣可以落地就好了，但他那時畢竟沒有「鳳凰衛視」的關係，跟劉長樂無法相比，其實他在一九九五年時遠比劉長樂先進。「中天電視」就是被落地問題拖死了，只要不能落地就沒有收入，因為無法向廣告商證明收視率有多少。

梁：其實黎智英在台灣的「壹電視」已經可以落地入戶，但為甚麼……

香：因為台灣當局不發電視牌給他，拖延甚久。今天的情況跟十七年前不同，那時衛星電視剛剛起步，我和于品海一起去台灣，見到人人摩拳擦掌，但還沒有人真正辦成，只有邱復生一人在辦「TVBS」。

其他人之中于品海已經是得風氣之先。「中天電視」在台灣可以落地，但在香港卻完全沒有人可以收看。那時我還天真地說要在家裏裝個碟形衛星天線來收看「中天電視」。但問遍全香港的人，都說看不到。後來找到一家公司，他們號稱發明了很小的衛星天線，在家中露台就可以接收衛星信號，於是我找他們到我家露台上安裝，誰知那人說在露台上無法對準衛星，因為屋後有座小山阻擋，要找業主委員會在天台安裝一條天線才行。於是找大廈業主委員會研究，他們說安裝費要幾萬元，但他們不收看，所以我要全部自掏腰包。問題就出在這裏。香港高樓大廈多，要說服業主委員會在天台安裝天線很不容易，不是每家每戶都想看，只能讓想看的人掏錢。後來「TVB」辦收費電視，也是這個問題，同樣不能落地，最後還是要找「Now TV」。

那時于品海曾找「Cable TV」（有線電視）商量，尋求合作。但當你處於弱勢時，根本不可能談成公平合理的生意，終告失敗。于品海是一個胸懷大志的人，有濃厚的民族主義情感，經常說要辦「中國的

邱復生辦了 TVBS。

CNN」，但一到落實的層面，就有點操之過急了。「Ahead of his time（領先於他的時代）！」

梁：今天他在上海的事業做得很不錯！

香：這是另外一回事了。當你一個人走得很快的時候，「身先士卒」是有可能「身先死」的，特別是在你做衛星電視、資金不大充足時，要依靠落地之後的第二筆資金才可營運下去，拿不到資金就玩完了。

梁：但他真的十分聰明能幹，成功說服查良鏞先生將《明報》交給他。

香：這事你就要訪問查先生了。過程如何，我全不知情。我知道他精於財技，我雖然做過銀行，也對他佩服得五體投地！

胡仙

成也《星島》、敗也《星島》

胡仙，父親為星系報業創辦人胡文虎。祖籍福建永定，一九三一年五月十九日生於緬甸仰光。就讀於香港聖保祿書院（未畢業）。胡文虎於一九五四年病逝後，胡仙接掌星系報業。一九六三年三月，胡仙與鄺蔭泉等人另創《快報》；一九六八年，創立世界中文報業協會，出任主席，成立世界中文報業協會基金。一九七零年，擔任國際新聞協會主席，成為該會首位女性主席。一九七二年，將星系報業改組為星島報業在港上市；同年七月，創立胡文虎基金會，專注公益事業。一九九零年，收購玉郎集團與《天天日報》，玉郎集團易名文化傳信。

一九九八年，因財困及惹上官非捲入「胡仙案」，被逼出售《天天日報》，其後再將《星島日報》售予全國政協委員何柱國。

訪問時間：二零一三年三月廿三日及二零一五年六月四日

訪問地點：北角寶馬山樹仁大學新傳系錄影室

梁：你父親胡文虎於一九二八年在新加坡創辦《星洲日報》，及後在東南亞發行了十多份華文報紙。他是否為了推廣家族業務、萬金油藥業呢？

胡：是的。先父一開始是為了宣傳自己生意，之後他發現社會有很多不公平的事，於是透過報紙發聲。

梁：抗戰期間，他透過報紙幫過不少華人，不時發起籌款賑災活動。

胡：其實不只賑災。在東南亞華僑受到不公平對待時，他會在報紙上表態，替他們說話。

梁：一九三八年，他創辦香港《星島日報》，是為了替港人爭取權益？

胡：那時，東南亞和內地多處地方，如福州、廣州、廈門等地，都有我們的中文報紙，香港《星島日報》是最後開辦的。

梁：胡文虎是福建人？

胡：他是福建人，出生於緬甸仰光，在那邊創辦第一份報紙，規模很小。然後在馬來西亞檳城辦第二份；之後到新加坡和內地，最後來香港辦《星島日報》。

梁：據說他在一九一八年已開始辦報。

胡：他曾經返回內地讀書，他非常注重中國歷史和語文。他和我叔叔胡文豹分別重視中、英文。所以，我們從小在新加坡讀國語；後來叔叔讓我們轉去英文中學讀書。

梁：所以，你的中、英文都很好。《星島》在一九三八年創辦，當年香港已有《華僑》和《工商》兩份大報，競爭激烈嗎？

胡：當然激烈。《華僑》和《工商》已開辦多年，我們是後來者，要跟他們競爭。

梁：你們在東南亞有強大的華文傳媒網絡，消息互通。這豈不是對《星島》十分有利？

胡：那時的交通和通訊沒有現在那麼完善。報社之間沒甚麼聯繫，各有各做。

梁：香港淪陷時期，你們怎樣度過那艱苦的「三年零八個月」？

胡：《星島》還有出版，但受日軍控制，沒有用原名，改稱《香島日報》，才可稍微自由發揮。

梁：一九四三年，胡文虎先生去了一趟東京，此舉曾被人誤認為漢奸媚敵，你怎樣看？

胡：先父為了香港去東京交涉，目的是看看怎樣幫助港人。他不只辦報業，還辦米業，當時香港正鬧糧荒，他為所有人提供食糧，所以才去東京斡旋。

梁：「三年零八個月」你們怎樣熬過來？你們不像何文法，沒跑到澳門避難。

胡：打仗的時候，我不在香港！那時我在緬甸逃難，爸爸留在香港。至於《星島》怎樣運作，我不知道。只知我們沒有停辦，繼續辦報，改名《香島日報》，換了名稱，換了老總。詳細情況我不太清楚。

梁：在日本投降之後，《星島日報》復刊。復刊時又換了老總？

胡：對，林靄民，他是社長，不是老總。他有點左傾。

梁：胡文虎不是督印人嗎？

胡：不是，一直由他人代辦。那時林靄民應該是左派，他是我們同鄉，永定人，所以讓他當社長。

梁：老總姓李？是從廣州請來的？

胡：不，從北京請過來的，我忘記名字了（當年老總為金仲華）。後來陳夢因也做過，但之前的忘記了，再後來是鄭郁郎，他一直做到病故。

梁：原來如此，你在哪一年返港？

胡：一九四五年。

梁：你在香港讀中學？

胡：在香港的聖保祿書院讀書，還沒畢業就進報館，那時先父還在生。一九五二年我接手，不過報館出現大問題時，先父也會回去處理。當他想出文章，也會回去報館寫幾筆。原先我大哥胡好是社長，一九五一年，他轉調新加坡《虎報》任社長，但遇上飛機失事過身。因此我接替了他的職位，剛好二十一歲。先父雖然重男輕女，但家族沒有人，於是讓我試試看。這一試，就這麼多年了！

梁：你在林靄民離開後才進報館工作，一九五四年，胡文虎先生逝世，你隨即接辦《星島》報業，在那之前，我記得《星島日報》是相當親共的，解放軍進入廣州時，你們也非常歡迎。

胡：對，就是因為林靄民的關係。

梁：你接任時情況如何？

胡：他已離開很久。當時大家沒有很在意誰是「社長」，我只是接過這個銜頭。進入報社，要兼顧各個部門的工作，從頭開始學習。

梁：在你的掌管之下《星島日報》保持中立？

胡：是的。

梁：你當時怎樣將《星島日報》、《星島晚報》和《虎報》這三份報紙轉虧為盈？

胡：當年《星島日報》、《星島晚報》、《虎報》都在虧損。辦報不能單靠新聞，還要跟各大社團聯絡，擴大知名度。那時我們每年舉辦歌唱比賽、環島步行和連串籌款「發財運動」。要「好賣」，不可能立竿見影，要花好多年時間才可成功。我只着眼於財政，其他我不過問。我沒有學過，也不懂編輯，完全依靠報人，我只着重開源節流。

梁：版面如何變革？

胡：這可以說是「撞彩」，全靠好運氣。我遇上很多很好的夥計與朋友，每人都用心幫忙，發展《星島》。

梁：你接管《星島》時，只有二十二歲，你怎樣跟老臣子合作？

胡：當時，我剛出來做事，從未學過辦報，這過程很艱難。我對辦報很有興趣，不斷想辦法克服困難。我請老臣子留下來幫忙，做好各個崗位。

梁：當年的老總是「特級校對」嗎？

胡：是，陳夢因。

梁：他有很多「橋」，是「橋王」。他專寫食經，有不少新搞作。

胡：對。編輯部還有不少人才，包括賈訥夫，他是《星島日報》的主筆，也是先父秘書。

梁：梁泰炎呢？

胡：梁泰炎是採訪主任，他負責警察線。另外還有一班報人經營《星島晚報》，例如鄺蔭泉，他們緊貼社會，結合市民的需要。

梁：國際版是李宜培負責嗎？

胡：好像是，他翻譯做得很好，在中文大學開設翻譯課程，自己還有個翻譯社，從事出版等業務。

梁：一九五四年，《星島日報》有不少改革，像鄉情版，這版的資料從何而來？

胡：鄉情版是編輯柯武韶無意間辦出來的，很受讀者歡迎。當時有很多人從大陸來港，我們派記者採訪，將他們的背景、資料變成鄉情版內容，相當成功。

梁：當時報館人手如何？

胡：有過百人，當時用人手排版，排字房聘用不少工人，是人手最多的部門。編輯部人手不多，約三十多人。

梁：副刊人手呢？

胡：最初由鄺蔭泉主理。他有很多「橋」，辦了很多活動，像唱歌比賽等等。我們還有很多能幹的老將，有不少新嘗試，都與民生息息相關。辦報最重要的是貼近本地讀者，我們曾與商台、麗的和港台舉辦「濟貧運動」。

最初跟港台和麗的合辦，一九五九年《商台》啟播後，也邀請他們一同合辦籌款活動。《星島日報》是

中華民國四十八年（一九五九）八月一日　星期六　星島日報　夏曆己亥年六月廿七日　增刊第七版

讀者支持下的濟貧運動果實

社會一般人士許為最迅速實際的一種籌賑工作

值得記憶的事實

萬千無名氏都屬善心人

出力熱心者每屆五千眾

願天下無寒人

濟貧的對象和最終目的

《星島日報》多年舉行濟貧運動，賑濟社會大眾。（《星島日報》，一九五九年八月一日。）

首張連同三間電台籌款幫助市民的報紙，也在歲晚派發利是給長者過年。這在香港廣播史上是從沒試過的。《星島》第一次舉辦環島步行時，我們還擔心沒有人能走完全程，殊不知走完全程的有數十人，在西環終點更有不少街坊為健兒打氣，慶祝他們行畢全程。這次之後，每年舉辦一次「環島行」，由大球場出發，途經赤柱，環島一周，終點站為西環。直至一九六七年暴動才停辦。

梁：你跟何佐芝關係很好？何佐芝籌辦佳藝電視時，你也有入股？

胡：對。起初，我們跟三家電台都很熟悉，我們舉辦跳水籌款時，三台 DJ 也義不容辭地支持，大家全心全意幫忙。

梁：你接管後是否取消了「中華民國」年號？

胡：我們一直用中華民國年號，中華民國和公元並用。直至一九九四年，新華社社長許家屯統戰我，我知道不能再保留中華民國年號。九七回歸在即，傳媒要繼續生存，就要面對現實，因此在九四年轉為公元紀年。那年也是我第一次去北京，因為他們要統戰我，機會難得，獲總理李鵬和國家主席江澤民接見。那是很少見、很隆重、很有歷史意義的。

梁：然後他們將廣州永安堂還給你們？

九十年代，胡仙轉贈的廣州永安堂，成為廣州少年兒童圖書館。

胡：北京政府將舊業無條件還給我們。除了廣州永安堂已轉贈廣州市政府用作廣州少年兒童圖書館外，其他物業現在還在我手上。

梁：說回《星島日報》，你將版面分門別類，開設教育版、地產版、娛樂版、體育版等等，辦得最成功的，要算是地產分類廣告吧？八零年代市民置業時，要靠《星島日報》的地產分類廣告。

胡：我們的地產分類廣告十分成功。那時的分類廣告是兩元一段，慢慢增加版面，我們為了吸引讀者，在分類廣告版增設「答中有獎」遊戲環節，根據廣告中的資料來提問，讀者答中問題，就有獎品。

梁：記得你們的教育版辦得十分成功，還設立了星島日報獎學金。

胡：對。

梁：五零年代，新報紙湧現。《商報》、《明報》和《新報》先後創刊，對《星島日報》有沒有影響？

胡：沒有影響。我們勢頭大，不停給報紙注入新創意，有新鮮事物給讀者。我們有一班很有創意的同事，不時有新「橋」。有競爭才會有進步。

梁：一九六零年《天天日報》創刊，推出全彩印刷，你們有沒有受到衝擊？

胡：我們沒有受到很大衝擊。《星島日報》很遲才出全彩。我們不想跟風，想看清楚形勢才決定。

六十年代初期，《星島》開辦美洲版，其後大規模擴張，於海外設立分社。（《星島日報》，一九六四年八月二日，第八版。）

梁：為何開辦《星島》海外版？

胡：六七暴動期間，我在三藩市路上遇到一位華人，他問我香港的情況。我發現香港人移民外國後，還是很想知道香港消息，所以研究開辦海外版。《星島》海外版是從三藩市開始的，發展到紐約、加拿大溫哥華和多倫多。最初是將壓版空運到美國，找印刷廠代印。不過，當時經營很困難，報社設備不完善，沒有電腦，沒有衛星傳送版面。我們從北美洲入手，再去歐洲。初時海外華人也不太習慣看香港報紙，他們大多只看英文報紙，華文報紙字體都像雞蛋一樣大。三藩市也有《金山時報》。後來我們才慢慢改進。

梁：你們後來在當地開設分社，聘請當地人採訪新聞？

胡：對。都是我的舊夥計，Tim Lau 在那邊主理。

梁：能賺錢嗎？

胡：能。

梁：後來再辦溫哥華版？

胡：對。首先是三藩市，其次是紐約，之後是多倫多，然後是溫哥華，後來到英國，再到法國。

梁：澳洲版呢？

胡：那是我去了澳洲之後才開辦的。

梁：每天發行量多少？

胡：很難說，每個地方都不一樣。

梁：你們的紐約代理人用他的名字註冊《星島》，結果你們要從他手中買回版權？

胡：是三藩市代理人。當年《星島》沒有員工在美國，需要當地人幫忙。這位代理人非常熱心，甚麼事情都包辦，用了他的名字註冊。不久，他見有錢賺，不肯將註冊權交給《星島》，最後我們向他買回版權。

梁：你還創辦了世界中文報業協會，當上協會主席。為何你要創立這協會？

胡：要先説一下《虎報》前總編輯吳嘉棠，他跟夏威夷華僑 Norman Sung 是好朋友，又和台灣新聞局局長沈劍虹關係密切。他們三人對新聞事業很有興趣，也有學者風範，曾在上海聖約翰大學修讀新聞學，分別取得獎學金去密蘇里大學進修。那時 International Press Institution（國際報業協會）在港開會，提倡維護新聞自由。其時吳嘉棠和 Norman Sung 都在我們公司任職，他們都有參加 IPI，所以我獲邀參加這個國際聯會。

梁：是六零年代的事？

胡：一九五七至一九五九年之間。IPI 在港開會時，我主張華文報業也應成立這類聯會。後來便成立世界中文報業協會。我每年都有出席 IPI 會議，也在一九七零年做過一任 IPI 主席，為期兩年，並在香港半島酒店舉辦年會，辦得很成功。

梁：是一九六七年籌辦的？

胡：對。當時，我發現全球中文報紙之間沒有聯絡，《工商日報》和《華僑日報》也沒有聯繫，我請他們一起籌辦中文報業協會，希望大家坐下來商談。我發現台灣《聯合報》和《中國時報》同樣沒有聯繫，於是建議設立一個全球華文報業組織，世界中文報業協會就在這個背景下誕生。後來我們再「跨港」，到台灣、東南亞等地，我們邀請的報紙都來參加。於是正名為世界中文報業協會，我在一九六八年當上主席。那時只有《星島》能統合香港所有報紙籌辦協會，現在已很難辦到。

梁：你們與報業公會有沒有關係？

胡：報業公會是另一個組織。是另一班人，由早年的《星島》、《南早》、《華僑》、《工商》一同創辦，雖然老闆也是同一班人。報業公會組織較鬆散，世界中文報業協會較有規模、有組織。

梁：北美洲的華文報紙也有參加？

胡：那是後期的事。剛創辦時，所有老報人都來參與。協會也必須有基金支持運作，不能事事靠捐款。於是每間報館出錢設立一個基金。

梁：你們在希爾頓酒店舉辦年會？

胡：對。我們找來台灣《聯合報》和《中國時報》兩大報社的社長來聚頭。以前他倆是死對頭，不會共處，只有我能讓他們兩人一起座談。我們都是好朋友，後來不時去台灣開會。

梁：大陸呢？

胡：大陸還未開放，找不到報社負責人討論有關事宜。

梁：協會第一任秘書長是誰？

胡：孫述憲，我們請他來當秘書長。然後是張祺新和馬英，這兩人都是《星島》出身，馬英現在還在任。

梁：《星島》在一九七二年才購入柯式印刷機，出彩頁，為甚麼這麼遲？

胡：要先觀察彩色印刷技術有沒有問題。我們先學習、試用，評估成果如何，才下決定。

梁：為何創辦《快報》？《快報》不屬於星島集團吧？

胡：不屬於星島集團的。那時鄺蔭泉和梁泰炎想辦一份報紙，我支持他們創辦《快報》。

梁：《快報》的成功與當時大陸逃亡潮有關？

胡：對，《快報》當年出紙不多，新聞以精簡易明，報道迅速，有不少內幕消息。

梁：《星島晚報》在六零年代冒起，七零年代幾乎是銷量第一，原因是甚麼？

胡：當時未有電視新聞；六零年代初發生幾件大案，採主梁泰炎處理得很好，如「三狼案」，資料詳盡，報道鉅細無遺，市民爭相閱讀，銷量大增。

梁：一九五六年雙十國慶，李鄭屋村發生騷亂。這事件有沒有增添銷量？

胡：有增加。那時做傳媒就是這樣。

梁：你們怎樣報道六七暴動？立場是否親香港政府？

胡：當時讀者想知道發生甚麼事，更想動亂及早平息。

梁：你當時在香港？聽説很多報人都出國去了。

胡：對，我仍在香港。

梁：六七暴動時，報館和同事有沒有受到襲擊？

胡：沒有。

梁：你還辦過《新星報》？

胡：《新星報》是我們創辦的地區免費報紙，較像現今的免費報，不過內容只着重某一區消息，亦只在該區派發，不是全港性報章。我們在每個地區都有地區報，太古城、柴灣都有。可惜我們沒有專人主理，不然會很好。我們開創不少先河，很多事情都走在別人前面，但苦無人手，人才不夠，難以做大。我們辦過旅遊和醫療業務，醫療中心提供體檢、驗血等服務。

梁：我印象中是在七零年代開辦的，北角城市花園現在還有一個醫療中心。

胡：對。今天還在，十分成功。分區廣告中心和發行點也是我們首創。我們想方便廣告客戶，毋須他們到報社，每區都設有廣告中心跟客戶接洽，收取廣告。

梁：「特級校對」陳夢因在一九六一年移民美國後，老總一職由鄭郁郎接掌。後來你從新加坡請來施祖賢？為何你會看中他？

胡：施祖賢從新加坡來港開會。我覺得他中英文不錯，報紙需要這種人才，所以聘請他。

梁：他不適應香港的環境，所以走了？

胡：對，施祖賢的文化背景跟香港不同。

梁：你為何從溫哥華找來鄭經翰加盟星島集團？

胡：我們需要推廣人才，那時他在溫哥華做市場推廣，辦過不少創意項目。大班在星島集團工作多年，《花花公子》中文版正是他引入的，但這刊物和我們集團的理念不一樣，他自己又有點錢，於是離開《星島》辦雜誌。

梁：俞琤是「大班」請到《星島》的？

胡：不是，是另外一班人安排她加盟的。

梁：俞琤是一個很有才華的人。

胡：對。但俞琤對報紙的認識不多，不像她在電台那樣出色。當時我想找一班人給《星島》一些新構思。有人認為俞琤很有「橋」，於是請她過來。一段時間後發現大家合不來，她便離開。

梁：周融如何加入《星島》集團？

胡：他從英文《星報》去 ICAC，再從 ICAC 過來。《星報》是澳洲籍報人 Graham Jenkins（曾競時）於一九六五年創辦的，當年周融是《星報》採訪主任。祈德尊爵士邀請我入股《星報》，他是和記董事長。那時《CHINA MAIL》已經賣給 TVB，後來沒再出版了。

梁：你當時是否找韓中旋和張寬義來經營中文《星報》？

胡：韓中旋做過中文《星報》，張寬義沒有。

梁：你在一九八一年接辦《星報》？那時老總是誰？

胡：對，有一段時期我們找來洪希得，他從哥倫比亞大學回來，是他的老師哥倫比亞大學新聞學院教授喻德基教授引薦的。我想讓年輕人有些作為，所以放手讓他自己幹。

梁：《星島》在一九七二年首次上市，其後私有化。一九八零年再度上市。為甚麼會這樣？

胡：一九七二年，我們是香港第一間上市的報業公司，當時股價兩元一股。後來香港出現移民潮，我們將《星島》私有化，搬到澳洲，以為可以賺錢，但發現當地稅款過高，於是又搬回香港，於一九八零年再度上市。

梁：一九九零年，你為何收購玉郎集團？

胡：那是周融的主意，他堅持《星島》應收購玉郎集團。

梁：周融在《星島》時，曾做過幾件大事；他主理英文《虎報》時創辦《Job Market》，也辦得很成功。為何將他調到《快報》和《星島晚報》？

胡：那時期集團換了很多人，我請了一個西人當《虎報》老總，所以將周融調到《快報》。

梁：為何周融幫你將《快報》賣給《南華傳媒》？

胡：因為沒有前景，而且我們人手不足，難以經營。

梁：你們跟《天天日報》的瓜葛是怎樣的？

胡：我也不清楚，想不起來了。

梁：劉天就經營不來才賣給你們？

胡：是。很多人反對我去買《天天》。因為集團已有不少報紙，不用另購一份。

梁：何世柱曾爭奪《天天》出版權？

胡仙及星島昨建議
全面收購玉郎國際

每股七角二仙 兩隻認股證均爲一仙

【本報訊】由胡仙及星島所擁有的公司——KATESON正式向玉郎國際的股東提出一項全面收購建議，普通股收購價為七角二仙，九四及九八年認股證的收購價均為一仙，這項全面收購建議是因收購合併委員會裁定胡仙、星島及黃振隆為一致行動。

現時胡仙及星島有意對收購合併委員會的裁決提出爭辯。不過，上述全面收購建議是必須的，原因現時有需要將玉郎國際董事成員更換。

此外，胡仙及星島會繼續保留玉郎國際的上市地位，並保持至少百分之二十六的股權由公衆人士持有。另外，在今日舉行的股東會上，會提議委任鄧立人、黃宇楷等五人為新董事。

一九九零年，在周融堅持下，星島集團全面收購玉郎國際。（《大公報》，一九九零年九月二十八日，第二十五版。）

胡：他弄到「一鑊泡」，我們接手。

梁：《天天日報》本來有段時期銷路不錯。

胡：是的，可能當時用錯人了。那時找來鄧立人經營，想不到他根本不熟悉辦報。當時我有太多事情，難以分身。力不到不為財，就這樣放手讓他經營。

梁：銷量的確不錯，但內容有不少色情成分，廣告商不願意下廣告，因此走下坡了。

胡：當年我們獲准在深圳辦《深星時報》，是首家獲得牌照在深圳辦報的香港機構。這份刊物辦得不太成功，又找錯合作對象（《深圳特區報》）。當時辦公室設在他們大廈內。《深星時報》是一份日報。可惜我們沒有看清市場策略，不然可以辦得更好。

梁：你們又損失了一筆？

胡：對。其實《深星時報》辦得還可以，我賣出《星島》後，新管理層以為是蝕本貨，就停辦了。自此以後，再無港人成功申請牌照在內地辦報。

梁：這很可惜。《星島》在一九九五年創辦電子報，當時是如何構思的？

胡：當時做得很好，可惜沒有專人負責，也沒有資源，結果不太理想。

梁：會不會是找不到盈利模式？

胡：對，所以到現在還是不行。當時見到西方一些報紙試辦網上報章，為甚麼我們不去試試？結果又虧了一筆。

梁：洪希得加入集團後，是否無法跟老一輩報人磨合？

胡：是的，後來周鼎也做過《星島日報》總編輯，他是最忠實的、做得最長久的總編輯，不過他身體不好，因此退休。

梁：之後洪希得接任總編輯？

胡：洪希得沒做過總編輯，只做過總經理。

梁：他出掌經理部時，訂立了不少規矩，例如規定員工要在六十歲退休。

胡：可能公司認為這樣好一些。

梁：我入行時報行不少行家的年紀都很大，如鄭郁郎、陳夢因、唐碧川等人。

胡：唐碧川在《星島晚報》工作到七十多歲才退休，現在的人對新聞事業已沒有熱誠了。吳嘉棠在《虎報》做過，我從日本請他回來，他之前一直在做報紙，相當有經驗。袁倫仁是《虎報》第一位總編輯，後來在亞洲協會工作，在他之後是宋顯禮，然後才是吳嘉棠。

梁：黃應士有沒有做過編輯？

胡：黃應士也做過一段時間，然後去浸會書院教書，後來才去TVB。那些人當中，吳嘉棠做得最好，在他任內，《虎報》的銷量甚至首次超過《南華早報》。後來他在香港貿發局任駐紐約辦公室專員。他是一個人才！

現在很少人會獻身新聞事業了。做新聞最重要的是興趣；有興趣，哪裏都能發掘到新聞。

梁：洪希得頒佈的退休制度，後來修訂了？

胡：對。因為不少同事已超過六十歲，我們不可能一下子讓太多年輕人接班，他們經驗不足。現在報社的人手換得太快了，令人擔憂。

梁：潘振良是你請回來的？

胡：是的，因為周鼎和潘振良很合拍。潘振良從台灣讀書回來後一直在《星島》，後來也在澳洲《星島》工作，近日才退休。那時我們開辦很多業務，例如成立翻譯社等等，英文報紙出身的張國興也有幫忙，後來他去了（雅典市）俄亥俄大學新聞學院執教。何少培是我後來請來的。

梁：你為何在一九九一年請香樹輝入主星島集團？

胡：我們人才不夠，剛好有人推薦他。

梁：陸錦榮當老總？

胡：對。他是香樹輝的班底。不過，我們合作得不太好。

梁：香樹輝在《星島》時做得不錯？

胡：是的，還是那樣，沒有甚麼特別。

梁：為何後來又將何鼎文從美國調回來？他是紐約分社社長？

胡：我記不清楚了。似乎是陸錦榮離開後，我們才找何鼎文回來。

梁：陸錦榮為甚麼要走呢？

胡：他跟編輯部員工合不來。我們因為他經驗豐富才聘請他，可惜他在《星島》未能發揮才幹。

梁：後來何鼎文調去《星島晚報》？

胡：對，那時我們的員工會調換工作崗位。洪希得也在集團內調來調去，沒有離開過星島集團，直至《星島》即將轉手，他才離職。

梁：《東方》在七零年代冒起，對你們有甚麼影響？

胡：起初競爭不太激烈，我們歷史悠久、名聲不錯、對象不同，沒有即時的影響。但不進則退，要找新方法，迎合讀者口味。

梁：《成報》曾首屈一指，卻突然衰落，為何如此？

胡：這是人才問題。報紙編採人員老化，不思改進；任何事物，不進則退，這是自然規律。

梁：政經報紙《信報》一九七三年創刊，財經報紙《經濟日報》一九八八年面世，這些報紙對《星島》有影響嗎？

胡：有的，《星島》加強了經濟版，特別是地產版做得較好，但還是無法與他們競爭。

梁： 你因為投資出問題，被迫將《星島》出售？

胡： 是，我理財不善，被迫出售《星島》股份。當時《星島》正在賺錢。我希望債權人何伯（何英傑）能給點時間讓我還錢，但他不肯，他一直都想將《星島》送給長孫何柱國。那時我們周轉不靈，又遇上股市下跌，《星島》最終轉手何伯。

梁： 真的不勝欷歔！《星島》轉手後，你還有在海外經營報業？

胡： 對。我們還有些舊夥計，年紀不小，難以轉工，我在加拿大辦了一份《商報》，在英國、法國、荷蘭等地也有發行。這些業務完全是為了幫我的舊夥計，讓他們有事可做。

梁： 能否收支平衡？

胡： 目前暫時還不行，希望未來一兩年內可以。現在有新技術，在香港造好版，直接傳送到那邊，很便捷。

梁： 香港有辦事處嗎？

胡： 沒有，職工在家工作。

梁： 關於唐碧川，你有沒有甚麼要補充？

胡： 他是一位很好的晚報總編輯。雖然他沒有甚麼「橋」，但老老實實、規規矩矩、辦事妥當，一直做到退休。最多「橋」的，是鄺蔭泉，他是「橋王」！

梁： 鄺蔭泉辦《快報》，他跟娛圈中人很熟絡，辦報辦得成功會否與他曾當過娛樂圈公關有關？

胡： 可能是這樣。

梁： 你怎樣評價你的最後一位總編宋淑慧？

胡： 她做得非常好。

梁： 《星島晚報》為何結業？

胡：讀者不看，因為電視風行以後，電視新聞比報紙快。我們下午三、四時出版，時間所限，新聞愈來愈少，銷路愈來愈差。

梁：你怎樣看未來的報業？

胡：不容易經營了，現在競爭激烈，現今的報紙變成市場主導，新聞質素差，大部分都是製造或買的新聞。

鄭明仁
何文法與《成報》

鄭明仁，一九五四年出生，香港浸會學院傳理系畢業。一九七九年加入《成報》，主理突發、警政新聞，後升任採訪主任。一九九五年參與創辦《蘋果日報》，二零零六年升任總編輯兼聯席副社長至二零一一年退休。

訪問時間：二零一三年六月十八日

訪問地點：北角寶馬山樹仁大學新傳系錄影室

梁：《成報》創辦人何文法，可不可以講講他的事蹟？

鄭：何文法先生最初與鄧羽公先生共事，後來成為鄧羽公的女婿。有人説他本來在《羽公報》做校對，又有人説幫鄧羽公寫小説；鄧羽公欣賞他「醒目」，所以提拔他。何文法自一九三六年移居香港，一九三八年八月與李凡夫、過來人合辦《成報》三日刊，加入《自然報》，一九三九年五月一日正式創辦《成報》。有人説何文法最初寫小説，這説法是真，但甚麼時候從事寫小説，就無從稽考了。

梁：《成報》創刊時共有六個股東？

鄭：股東包括汪玉亭先生；李凡夫先生，（他是畫〈大官漫畫〉的漫畫家）；另外有一位後來是開金舖的人，他是個紙商，聽説何文法先生是在買賣黃金時認識他的。另外何文法先生幾兄弟，都有份參與，但每人只是夾很少錢。

梁：《成報》成功的要訣是甚麼？是小説和副刊嗎？

鄭：當時《天光報》暢銷，而何文法主打副刊，一半都是來自小説，陳霞子、呂大呂、怡紅生、靈簫生四名小説家，每人輪流寫一日。一版叫〈四大名家〉，非常吸引，一開始就成為暢銷報紙，而當時只賣一仙。同期，有「三大報」，包括《華僑》、《工商》、《星島》，大報出紙兩張，小報出紙一張。何文法不以大報作假想敵，與它們硬撼，所以從小報着手，主力搞副刊。

梁：他們是主攻簡單新聞？

鄭：其實當年暢銷的小報也是這樣的，不過，何文法有一件鮮為人知的事，我聽前輩説的，在一九四七年二月四日，永樂街對開的碼頭有一艘西安輪，泊在碼頭，不知甚麼原因發生了大火，死了二百多人。現在和合石仍有一個墓紀念這件事，叫「西安墓」。何文法當時如常跟股東在那裏飲茶，目擊這單新聞，那時通訊不發達，你能目擊的，就已是一件獨家新聞了，所以他立刻出號外。《成報》在那天之後就更出名了。前輩説事後回公司才知道出了號外，可見當時通訊很差。聽説那新聞是何文法親自執筆，他很有生意頭腦，又很會寫，如寫小説，看內容便能起標題。

梁：後來日本佔領香港，《成報》停刊，夥計跟何文法去了澳門？

鄭：據説只是何文法舉家過了澳門而已，有説他在那裏當《華僑報》的編輯，因為他在那邊有親友接濟。夥計應該沒有跟他去。

大官漫畫（《成報》，一九四八年二月十五日，第四版。）

西安輪船罹難先友墓園
今午舉行開祭禮

東華三院建築之西安輪船罹難先友墓園・工程浩大・全部費用共達四萬元之鉅・最近已告完成・該院當局・以八十萬現・悼罹失劫・今日寧安靈步・特舉行隆重開祭禮・時間定今日上午十一時・各界人士致祭者・須時前到達・各先友家屬、可於時前逕赴墓園・至三院顧問・總理・協理同人・則定今晨十時・先到東華醫院集合・齊赴墓園主持祭禮・各界如有花圈等致祭事物・可運往墳場・查墓園地址在鄉龍環・東華義地對面・即紹龍義山附近・馬路口有新建牌樓・書有「東華墳場」四字・乘香港仔綫巴士車・便可直達・三院當局・今晨特派出職員多人・在墓道前接待・其致祭儀式如下・一・齊集・二・鳴炮・三・奏樂・四・主祭者就位・（徐季良・翁世晃・同安公司代表）・五・陪祭者就位・（現任全體總理・協理・當年顧問）六・來賓就位・七・先友家屬就位・八・全體肅立・九・奏樂・十・主祭者行四鞠躬・獻香・獻酒・獻花・獻果・十一・讀祭文・十二・全體向靈臺行三鞠躬禮・十三・先友家屬謝祭一鞠躬・十四・奏樂・十五・禮成・十六・鳴炮・祭禮完畢後・則由各界來賓及先友家屬自由致祭・查該墓園並建有紀實碑一座・各致祭物品・除花果酒醴外・冥鏹香燭・均可焚化云・

歡迎難友家屬及各界等自由參加

《成報》一直跟進西安輪大火事宜，贏得不少讀者。（《成報》，一九四八年一月二十五日，第四版。）

最初報社在利源東街，重光後，才搬到永樂街及威靈頓街，然後在一九五四年，在北角英皇道蓋了座七層大廈，三十年後，才是二十層的大廈。《成報》就是在每二十、三十年之間，就會有很大的發展。

梁：一九四五年，日本投降，報社仍在利源東街？

鄭：有人説在永樂街，好像在《真欄日報》報社附近，也在中、上環有三個分址。

梁：當時人手不多吧？

鄭：小本經營，雖然一開始很成功，資本周轉不太好，還要向人借錢，所以不是很賺錢，所以要找紙商當股東。

梁：當時讀報人多嗎？

鄭：那年代消遣節目不多，看小説便蔚然成風。

梁：一九四九年，大陸易手，《成報》有沒有改變？

鄭：《成報》有兩大成功因素，第一是小説，第二是政治立場不明顯。那年代的人對政治有所厭倦，不想沾染政治。何文法刻意不歸邊，直到九十年代彭定康提出政改方案，才有比較明顯的政治立場，這已是後話了。那時候的人不太喜歡看共產黨或國民黨的報紙。《成報》亦慢慢建立了「香港人報紙」這個形象。

梁：所以，它以民生新聞為主？

鄭：對，以前的新聞很短，因為沒有詳盡的消息來源，版位又少。那時只要一、兩百字就可以了。《成報》到了六十年代也是這樣短小精悍。

梁：五、六十年代，《成報》的專欄與小説作家有何陣容？

鄭：高雄，即是三蘇，在《成報》寫怪論，還有一些是隱姓埋名的，或用筆名的，例如南宮搏（馬彬）曾在《成報》寫過社論。三蘇的妹妹高寶，在「錦繡版」畫漫畫，畫功很精細。

梁：那時的記者、寫手都是插旗的？

鄭：是上一代了，我們科班出身的都不流行「插旗」了。全行公認最多的是羅德誠，插七枝旗。所謂「插旗」就是，一段新聞，要打電話給七家報社。有些報章負擔不起請一個正式員工，特別是新界版的，就包起來做。旅遊版亦如是。高雄在《華僑》、《星島》《新生》都有作品。

梁：你在一九七零年代加入《成報》？

鄭：我在七九年加入，直到九四年離開。在這十幾二十年間，聽上司韓中旋説，是《成報》最黃金

成報

戰犯乘艇逃亡

停戰討論移京舉行 繼續談判達到協議

破裂調解協議

瓜分義國艦隊

明晚大放烟花

發出戰後的吼聲

新報

《成報》戰後政治立場不明顯，吸引中間路線的讀者。（《成報》，一九四六年四月三十日，第一版。）

的年代，無論是賺錢、銷路或社會地位，都是最好的。以前在政府眼中就不太是了，後期才拿到刊登憲報的地位，因為當時讀者人數有二十多萬，政府才把你加進去刊憲名單內。

梁：何文法是社長兼總編？他甚麼時候將老總職位讓給手下呢？

鄭：有説《成報》創刊時，汪玉亭是代老總，很快離開，何文法就自己兼任，直到韓中旋於一九七七、七八年間上馬。他帶來很多創舉。韓中旋做過很多份報紙，如《明報》、《東方日報》等等，是個文藝青年，作品很多，人脈也廣。韓中旋認為那是《成報》最光輝的年代。一九七七年之前，《成報》沒有標點符號，所謂「標點」也只是墨點，一句一個。韓中旋上任後立刻改革，將副刊改成較為貼近時事。

梁：《成報》變了兩至三張紙，六零年代後期更增設汽車分類廣告。

鄭：何文法從汽車小廣告賺了很多錢，他每天回到報館便有一大疊現金等着他。我讀初中時，六十年代尾至年七十年代初，大報的頭版都以國際新聞為主，《成報》也相似。七十年代初，已是港聞先行了。七十年代中，韓中旋開始大肆改革，願意投資人才，請人比較「疏爽」，開始招聘大學生。

梁：當時《成報》很有錢？

鄭：八十年代的《成報》很有錢，曾以二億一千萬現金支票，不用貸款，購入中環皇后大道中「萬國寶通銀行中心」，現在還是《成報》擁有，眼光很厲害。

梁：韓中旋還帶來甚麼改革？

鄭：他開辦很多版面，如消費版更是創先河，請來黃雅歷寫飲食，教人如何消費。雖然只有半版，但古靈精怪，很講究的。別人想不到的，他也會拿來寫。另外，韓中旋的〈珠珠手記〉有很多讀者，他也請來著名食家輪流寫〈七家食德〉。《成報》脱離了只是小説的範圍。我加入《成報》時，已經很少以小說為主打。

梁：當年《成報》的新聞非常精簡。

鄭：一九八零年代，廣告愈來愈多，尤以旅遊廣告最厲害。當時流傳，《成報》要「踢走廣告」，而頭版版位競爭更大了。

梁：當時最高銷量有多少？

鄭：當時有二十八萬讀者，試過接近三十萬，《東方》有四十萬，《成報》創刊時，沒多久就成為銷量第一。創刊初期，起紙超過二千，就可以慶祝，我聽前輩說，銷量達四萬時，已高興得要擺酒，一九七零年代初已達十多萬。

梁：李凡夫的〈大官漫畫〉很出名。

鄭：有人把〈大官漫畫〉當作買字花的「貼士」。當時謠傳《成報》是「字花報」，實情是《成報》是被賣字花的人利用，製造輿論。那時「大官」做甚麼動作、穿甚麼衣服，都被視為「貼士」，而且圖像十分生活化。上一輩，十居其七八看《成報》，報紙內容很「乾淨」，老少咸宜。

梁：當時有沒有受內地政治運動影響？

鄭：六七暴動時左右陣營分明，但何文法刻意保持中性，如當年丟炸彈的人，大家叫「暴徒」，但《成報》卻以「群眾」代替。刻意保持中立。

梁：所以《成報》始終如一。

鄭：對，直到彭定康的政改方案，《成報》才有明顯立場。它連續一個月，每天一社論批評彭定康，引起外界嘩然。

梁：《成報》長久生存之道是甚麼？

鄭：是「慣性收視」。人們一早飲茶，都是看同一份報紙，以前讀者很忠心，不會看其他。從小看到大，不會轉。這可說是唯一解釋。

梁：讀者量也擴大了？

鄭：當時《成報》副刊對社會的轉變很敏感，如加開消費版時，經濟剛起飛，讀者對名牌沒有概念，所以看《成報》學習買名牌。

七、八十年代，《成報》投資加大了，請回來的人才也多了，當我做採訪主任時，我將「突警」（突發與警政）線的「四大天王」，都收歸《成報》旗下。那是《成報》突發新聞最光彩的時候。直到《蘋果日報》創刊，突發記者才轉投《蘋果》，或四散了。

梁：《成報》價格如何？加價後有沒有影響銷量？

鄭：加價對《成報》沒有影響，當時是集體加價制度，所有報章也會一起加價，所以對銷路並沒有很大的影響。加價初期，銷路可能會下跌一點，

梁：剛才說到《成報》銷路居首三，就是《東方》、《星島晚報》後就是你們？這是因為人口增加之故嗎？

鄭：當時讀者水平提高，想看報紙提升知識，學生也會閱報，不像現時。我們讀書時，怎樣忙也會拿家父的報紙看。所以銷路不是一刻暴升，而是漸漸增加。另外有說，何文法控制發行數量，控制在廿八萬左右。因為印太多，就會虧本。銷路若有四十萬，賬面很好看，但其實就虧很多。

一九八五年，鄭明仁（後排左四）偕「突警線」記者採訪成和道槍戰。（受訪者提供）

梁：陳霞子、高雄等人呢？他們離巢的影響大嗎？

鄭：有！因為陳霞子另辦《晶報》；《晶報》、《商報》硬撼《成報》，但撼不贏。

梁：為甚麼？

鄭：很難說，應是跟大陸的政治控制有關。

梁：若以銷路來說，《成報》還是領先？

鄭：對，最經典的是《文匯報》，最初好好，但在極左思維下，改用簡體字，就「萬劫不復」了！《晶報》跟《商報》很厲害，兩報聯手對付《成報》。《成報》所有優點，陳霞子都知道。陳霞子的社論很好看，最後還是死在政治手上。

梁：陳霞子離開後，由甚麼取代？

鄭：《成報》以副刊為主。後來的新聞也很好。九十年代，《成報》的「突警線」有「四大天王」，四大天王的線路比較廣，跟警探們從小玩到大，他們加入《成報》時，他們的警察朋友正好當中階警官，帶來很多資料。這種「突警」新聞，養兵千日，就是這樣。但要能夠忍受記者兩、三個星期「無貨交」。

梁：《成報》以動態新聞取勝，很少深入調查報道。

鄭：後來有記者跟政府官員混熟後，才有政府新聞。

梁：但內容很短。

鄭：對，都沒有深入報道。

梁：為甚麼會成功？

鄭：《成報》的讀者很忠心，那個年代有「拍拖報」，《成報》夾附其他報紙，那時很自由。每早飲茶，都人手一份。「拍拖報」對學生很重要，學生會看《華僑》的會考解答指導，或如放榜等等。

梁：當時人工如何？

鄭：每年加薪百分率兩位數字，因為通脹高企，加上是黃金年代。我初入職商台時，是九百元，兩年後轉投《成報》時，我想大概只有千五元。八十年代中期，加幅全是雙位數字，因為通貨膨脹，加薪一成也不太滿意。有時增幅更有百分之十幾至二十，但也不會滿意。有時一年內更會加薪幾次呢！

梁：最近十幾年人工都凍結了？

鄭：全都凍結了！有人說這十多年來是這行業的黑暗時期，特別在工資上，我最初在《蘋果》招募記者時，大學畢業生的月薪有一萬至一萬二千元，直到現在也是一樣。一直停留在這個階段，沒有很大轉變。

梁：頂層就不一樣了？

鄭：頂層是個別。何文法當時也用這樣的政策，頂層工資很高。但記者只有一級，沒有其他任何職位、職稱，記者以上就是副採訪主任或是採訪主任，最後是老總，很精簡，後來才增加階級。

梁：五、六十年代報社不會給予太高人工？

鄭：《東方》於一九六九年創刊。七十年代，開始高薪挖角副刊名家、投資突發組，組成電單車隊。何文法面對《東方》帶來的危機，為了替補那些出走了的副刊名家，何文法出錢挖角請人，記者大舉加薪，不然會輸掉那場仗。

梁：那一仗對《成報》影響不大，但對其他報章，如《新報》影響很大。

鄭：當時那些報章不願投資，但何文法願意投資。何文法每樣東西都看得很清楚，不斷更新機器，紙質也不錯，立即見到成效。

梁：《成報》僱員關係不錯？

鄭：沒錯！我跟前下屬敍舊時都說，一生之中，最開心的打工日子，就是在《成報》。

梁：為甚麼？

鄭：因為大家上下都無分彼此，除了何文法外，韓中旋帶我們遊船河，跟我們玩在一起。那時我們會互請吃下午茶，很開心、很自由，沒有規定上下班時間，也沒打卡。但大家都不會很早走，每天也做到八、九點。

梁：當時福利如何？

鄭：過年有利是派。

梁：要交稅嗎？

鄭：當然要！因為是花紅！以支票發放的，數目也是可大可小。有幾百至幾萬元，就按何文法意願。

梁：都是何文法全管的嗎？

鄭：何文法管數，我們升遷事宜，他當然也會過問一下。當時，我因為韓中旋不斷提拔，也要何文法觀察後才准許升職。

梁：聽說何文法他很勤奮？

鄭：有說何文法每日都在陸羽飲茶，在那裏「對報紙」，就是在陸羽前的報攤買一堆報章上去看，看看自己的報紙有沒有漏新聞或有出錯。下午吃飯時，我的前任黎之明，會跟他一起吃飯，但他很慘，因為何文法已對好了報紙，會知道有甚麼疏漏，他要聽何文法的嘀咕。所以下午採主回報社開會，他就要來罵我們了。幸好我接手後，我不用「陪食飯」！何文法從早上已在看其他報紙、中午也在看報紙，飯後回報社走一圈，晚上又回來走一圈，可見他已經以報館為家。

梁：他在九十歲時意興闌珊，是因為後繼無人？

鄭：我聽他跟報內的人說：「現在辦報紙，不是由個體戶辦，一定是大財團辦的，我們沒精力跟財力去辦了，不如退出。」當然，如韓中旋說道：「他可以繼續燒錢，但他覺得不值得，如同倒錢下海一樣。」

梁：管理層還是以前的舊部？

鄭：何文法在賣盤後數年去世。陳國強接手時，韓中旋已離開《成報》。楊金權主持那時，他只幫新買家幾年而已。

梁：韓中旋的標題很傳奇。

鄭：他的標題一絕，人們都對他的標題議論紛紛，更有說是「新聞系的教材」，人們都說他起的題是不可思議的。閱讀新聞後，更可在新聞旁起四句詩點題。現在的人都不行了。

梁：這是他多讀古書之果嗎？

鄭：他舊文學很好。他不是科班出身，也沒讀過大學，全都是自學而來。今時今日還在報上撰稿呢！

梁：你怎樣看未來的讀者？

鄭：全都是變成「即食者」，其實，這一行都很悲哀，《蘋果日報》老闆黎智英說會投資更多於即時新聞，報紙只是變成「內容平台」而已。但都不是健康的。香港的人會變成怎樣呢？但我們的下一代已沒有了文學修養，看報紙都不能再學文學修養，書又沒有範文了。我看來都是悲觀的。現在的人只看圖像，一看題就已知全文，已不再看內容的了。

梁：你怎樣看今日的《成報》呢？

鄭：《成報》好可惜，到後期大勢所趨，都變了，如果不是《蘋果》殺出來，《成報》還可以扮到一定角色。那一刻不投入資本就沒辦法，到後期再放資本就遲了。沒了，連我也不再看了。

《數風流人物》網上版
https://goo.gl/fo1Qbn

www.cosmosbooks.com.hk

書　名　數風流人物——香港報人口述歷史（上）
訪　談　梁天偉
主　編　黃仲鳴
責任編輯　孫立川
美術編輯　郭志民
出　版　天地圖書有限公司
香港皇后大道東109-115號
智群商業中心15字樓（總寫字樓）
電話：2528 3671　傳真：2865 2609
香港灣仔莊士敦道30號地庫／1樓（門市部）
電話：2865 0708　傳真：2861 1541
印　刷　亨泰印刷有限公司
柴灣利眾街27號德景工業大廈10字樓
電話：2896 3687　傳真：2558 1902
發　行　香港聯合書刊物流有限公司
香港新界大埔汀麗路36號中華商務印刷大廈3字樓
電話：2150 2100　傳真：2407 3062
出版日期　2017年12月／初版

（版權所有・翻印必究）
©COSMOS BOOKS LTD.2017
ISBN ：978-988-8258-26-0